W9-BBM-010
DISCARD

相夫

鉴人择偶秘籍

怀旧船长 著

南海出版公司

新经典文化有限公司
www.readinglife.com
出　品

目录 Contents

圣贤之所美，莫美乎聪明；聪明之所贵，莫贵乎知人。

——刘邵

沙里藏金，一条河都明媚可爱；石中怀玉，整座山皆熠熠生辉。

——怀旧船长

第一章　一女相五男

女到二十八，心头像猫抓。

三天前，孔爱佳刚过完二十八岁生日，此时正是这种心情。

现在离圣诞节的到来还有十五个小时。她坐在办公室里，望着窗外的高楼被笼罩在一片飞舞的雪花中，心头有一种沉重的压抑感。

男怕干错行，女怕嫁错郎。她本是学电子工程的，却鬼使神差地干起了总公司的办公室主任，成天忙忙叨叨，竟不知干了些啥。幸好公司老总郝正乾对她很满意，工作上也算顺风顺水。可这婚姻大事，就是定不下来，急得父亲孔志军成天唠叨。而她，总想着婚姻大事不能草率，一定得找个如意郎君，否则宁可独身。但她近两年来相亲五十余次，结果都不理想。现在，她简直得了“相亲恐惧症”，一听这事心里就发毛。

她长得丑？没才华？收入不高？品行不端？都不是。她的情况，用妹妹孔爱淘编的顺口溜，完全可以总结：

一米六九，秀目樱口；

下笔千言，才高八斗；
月入两万，诸事袖手；
淑女风范，擅长饮酒。

对婚姻，孔爱佳并不抱什么希望，也不想急着嫁人。但迫于家人、朋友的压力，她也不能无视这个问题。一晃到了二十八岁，同学们几乎都成家养子，而她仍孑然一身。自己喜欢的人吧，人家不喜欢自己；人家喜欢自己吧，自己又不喜欢人家。过尽千帆皆不是——一不小心就成了“剩女”，她表面上装作若无其事，但心头的苦水，恐怕能倒一茶缸。

婚姻这种事，不动则不动，一动就是排山倒海。这不，在圣诞节的前一天，居然有五位看上去条件都不错的男人，约她晚上见面。

这五个男人的照片，在上午两个小时内，就躺在她的电子信箱里了。

第一个名叫申峥嵘，三十三岁，政府公务员，副处长，脑门很宽，眼睛是小些，但看起来前途无量——这是老爸的战友的同学的公子，就在京城某国家部委公干。老爸来电话说了，小申人实在，可靠，必须见一见，成不成再说，不然战友会认为孔家拿着劲儿，不好交代。

第二个名叫李晓明，三十七岁，是个“海龟”，外企主管，月入四万，是中学同学隆重介绍的。虽然此人看上去瘦了些，眼镜片厚了些，但并无奸猾之感，有点像瘦版笑星冯巩，很可能还是个幽默的主。找这种人做老公，或许会为生活增添不少情趣，也是可以考虑的。

第三个名叫刘隐龙，四十岁，私企老板，长得肥头大耳，据说从山西倒煤发了家，资产早已过亿。今天，郝正乾一上班就把爱佳叫到办公室，郑重地说，爱佳，刘总可是千里挑一的钻石王老五。我从不给人介绍对象，但这次是经过深思熟虑的。有钱，当然不是坏事。

第四个名叫鲁智道，三十岁，是个新闻记者，长得很干练，眼神深邃，皮肤有些黑，可能是常在外头采访的缘故，显得比实际年龄大许多。介绍人是大学同学，已经铺垫了好几回，对方看了爱佳的照片，了解情况后，终于把相片发过来了。记者博闻，条件也不错。

第五个名叫龙舸，三十四岁，是个船员，当了几年的大副，据说马上要升船长了。从相片上看，此人中等身材，敦实，沉着。介绍人是老客户——华龙运输集团副总裁金民生。金民生曾有意挖爱佳到华龙工作，但爱佳婉拒，使他生出成人之美之意。找船员，情感安全！

爱佳把门一关，将五张相片调出来比对。这一比较，她竟作了难。因为这五个人，貌似都比较理想，而且介绍人都很可靠，对方也表达了急于一见的意愿，想必自己的照片和履历也还过得去。

这好事说不来就不来，一来就是五个！爱佳一时难以决断。

以前相亲，她向来是单打独斗。见过的男人，形形色色。有愣装大牌的，有擅长忽悠的，有狂妄无知的，有低声下气的，有阿谀奉承的，有胆小吝啬的……有的当场出语伤人，有的过后死缠烂打，有的背后出言恫吓。爱佳原本在情感上受过伤害，又目睹姐姐爱美饱受婆婆和老公的冷遇，对婚姻已不抱希望。每次出去相亲，无非为了安慰父亲，表示自己还是“积极主动”的。妹妹爱淘每次都笑她“愚孝”，说她不是为自己而活。

爱佳的父亲孔志军是位性如烈火的苗族汉子，曾参加过对越战争，在部队干到正团，换了几个单位，升迁无望，只得转业到区政府，一干就是二十年，职位从正处干到副处，还没有实权，官场极不得志；李晓梅是爱佳和她姐姐爱美的后妈，生母生爱佳时难产而死；爱佳的妹妹爱淘是李晓梅所生，今年二十四岁，刁顽异常，但与她感情最好。爱佳每遇难决之事，必与爱淘商量。

今日这五个男人商量好似的约爱佳相见，她心头不停打鼓——以前虽有五十多次相亲，但失败次数越多，越无自信，更没主张。见，怕看不准，再次失败，徒伤自尊；不见，又怕与好男失之交臂，空留遗憾。

整个上午，爱佳心乱如麻，啥事也干不成。在B1餐厅吃饭时，郝正乾端了饭菜过来，坐在她对面说，下午你不用上班了，出去准备一下，那刘总晚上把事情都推了，就等着与你约时间，就算给我面子，也得去试一下啊。

中午饭吃的是啥，她根本不记得了。回到办公室，给爱淘打电话，这小妮子竟然关机了。

爱佳下到 B3，将车开了出来，直奔和平街北口的服装学院。爱淘就在这里上课。

爱淘从来都不好好学习。虽生在京城，占尽地利，但中学毕业时居然才考了个大专，气得父亲住了半月的院。幸好爱佳争气，极其轻松拿下一本，然后又上了研究生。爱淘大专毕业后在社会上晃荡，爱佳看不过去，劝她专升本，且天天逼着她学习，好歹她算是考上了服装学院的本科。这时的爱淘貌似有点醒事了，上了本科又考上研究生，好面子的父亲这才高兴起来，但又为二女儿的婚事闹心了。

爱佳好不容易在校外找个地儿把车停了，快步奔向妹妹的教室。一进门，见教室内围了一圈学生，正在上人体素描课。爱佳遍寻不着，料想爱淘又随那些不三不四的人鬼混去了，却不料台上有人唤了她一声。

爱佳一看，原来那个全裸的模特竟是爱淘。只见她僵坐在凳子上，旁边放了一个电暖气，腿上的鸡皮疙瘩都冻出来了。爱佳气得冲上台去，一把揪住妹妹，将她推往后台穿衣服，也不管台下的老师、同学直嚷嚷。

爱淘穿了衣服随二姐出来，坐在车里点了根“爱喜”，开始抱怨：“二姐你神经病呀，当着老师、同学的面，真让我下不来台！”

“死样，你丢死人了！”爱佳骂道，“要是让爸爸知道了，非扒了你的皮不可！你还是姑娘呀，当着那么多人的面，赤身裸体的，不害臊吗？再说，你们学校的模特儿都死绝了？你要是缺钱，跟二姐说一声。”

“裸体怎么啦？这是艺术，懂不？”爱淘吐了个戒指大小的烟圈，若无其事地说，“今天模特儿住院了，我一看大家没得画，心想咱这身材可不比那些模特儿好多了？长得好看，不让人看，这是资源浪费！我可不是为了挣钱，是为艺术献身。唉，对牛弹琴啊，说了你这老古板也不懂！”

爱佳知道自己与妹妹斗嘴，结局必然是孔夫子搬家——都是输（书），便耐心地说：“爱淘，二姐只是怕你将来的男朋友知道你干这个，会不舒服。我不跟你争辩，你死活要干，谁有办法？”

“二姐，我觉得你好像遇到了难事。”爱淘把烟掐了，笑道，“以前要是遇到这种事，你还不叨唠半天？今天这么快就收兵，肯定有要紧事。说吧，俺孔三小姐虽然考试成绩不咋的，但歪点子可是层出不穷喽！”

爱佳叹了口气，就把要相五个男人的事讲了。

本来，爱佳以为妹妹会开几句玩笑。不料爱淘听完之后，又点了根烟，神情严肃地说：“二小姐啊，这个事情有些麻烦呀。”

“怎么个麻烦法？”爱佳对妹妹的反应有些意外，“反正二姐都成相亲专业户了，就死马当活马医吧。我呀，现在相的不是亲，是人情，不过是去照个面，应付一下，反正又没当回事。真命天子，不会这么容易就出现的。”

“二小姐此言差矣！”爱淘晃着脑袋说，“你去商场买东西，为什么花的时间多反而不买？就是商品太杂、选择余地太多闹的。说句你不爱听的话，你这两年相亲五十多次，就是挑花了眼，结果反而没法子选择。放在五十年前，逮住一个是一个，不照样幸福得要死？听说当年咱军队援建新疆，一个个男人呀，见了女人恨不得生吞活剥了；女人呢，成天高喊口号干活，都快变成男人了。后来首长想了个办法，让男的女的对排两列，向右看齐，再向前看，看见对面是谁，晚上就和谁入洞房，结果幸福家庭层出不穷……听你刚才讲的情况，这五个人，貌似都有些名堂，如果准备不足，照你以前那种散打，浪费资源不说，还会伤自尊、生闲气。”

爱佳一听，果然有些急了。她一把抓住妹妹的肩膀，使劲地摇：“爱淘啊，二姐知道你鬼点子多，这不快马赶来求援了吗？你快拿个主意。”

“待本公主斟酌片刻。”爱淘半眯起眼，想了一会儿，“我看这次，你不要单独行动了，得找个帮手。”

“好啊。”爱佳说，“那就请三公主出马吧。说真的，我现在相亲都相伤了！”

“不行。”爱淘摇摇头道，“就我这魔鬼身材，跟你一路，这五个臭男人中，至少有四个会看上我，那就更伤你自尊了。”

“死丫头，”爱佳打了她一下，“你别臭美了。到底去不去？”

这时，她的手机响了，是大姐孔爱美打来的，想约她晚上一起吃个饭。

“不行，晚上我要相亲。”爱佳说，“现在正同爱淘商量对策呢，要不你也来把把关？”

爱美沮丧地说：“那你们去吧，我只好自个儿过了……”

爱佳挂了电话。爱淘说：“大姐正郁闷，咱就不打扰她了。说正经的哈，我觉得这五个人都有看头，所以咱们得提前做好战略部署。刚才，我突然想到一个人——如果能请此人出马，必将这五个臭男人立斩于马下！”

“谁？”爱佳见妹妹睁圆了眼睛，料想不是开玩笑。

“此人名叫宋时鱼，差不多是个半仙级人物，看人，那是入骨三分。他办公司的原始资金，就是给人看相赚来的。”爱淘说，“如果这宋半仙愿意的话，你的相亲历史必将画上圆满句号。”

第二章　代理相亲

宋时鱼，男，汉族，三十五岁，山东威海人。在车上，爱淘编了一个顺口溜形容此人：

一米七五，不洋不土；

面冷心热，通今博古。

一开始，爱佳并不想找宋时鱼，但架不住爱淘极力游说，只好同意去看看。

这宋时鱼是开“试离婚公司”的。爱佳并不清楚试离婚是啥意思。爱淘告诉她，试离婚就是大姐和姐夫这样已经开始冷战但又顾忌家庭、财产等诸多因素，一时下不了决心离婚的夫妻，得找个中介机构缓冲一下，由“试离婚公司”出面周旋，视情况再决定离还是不离。爱佳心想，这大千世界当真无奇不有，居然有这种生意存在。

宋时鱼的公司在东三环国贸桥东，大厦看着挺气派，进去后才发现，他的公司不过一百多个平方，开间很小，十几个员工挤在里头。那宋时鱼此时正接待一位浓妆艳抹的女人，关起门来不知在谈些啥。门口的小姑娘端来两杯水，请孔家姐妹在狭小的接待室候着。

爱佳心想，这样的小破公司，会有什么生意？看看表，已经下午两点半了，晚上的约会怎么安排？是先见一两个，还是五个都见？这一路上，中间人的电话一直在催她定时间、地点，可妹妹却一副不以为然的样子，真让她急得上火。

终于，那个浓妆艳抹的女人出来了，宋时鱼亲自送出门后，才与姐妹俩相见。显然，他与爱淘熟识，便请二人进了他那间大概十五平方米的办公室，把门关上了。

宋时鱼偏瘦，肤色偏黑，其貌不扬，倒是穿着整齐，显得沉稳干练。爱佳接过他双手递过来的一张名片，见其上的头衔是：

北京九头鸟信息咨询有限公司 执行董事

爱佳看了看，忍不住说：“宋先生，怎么不写上总经理或者总裁？”

宋时鱼翘起二郎腿，哈哈一笑：“孔主任是笑话我公司小吧？请问，贵公司有多少人？人均年产值是多少？”

爱佳一愣，随即答道：“我们公司，北京总部两百人，全国的公司加起来有两千五百人。人均产值嘛，大概是三十多万吧。”

“我们公司不大，但人均年产值在六十万以上。”宋时鱼微笑道，“听爱淘讲过，贵公司是事业单位注资，国有性质，垄断行业，不能比啊。”

爱佳见他嘴巴不饶人，心中不喜，但想着区区十数人，仅做咨询服务，便有近千万的营业额，当真有些手段，就说：“听爱淘讲，宋先生是高人？”

“不高不高，一米七五而已，算是二等残废吧。”宋时鱼开了句玩笑，“爱淘，咱们是熟人，就不客气了。你姐有何难事，尽管说，宋某乐意效劳。”

爱佳正待要说，爱淘嘴快，把她的事一五一十说了。

宋时鱼边听边在小本本上记。待爱淘讲完，他看了看表说：“那就请孔主任到财务那儿把钱交了吧。”

“什么？”爱佳有点懵，“交什么钱？”

“孔主任，我公司的兄弟姐妹们要吃饭，当然要交钱了。”宋时鱼双手一摊，“你这笔业务需要三万元。爱淘是熟人，打八折，一共二万四，先交四成预付款九千六。这个已经是最优惠的价格，没有商量的余地了。”

爱佳一下站了起来，拉了妹妹一把，起身便走。宋时鱼也站了起来，叫了一声门口的小姑娘：“送客。”

爱淘在楼道里拽着二姐：“你怎么了？人家话都没说完，你就要走！再说，人家这是买卖，枉你是硕士毕业，竟然不知道尊重知识产权！”

“你瞎说什么？”爱佳生气了，“我看姓宋的那德性样儿，自己找老婆都难，还想忽悠人呢！”

“二姐，你就信我一回成不？”爱淘急了，“这宋先生真的很厉害。我们学校一个女老师，是个副教授，与老公闹得是死去活来，结果到了这儿，让这宋先生一收拾，你猜怎么着？”

“怎么着？”爱佳边说边往电梯间走。

“这两口子和好如初了，现在简直是如胶似漆！”爱淘道，“你想呀，花三万元，挽救了一个家庭，一桩婚姻，说有多值就有多值。”

“真的？”爱佳半信半疑，“他们也花了三万？”

“三万多吗？”爱淘笑了，“二姐啊，你想想，人家是一对夫妻，花三万，摊在人头上，一人一万五；你这个呢，一个女人相五个男人，就是六个人，还打了八折，一人才摊四千块，多值啊！”

“可是……万一不管用怎么办？”爱佳有些动心了。

“不管用？”爱淘笑了，“你看到有人到宋先生这里闹事吗？没有几把刷子，谁敢干这个？”

爱佳心想，反正自己相亲相怕了，不如真掏三万试试。于是她问：“爱淘，如果事情没办成，这钱退不？”

“退啊。”爱淘眨巴了一下眼睛，“就你性子急。这种事情，都是有协议的。”

爱佳又犹豫了一会儿，说：“走，回去再看看。大不了，让这姓宋的骗三万！”

于是二人又回来了。

这时，宋时鱼已经叫公司员工提前下班去过平安夜了。十几个人都收拾完毕，正准备锁门。

“二位，怎么又回来了？”宋时鱼有些奇怪，“难道你们不知道今晚是平安夜？”

“我准备把钱交了。”爱佳狠了狠心说，“但我要看协议。”

宋时鱼让财务和行政人员留下，又返回办公室，请姐妹俩坐下：“对不起，本公司主要业务是办理试离婚案件，还没有代理过相亲业务。刚才听爱淘讲了孔主任这个情况，我是看在爱淘的面上答应接，但这个没有现成的协议。”

“原来你是吹牛的！”爱佳哼了一声，又站起来，“没协议的事，我可不敢相信。”

“孔主任请坐。”宋时鱼止住了她，“我可以破例为你准备一个协议。不过我必须告诉你，这是本公司第一次接这种业务，由本人亲自执行。”

“那我可真荣幸。”爱佳心想，看你这小子能玩出什么花样来。

宋时鱼没理她，打电话让员工即刻草拟一个协议。但见他语速很快，三分钟之内便吩咐完毕。爱佳这个办公室主任，也兼管公司的项目合同。一听，果然是条理清晰的合同，虽然显得简略，但主要条款都有了：

一、乙方代表人宋时鱼，代理甲方孔爱佳相亲事宜，必要时出场，协助甲方鉴定男朋友，直至甲方满意并与相关对象确立恋爱关系为止，乙方负有保密责任。

二、乙方代理服务费三万元，优惠后价格为两万四千元，预付九千六百元，确定恋爱关系一周内甲方付清余款。如果乙方所有的服务没有获得甲方认可，则全额退还预付款，合同终止。

三、为使合约得以执行，乙方可采取任何不违反法律法规的方法，且甲方须尽力配合和提供必要的协助。相亲场所只限于北京市内。

四、甲方与相亲对象所产生的一切纠纷均与乙方无关。

爱佳听完，觉得这个协议对自己有利。她是个实在人，忍不住说：“宋先生，如果我到时候赖账，死活不满意，或是相亲成功但却谎称没成，你岂不是要白忙一场？”

“我相信所有的客户。”宋时鱼正色道，“如果一个人连起码的信义都没有，就不会拥有美好的情感，更不会拥有幸福的家庭，我又何必担心这个？”

不一会儿，一个小伙子将协议送来，一式两份，请宋孔二人过目。爱佳看后签了字，到财务室划卡交钱。

再回到宋时鱼的办公室，爱佳仍然心存疑虑。宋时鱼说：“现在，我们可以开始工作了。请孔主任密切配合，先把这五位帅哥的资料给我看一下。”

于是爱佳用宋时鱼的电脑，打开邮箱，将五人资料调了出来，请他研究。

见宋时鱼专心看资料，爱佳心想，钱你倒是收了，但这五个人，不好安排啊。况且，就算这姓宋的慧眼识人，但相亲是私密事，总不能带着他前去，说他是自己的“表哥”吧？

宋时鱼看完，似乎成竹在胸：“为节省时间，趁着平安夜，必须把这五个人一并看了。时间，从下午五点开始，一个小时相一个人，中场休息十分钟，这样就是五点第一个，六点十分第二个，七点二十第三个，八点半第四个，九点四十第五个，十点五十结束。十一点钟，我再给你结果。也就是说，在圣诞节来临之前，我就会向你提供综合评估报告。”

爱佳差点晕倒。这个宋半仙，说得倒轻巧，这性格各异、情况不明的五个大男人，就那么好打发？她笑了一下：“宋先生，您是说，让这五个人排队等候吗？人家又不是木偶，怎么可能听从我们的摆布？”

宋时鱼没理会她的疑问，开始郑重安排：“地点，本大厦二层餐厅8号卡包。我，也就是本项目执行人，届时会以侍者身份出现——放心，二楼餐厅老板是我朋友，免费为他打工，他当然乐意。你只管放心大胆接见这五位男士，一切有我！”

“那，怎么安排这五个人见面？”爱佳突然有些紧张。

宋时鱼翻了翻台历，说：“从这五个人的情况来看，应该是这样的顺序——鲁智道、申峥嵘、刘隐龙、龙舸、李晓明。你赶紧给中间人打电话，按刚才的时间约吧。”

“为什么要这样安排？”爱佳不解。

“很简单，我是按他们的职业特征来排序的。”宋时鱼说，“鲁记者从事新闻工作，一般都守时，性子也急一些；申处长是公务员，按部就班之人，六点正好下班赶到；刘老板既然是老板，最好安排到饭口上，让他表现一下，所以让他七点二十到；龙大副是跑船的，性情豪放，心胸宽广，晚一点没事；至于李海归，在国外过惯了夜生活，越晚越好。”

爱佳见宋时鱼轻描淡写地安排，不由得心下佩服。看来妹妹并没有吹嘘。此人条理清晰，做事果决，其才能似不在郝正乾之下。

于是她拿出手机，按照宋时鱼的指点，一一约定时间。半个小时内，居然全部都约好了。

爱佳挂了电话，才想起一个问题：“宋先生，如果这一个小时不够，怎么办？”

第三章　泡茶K记者

“这是个小问题。”宋时鱼说，“爱淘在二楼餐厅候着，暗中观察你们的进展，快到时间了就会打电话给你。你接电话后，只需向对方道歉，说有要紧事，改天再联系，就可以散了。”

“这样……不太礼貌吧？”爱佳面露为难之色，“万一……聊得来呢？”

“你这个观念不对。”宋时鱼站起来说，“第一，相亲是一个目标明确的活儿，就如同谈判，是要讲技巧的，说白了婚姻就是一门生意，而且是人生中最大的一门生意，岂能因为那些虚礼而误了自己？第二，聊不来，何必多费时间？提前散场对大家都是解脱；如果聊得来更好，为对方留下悬念、盼头，甚至恨时间太短，效果就出来了。第三，五位先生与你是在同一场合会面，他们的各种表现都会在同一场景里显露无遗，而你一夜之间能够比对五个对象，这有利于综合评估。”

爱佳有些发懵，但还是深吸了一口气，勉强点头。

“现在还有时间，请孔主任先到楼下把头发做了。”宋时鱼递给她一张打折卡，“楼下有一家叫‘凝脂’的美容院，持此卡七折优惠。”

“我头发很乱吗？”爱佳接过卡，觉得没这个必要。

“尊重一个人，首先从‘头’开始。”宋时鱼郑重地说，“今晚应约前来的五位男士，都是有身份的人。你做做头发，他们都看得见，也能感觉得出你是一个郑重其事的人。有句话说得好：魔鬼在细节中。”

这句话让爱佳眼前一亮。这些道理，她何尝不懂？或许，正是平时不注重细节，让以往的相亲变得没法子回忆了吧。

宋时鱼认真地看着她，“孔主任，宋某混过的职业不下十种，唯一的感受就是，无论在何时何地，都要有自信！你本来就长得漂亮，气质高雅，再加上有我和爱淘助阵，你尽管放开，让对方感到追求你有一定难度，才能调动对方的积极性。要记住，凡是相亲的人，必有自身的缺陷，无论他是干什么的，都有其弱点。而你的工作就是，找到他们的弱点，点到为止，视情况稍微提点建议，让他们有如遇知音之感。”

“如果看不出他们的弱点呢？”爱佳问。

“那就用‘共同弱点’。”宋时鱼说，“凡是人，都以为自己是独一无二的，都有知音难觅的困惑。你只要在交流时，站在对方的立场上来思考问题，就能立即引起对方的注意。”

“投其所好？”爱佳问。

“一半对。”宋时鱼说，“完全投其所好，对方会觉得你阿谀奉承；完全唱反调，对方会觉得你吹毛求疵；不置可否或保持沉默，对方会觉得你没有主见。正确的做法是认可他的大部分观点，但一针见血地指出其不足，起到修正、补充的作用，对方就会对你感兴趣。”

“宋先生，你太可怕了。”爱佳忍不住说，“你这哪是相亲？简直就是攻心术啊！”

“现代婚姻充满功利，所以才有那么多优秀儿女独守空房。”宋时鱼说，“既然婚姻就是一场博弈，那就得按规则来办。不懂规则、不通晓人性的人，别说在情场上失败，就连普通工作都难以做好。孔主任在职场上搏杀这么多年，难道没有体悟？”

“我说不过你。”爱佳尴尬一笑，“好吧，反正钱都交了，今晚就按宋先生的指示办。”

“这就对了。”宋时鱼也友好地一笑，“客户是我们公司的衣食父母，为你服务是我的天职，更是我的荣幸。你只管放手去相亲，必定会有收获。宋某先在此预祝成功！”

大厦二楼的餐厅并不算顶级，但在京城也属中高档之列。饭店的老板是一位四十多岁的中年人，微微秃顶，显得颇为精明。等姐妹俩从美容院回来，宋时鱼已安排停当。

此时的宋时鱼一身服务生的装束，介绍姐妹俩与饭店老板认识之后，他将爱佳领到一个相对安静的卡包。这卡包靠餐厅最里头，坐在里面有利于观察，且不易被发现。

时值下午四点五十分，大餐厅只有稀疏的几个客人。爱佳不停看表，如临大敌一般。她坐在卡包里，抬头看向宋时鱼，希望再得到一点暗示。但宋时鱼却已进入状态，一举一动，全然是一个专业的饭店服务生，半眼都没瞧她。

突然，手机响了，是一个有点尖细的声音：“请问是孔爱佳吗？我是鲁智道，已经到了二楼的餐厅。”

“请进来吧。”爱佳强压住心头的惊慌，用尽量平静的声音说，“8号卡包在餐厅最里头。”

她边说边向外张望，只见一位头发微卷、戴一副眼镜的男人背着一个帆布包，径直走了过来。

爱佳迅速目测此人：他与照片上稍微有异，大概一米七八，瘦，喉结突出，五官倒也端正，棱角分明，肤色很黄，长了个骆驼鼻子，胡须根根如刺，有点像已经逝世的阿拉法特。

她站起身，客气地招呼了一下。这鲁智道先不看她，而是用镜片后面凌厉的目光扫射了一下周围的环境，才放心坐下："对不起，差点迟到了。孔小姐是喝茶？还是用餐？"

"喝茶吧。"爱佳想起宋时鱼的嘱咐，表情变得自然了，"现在离吃饭时间还早，我一会儿还有事，所以提前约了鲁先生。"

"非常感谢。"鲁智道迅速扫描了一遍爱佳，朗声叫道，"服务生，上茶。"

宋时鱼疾步而上，哈腰道："单子就在桌上。请问先生，您需要什么茶？"

鲁智道翻了一下单子，说："菊花茶吧，最近有点上火。孔小姐，你看呢？"

"都行。"爱佳微微一笑。

宋时鱼记了茶名，开小票去上茶了。

"孔小姐，我知道你挺忙，咱们今天见面，可以随便聊聊。"鲁智道开门见山，"我的情况，都发电子邮件给你了，大体就是那样。这些年全国各地到处跑，几乎没有机会谈感情，顾不上考虑婚事，父母有点着急了。人过三十天过午，我也老大不小了，是该谈谈了。"

"鲁先生从事记者行业，自然是见多识广。"爱佳微笑道，"要说机会，当然比我们这些猫在办公室的人要多。您认为这婚姻大事，是遵从父母的意愿好呢？还是相信缘分？"

"缘分没有科学依据。"鲁智道说，"现在的人都很实际，婚姻就是生活，生活必须落地。也许，我这个人太实际，缺少浪漫，但我实事求是。"

"赞同。"爱佳说，"我也喜欢实事求是，但我认为浪漫与实实在在的生活并不冲突。"

"浪漫是杜撰出来的。"鲁智道甩了甩头发，"生活就是平平淡淡的柴米油盐，就是过日子。当然，女性希望浪漫，是一种美好的愿望，也不能说有美好的想象就不好。”

这时宋时鱼端来两杯菊花茶，先放一杯在爱佳面前，再给鲁智道，道声“请慢用”后离开了。

“这么说，鲁先生允许他人有美好的想象？”爱佳心头其实早就不喜欢此人，放在以前，早就起身闪人了。但今天她花了钱，请了后援，得用足资源，于是使劲淡定了一下。

“当然，当然。”鲁智道双手一摊，“你看你这么一说，好像我这个人很霸道似的。大千世界，芸芸众生，当然得尊重他人的任何个性。我只是说我这个人比较实际，因为我的工作就是让大众知情，提供真实、准确、客观的资讯，还请你谅解。”

“看来，鲁先生采写的新闻都是真实、准确、客观的了？”爱佳微笑着问。

“你不相信？”鲁智道偏了一下头，“新闻当然都是真相，否则写小说算了。”

“鲁先生，我不是不相信你，而是不相信所谓的真相。”爱佳喝了口茶，“什么是真相？什么是假相？恐怕不好分辨。世间万物，瞬息万变，看到的、听到的、碰到的，不一定就是真相。生活就像海洋，我们看到的，也许只是冒出水面的礁石罢了。”

鲁智道一愣。他端起茶喝了一口，半晌才说：“你说的好像也有些道理。但我们从事的工作，不正是努力地将海平面下的秘密告诉大众吗？”

“鲁先生，我没有否定你们的工作，只是想说，任何事情都不是那么绝对。”爱佳见对方目光有些游离，就进了一步，“社会当然需要舆论监督，不然就乱了。但并不是所有的新闻都是真相。有真相，就有假相，而且如果没有假相，真相就不成其为真相了。”

“说得好。”鲁智道扶了扶眼镜，“看来孔小姐不像学电子工程的，倒像是学哲学的。”

“我是学什么什么不成。”爱佳微笑道，“问个题外话，你认为这世间有没有爱情？”

“爱情？”鲁智道没料到她会有此一问。他犹豫了一下，说：“爱情应该存在吧，只是很多人都无法碰到。”

“为什么？”

“这个……我无权发表意见。”鲁智道有些发窘，“很可能，男人与女人对爱情的理解不一样。个人认为，爱情跟浪漫一样，只怕也是一种美好的想象。”

“那你认为自己会不会拥有爱情？”爱佳突然觉得，占上风的感觉真不错。

“我？”鲁智道有些发懵，“我……这得看情况了，我倒是希望有。你呢？”

“我不相信爱情……会从天而降。”爱佳说，“就像你不相信新闻会自动飞进你的电脑一样，得去找，去发现。”

鲁智道眼睛一亮，“孔小姐，听你讲这番话，真令我豁然开朗。谢谢！”

“也许我们还有机会再探讨这个话题。”爱佳记住了宋时鱼“点到为止”的建议，站起身来，“不过今晚我还有事，谢谢你点的菊花茶。”

“那我买单……”鲁智道没想到对方这么快就要终止会面，“不过，我还有机会聆听你的高见吗？”

“电话、邮件、MSN 都有，当然欢迎联系。”爱佳优雅地一笑，“茶钱已经结过了。那今天先到这里吧，我去下洗手间，再见了。祝圣诞愉快！”

“也祝你愉快。”鲁智道有些恍惚地站起身来，伸手与爱佳一握。

爱佳感觉到他的手有些颤抖。

第四章　先扬后抑

鲁智道的身影消失在餐厅外。

爱佳并没有去洗手间。她在等宋时鱼。

宋时鱼坐在刚才鲁智道的位置上，摸了摸还很热的茶杯，叹了口气道："孔二小姐，你也太性急了吧，只用二十分钟就将人打发了。古时候关公温酒斩华雄，你这是泡茶K记者啊。"

爱佳只觉得一身轻松。这个记者，刚来时牛哄哄的，没想到被强行终止约会，反而激起了他的好胜心。看来，这个宋半仙真坏！

宋时鱼见爱佳忍不住想笑，也乐了："行啊，孔二小姐有一套！就得这样，成不成，咱不输气质！"

"记者毕竟是文化人，这当官的怎么对付？"爱佳问，"我平时跟他们打过交道，都是官腔官调的，可牛了。"

"四个字：先扬后抑。"宋时鱼支招，"政府公务员，挣得不多，就是手头有点权力。他在这种国家机关工作，上头领导太多，平时装孙子装得够压抑的，所以出来就装爷。你尽管放松，先给块糖，再择机套牢，让他对你刮目相看。"

爱佳点点头，向服务生要了份报纸，静等第二个相亲者前来。

申峥嵘是掐着点来的。六点十分，他准时坐在爱佳的对面。

宋时鱼一看，这个男人长一张王字脸，头圆，颧骨比较突出，面型方正，人瘦高，穿一件呢子大衣，还围了围脖。他不慌不忙，淡定自若，真有点当官的派头。

"孔主任好，真是幸会。"他的牙有些黄，可能是长期抽烟的缘故。但整个人看上去，老成持重。

"申处长好。"爱佳这回早就要了茶，实际上只换了客人那杯。

“还是叫老申吧。”申峥嵘微微一笑，“我见过孔主任的父亲孔伯伯，一位对工作尽心尽职的好人啊。可惜，区政府水太浅了，没有晋升空间，要是在部委，早就上去了。”

“我爸爸都快退了，这个对他无所谓了。”爱佳说，“申处长，本来今天有事，但我爸爸总是在我耳边夸您，我想啊，再怎么着也得与您见一面，哪怕就一会儿，也好向爸爸有个交代。”

“这话说得不对。”申峥嵘严肃起来，“孔伯伯是孔伯伯，你是你，怎么能混为一谈？再说，咱们就算谈不到一起，也可以交个朋友嘛。论年龄，我是你兄长。无论如何，将来只要有事，找我就是。如能为你效劳，我是不会推辞的。”

“谢谢申处长。”爱佳说，“您在国家机关，没有后顾之忧。不像我们，在公司打工，市场环境好还行，一旦遇到风吹草动，心头就害怕，随时都有可能失业。”

“都一样，都一样。”申峥嵘嘴上客气，但面露自得之色，“我们也是给国家打工嘛，混口饭罢了，没什么区别。况且，公务员限制多，管得严，就那点死工资，穷啊。”

“申处长这么年轻就当了处长，前程不可限量啊。”爱佳开始表扬他，“将来有机会，下派锻炼一下，就高升了。那时候，恐怕请您喝茶，您就没时间了。”

“看你说的。”申峥嵘被她夸得爽了，表情也放松了，“工作是工作，生活是生活，得分开啊。况且，你又不是外人，有孔伯伯和我老爸这层关系，咱们不能生分了。爱佳，其实你的条件，完全可以千挑万选，我还怕你不愿理我呢。”

“哪敢啊，申处长说笑了。”爱佳低头道，“我成天忙着公司那点小事，基本没有时间谈成家的问题，所以老爸着急了。我嘛，倒想多自由几年。”

“我也是啊，”申峥嵘叹道，“其实当公务员一点都不自由，就算有想法，也很难实现，只能随大溜，碰运气了。”

“这大概是有利有弊吧。”爱佳说，“一个人怎么可能把所有的好处都占尽？像申处长这样的才俊，已经是公务员中的佼佼者了，您又何必自叹？”

“孔主任独具慧眼啊。”申峥嵘来了兴趣，“依你之见，如何才能当好公务员？”

“你们官场水太深，我不懂。”爱佳见时机已到，就开始“抑”他了，“不过，依我浅见，申处长如果按目前这种状态干下去，有被后来者超过的危险。到了三十五岁以上，如果没解决正处，就危险了。”

这句话果然令申峥嵘一惊。他坐直身体，小声问道：“爱佳，既然咱们的父辈有交情，还请你直言，我洗耳恭听。”

“我听说，混官场，有三大要点。”爱佳故意顿了顿，“第一，后台。主要指社会关系，如亲师旧友中有人罩着，自身又无过失，自然如鱼得水。第二，异才。如有高学历且才华特殊，是单位的顶梁柱，单位离不开你，自然会重用你。第三，财富。手头有钱，钱能生关系，关系是水，自然就水涨船高了。但恕我直言，这三条中，第二条申处长勉强沾点边，其余两条都不沾，如果任其自然发展，前程似乎并不乐观。”

申峥嵘一怔，随即将身体向前倾了倾：“爱佳，你这话真是醍醐灌顶啊！还请你多多指点！”

爱佳看了看表，轻描淡写地说：“这个问题要讲起来话就长了。我看，如果你感兴趣，咱们改天再聊吧。”

“不行啊。”申峥嵘被点中了死穴，急了，“你先别走。哪怕是片言只字，也得让我今晚能安睡啊。”

“好，那我就说个大概。”爱佳严肃起来，“这三条，其实相互可以连通。谁生来就有社会关系？多半是后天运作的结果。就说这‘亲’吧，不一定是亲人、亲戚，也可以是姻亲。你现在正是钻石王老五的年龄，如果攀上一门亲事，女方有钱有权都可以，那么就可以保证你仕途畅达了。从这一点上讲，你与我相亲并不合适，因为我既没有钱，也没有权。”

“千万别这么说，爱佳。”申峥嵘道，“我想，既然可以互通，也可以通过其他途径解决。我想，再有钱、有权，都是暂时的，要想长久，必须得有一位像你这样的贤内助才行啊。”

“你怎么知道我会是贤内助？”爱佳忍不住笑了，“不会因为我们俩的父辈认识，你就以为我们合适吧？”

“当然不是。”申峥嵘急了，“爱佳，我也算是见过些世面的人。今晚一见到你，就觉得你特有真才实学。你对社会的洞察，对人性的了解，三言两语就说清楚了，这是我万万不能及的。所以，我也不必装了，真诚希望你能给我一次机会，让我们好好相处吧。”

“谢谢你。”爱佳站了起来，“我对你的印象也挺好。不过来日方长，今天真的还有事，改日再聊吧。”

申峥嵘站起，唤服务生结账。

宋时鱼走过来，小声道：“先生，这位小姐已经结过了。”

申峥嵘连声道谢，就离开了。

“孔主任，你真是越来越厉害了。”待申峥嵘走后，宋时鱼笑道，“你刚才的一席话，我都信了，甚至产生了投奔你、在你手下当兵的冲动。”

爱佳也笑了：“这还不是宋先生运筹有方？我不过是按你的指示办罢了。”

宋时鱼看看表，离下一个约会者还有时间，于是说道：“这刘老板的资料，我看了后觉得此人精明透顶，但看照片却是个傻相。这种人最难对付，因为他从社会这个大染缸里混出来，所以你刚才那一套不管用了，得用新招。”

“那该用什么招？”爱佳见他不像开玩笑，也重视起来。

“他这种人，因为受的教育少，一度受人歧视，所以喜欢附庸风雅。”宋时鱼说，“但你千万别以为他没文化。我敢断言，他比那些从名牌大学毕业的人，更懂人性，更通生存之道。因此，你要抓住这一点，尽早与其达成共识。”

“没听明白。”爱佳摇摇头，“他既然通这通那的，何必装作不会？我要是说多了，怕人家以为我在卖弄，岂不是弄巧成拙？”

“你这观念不对。”宋时鱼认真地说，“大凡成功人士，心头总有遗憾。一个人得到了某件东西，就觉得不过如此；只有得不到的东西，才会拼命争取。刘老板四十岁还未结婚，并不是他找不到老婆，而是他挑三拣四。挑拣啥？不是容貌，也不是钱，更不是权，而是他以前缺失的东西，或许正是他从书里看到的淑女风范。他物质上不缺，但心灵上缺少文化的滋养与启迪，缺少心灵的润泽与休憩。因此，你不要与他聊那些商场上的事，他看得比你透。你要聊修身养性，聊天地万物，让他有久旱而逢甘霖之感。”

爱佳心中一动，心想这宋时鱼当真有几下子，看来这钱没白花，便说：“放心吧宋先生，这个平安夜，我绝对服从命令、听从指挥。无论胜败，都会将你的旨意坚决贯彻执行到底！”

“孔二小姐真是不可多见的人才啊！”宋时鱼叹息一声，走开了。

第五章　一条大青虫

刘隐龙戴一副眼镜，中等身材，微微发福，白面少须，耳垂很大，满脸堆笑。他走路的样子很奇特，一踮一踮的，像只吃饱了食物的大公鸭。

他来迟了五分钟。此时，大厅内人声鼎沸，青年男女们已开始狂欢了。

“真不好意思，堵车了。没想到京城里的年轻人，这么喜欢过洋节，看来，我真是上了年纪了。”他稍微带点口音。不过不仔细听，也听不出来。

“刘总客气了。”爱佳微笑道，“我们郝总经常提起您，说您是靠单枪匹马杀出来的商场豪杰，很敬佩您啊。”

“郝总这是在说笑。”刘隐龙微笑道，“不过我一直怀疑他说过的一句话：娶妻当娶孔爱佳。现在看来，我的怀疑显得多么无知。”

“哦？”爱佳觉得面上有些辣，这个老油条果然厉害，“也许刘总对别人说这话，会令人高兴，但我怎么听着有些别扭啊？”

“我是说真心话啊。”刘隐龙看了看四周，“孔主任，这里有点吵，要不找个全封闭的包间如何？”

“我知道刘总经常在北京饭店贵宾楼请人吃饭，但我是公司职员，级别不够，再加上喜欢热闹，因此未经刘总同意，就找了这个卡包。”爱佳定了定神，“当然，如果刘总觉得不好，也是可以换的。”

“不用了，不用了。我主要是怕你嫌吵，其实我个人最喜欢在小饭馆吃饭，越小的饭馆越有味道。”刘隐龙向侍者打了个手势。宋时鱼就过来了。

“请问先生，需要点什么？”宋时鱼哈腰问。

“那得看对面这位美女的意思。”刘隐龙很绅士地把菜单轻轻往爱佳面前一放，“请孔主任点菜。”

爱佳推辞不过，点了四热二凉，一瓶啤酒，一扎鲜榨橙汁。

宋时鱼很专业地记完，道声“请稍候”，就离开了。

“看来孔主任经常点菜。”刘隐龙坐直了身体，“最主要的，挺节俭，难得。”

“我听郝总讲，刘总从不相亲，能在百忙之中抽出时间前来见我一面，真是我的荣幸。”爱佳打起精神，对这位私企老板微笑道。

“那是我胆小如鼠的缘故。”刘隐龙自嘲道，“实际上，我每天一睁眼，头一件事就想着相亲。钱钟书好像说过，老男人谈恋爱，如老房子着火。人到中年，真是可怕呀！”

“现在四十岁的男人，正是钻石阶层。”爱佳觉得这刘老板倒很温和，不似那些土老板低俗，“刘总身家亿万，不知有多少明星美女追您呢！”

“钱倒是有几个钱，但钱不是万能的。”刘隐龙叹道，“这四十年来，我拼命挣钱，可是也丢失了很多东西，特别是学习文化知识的机会，现在是追不回来了。从这一点上来说，人的一生，不可能什么都得到，失去的总比得到的多啊。”

“可是，那么多人成天忙忙碌碌，不就是为了挣到钱吗？”爱佳接上话头，“我身边许多有文化知识的人，终其一生，不过是为了一套房、一辆车而已。刘总才四十岁，就做成了大事业，怎么能说失去的比得到的多呢？”

“任何事都有利有弊。”刘隐龙道，“我小的时候，在村里长大。父亲死得早，母亲为了找活路，改嫁了，把我扔给奶奶。奶奶眼睛不好，手脚也不灵便，家里也没什么吃的。记得有一次，奶奶煮菜给我充饥，汤碗里有条一扎来长的大青虫……都被煮烂了……”

爱佳胃里翻腾了一下。但想着今天带着任务，便忍住了，问道：“那后来呢？”

“我当然是把大青虫连汤带汁都喝掉了。”刘隐龙边说边叹息。

这时服务生把菜端上来。

不看菜还好，一看，爱佳胃里翻江倒海，差点一口喷出。但她使劲咬了一下牙，轻声道：“原来刘总是个孝子啊。如果您当时说汤里有虫，奶奶一定会内疚甚至伤心的。”

刘隐龙沉默了半晌，将啤酒倒满，敬了爱佳一下：“爱佳啊，谢谢你！”说罢一饮而尽。

爱佳喝了一口橙汁，压了压胃里涌起的酸水，不解地问：“谢我什么？”

“说真的，我讲这个小故事，就连我公司的女孩，都要吐。”刘隐龙又把酒倒上，“这个故事，别人听到的是恶心，而你听到的却是亲情，叫我如何不感动？”说着，又敬了爱佳一下，再一口干了。

爱佳恍然。若在平时，她听到这个故事，就算不喷出来，也会离座而去。只是，今天面对一个亿万富翁，又先期作了谋划，才强忍罢了。

等刘隐龙倒满，爱佳主动敬了他一杯："刘总，为了大青虫，为了信念，敬您！"

刘隐龙把杯顿住，诧异地问："你怎么知道这是信念？"

"因为您的力量来自那条大青虫。"爱佳真诚地说道，"当然是我瞎猜的，说得不对，请刘总原谅。"

"不，你说对了。"刘隐龙眼睛发亮了，"当年，我喝了那菜汤，跑到屋后去吐，差点把肠子都吐出来了。但那时我就想，我一定能让奶奶过上好生活。后来我就到城里，开始打拼。每次在失败之时，我只要想起那条大青虫，就有了前行的力量。"

"奶奶现在还健在吧？"爱佳问。

"奶奶走了。今年秋天刚走……"刘隐龙神色黯然，低下头来。

"对不起。"爱佳低声说。

"奶奶活到九十岁，度过了最开心的晚年。不过……"刘隐龙的声音越来越低。

"她有什么遗愿吗？"爱佳问。

"她只是想看一眼孙媳妇。"刘隐龙眼里有些潮湿，"可是我……我其实一直在找，但我不能找一个一听大青虫就呕吐的女人做妻子啊……"

"难道刘总以这个为择偶标准？"爱佳忍不住道，"有的人，一听到这种事，就会条件反射，这也没有什么呀。"

"不对。"刘隐龙摆摆手，"夫妻夫妻，相扶相携。如果连一条大青虫都容不下，这往后的日子怎么过？"

"这……这倒也是。"爱佳见这个中年男人陷入深深的追忆中，觉得他很诚实，觉得今晚见面的三人中，这个人富而不骄，挺重感情，便将宋时鱼的提示抛之脑后了。

"爱佳……其实，今天我本不想来。"刘隐龙突然昂起头，"你们的郝总，的确是我很好的生意伙伴，他的面子，得给。但我万万没想到，你是如此善解人意。真的很感谢你！”

“我善解人意？”爱佳丈二和尚摸不着头脑。

“这里头有几个细节。”刘隐龙说，“既然你这么真诚，我也就直说了。第一，你听见我讲奶奶的故事时，直称‘奶奶’，而不像别人一样称‘你奶奶’，足见你非常有亲和力；第二，你实际上胃里在翻腾，但你强压住了，这需要勇气和毅力；第三，你能从一条大青虫看到我的力量源泉，足见你有过人的洞鉴力。有这三种力，你完全可以做得比我更大，更有钱！那么，你是不是与我相亲，咱们能不能成为朋友，已经变得不再重要。重要的是，咱们一见如故，让我有如遇知音的感觉，使这个平安夜在我的生命中变得如此不同！”

爱佳一震。这刘隐龙果然如宋时鱼所言，是个心细如发、明察秋毫的人。看来，人们常说那些暴发户都是猪脑，完全是瞎扯淡！

在接下来的谈话中，爱佳竟然被刘隐龙深深吸引。她听他讲自己的创业史，讲如何刻苦自学，讲人生感悟。刘隐龙的故事，简直就是一部传奇，不仅让爱佳忘记了宋时鱼的嘱咐，还让她忘了时间，成了一个真诚的听众，甚至快成为他的粉丝了。

突然，她的手机响了。一看，是爱淘打来的。

爱淘在电话那头说：“二小姐，还真投入哈。时间到，换场吧。”

爱佳如梦初醒，接连嗯了几声，挂了电话。

“有事？”刘隐龙问。

“是有点事。”爱佳有些不好意思，但想好的托词，一时又说不出口。

“服务生，买单。”刘隐龙招了一下手，然后掏钱包。

“真……真不好意思。”爱佳有些难为情地说。

“来日方长，你赶紧忙你的事吧。”刘隐龙结完账，站起来，伸手与她一握，“在这个美好的夜晚，能与孔主任倾心交谈，是我的荣幸。另外，我必须说一点，你今晚的发型，是我见过的女性中，做得最完美、最得体的一个。”

刘隐龙走了。

但爱佳分明感到一种成熟、谦逊、豁达的成功男人的气场，还依然存在，依然散发着活力。

与前两位比起来，刘隐龙更稳重、更有故事、更能洞悉世态。他就像一杯醇酒，只有靠近他时，方能嗅到醉人的浓香。

爱佳竟似痴了一般。直到宋时鱼的到来破坏了尚存的气场。

“爱佳，赶紧准备下，下一场马上到。”宋时鱼一边换桌布，一边低声道，“没有时间跟你交流了，准船长马上就到，你见机行事吧。”

“好吧。”爱佳懒懒地应了一句。实际上，她已不再想见其他人。因为她觉得，这个刘老板，就是她心中的兄长和良师。她已产生了与他继续交往的冲动。

第六章 这个大副有点面

龙舸到得很准时。

他身高近一米八，皮肤较黑，骨架大，面形椭圆，单眼皮，大鼻子，络腮胡子，目不斜视，似乎不爱说话。

他径直走向爱佳，说了声“你好”。坐下后，便将双手扶在膝盖上，像一个刚入营的新兵。

“龙先生好。”爱佳本来已有倦意，但天性善良的她，见这龙舸应约而来，且颇显英武，觉得也可聊聊。先前的担心，在与刘隐龙一席长谈之后，全都抛到九霄云外了。

龙舸见爱佳有些神情恍惚，顿时显得手足无措。

相亲的场面，竟然陷入尴尬。

半晌，龙舸才想起，应该要点什么吃的，便招手叫服务生。

宋时鱼过来了，微笑道："这位先生，需要些什么？"

龙舸翻了翻菜单，小声问爱佳："孔小姐，您看，需要点什么？"

"随便。"爱佳说完，见龙舸露出为难的表情，只好补充，"我今天身体不舒服，要份水果沙拉吧。龙先生，您喜欢什么，请自便，不要客气。今天我买单。"

"看您说的，哪能让您破费？"龙舸仔细地研究了一下菜谱，点了紫甘蓝、香蘑、银白鱼、小罐鸡汤和红葡萄酒，并嘱宋时鱼做蔬菜时要用橄榄油炒拌。

爱佳见眼前这个男人面对女人虽显笨拙，但点起菜来非常仔细，甚至连怎么做都讲得很清楚，不禁来了兴趣："龙先生长期跑远洋，难道还自己做饭？"

"得空的时候会做的。"龙舸有些不好意思，"这做饭，其实挺有意思……也乐在其中。"

"难得遇到一位煮男。"爱佳心想，反正不成就算了，因此变得更加随意，"如果谁要是嫁给您，当真要享福了。"

"现在会做饭的男人很多。"龙舸说，"我们船上，从船长到水手，几乎都会。懂得如何摄取食物的营养，也是一种养生吧。"

"哦？"爱佳有心逗逗他，"看来您刚才点的菜，也是有讲头的了？"

"我……我看您很疲累的样子，就点了这几样消除疲劳的菜。"龙舸小声道，"我想，您身为办公室主任，每天操心的事多，所以想建议您在饮食上调节一下，可能会有好处。"

爱佳身在职场，工作一忙就不太注意饮食。被他这么一说，心中一暖，觉得这个有些羞涩的男人倒是个细心人。"看来，龙先生对饮食很有研究啊。"

“只是知道一点点。”龙舸的紧张感渐渐消除，“我其实干错行了。实际上，我祖上几代都是中医，只有我改行做了船员。我们这些吃船饭的人，生活在海上，更要注意饮食，才能保证完成任务。”

“怪不得您这样健壮。”爱佳微笑道，“我们公司的人，多数都是亚健康，看了不少书，听过不少电视讲座，但没有人能坚持下来。这下好了，遇到龙先生，可以拜师学艺了。”

“不敢当。”龙舸眼里闪过一丝光芒，“如果能为贵公司服务，是我的荣幸。”

菜陆续上来了。龙舸起身，先为爱佳倒酒，再把菜分拨好。爱佳感觉到，眼前这个男人话虽不多，但很会照顾人——这二十八年来，还真没有遇到谁如此体贴。爱佳的后妈虽然对她也不错，但毕竟不是亲生，多是客气罢了；自已呢，当了办公室主任，也都是她照顾别人。如今这个男人不声不响，所有的动作都是这么得体，一点也不做作，她的心中涌起一股暖流。

——原来一个女人受到一个男人的照顾时，会如此温馨。

她不由得再次端详坐在桌子对面这个不停忙乎的男人。是的，他并不像电影明星那样帅气，他穿着简朴，但显得干净利落。这样的男人放进人群里，不会惹眼，但放在身边，就会觉得安全。

许多年来，爱佳一直觉得没有安全感，特别是，那个该死的杨文远，在与她同居两年后，突然与她分手……

“快吃吧，一会儿菜该凉了。”龙舸见爱佳似在走神，一时不知如何是好。

爱佳猛然一醒，心想人家如此对待自己，得有所表示才是。于是，她举起酒杯，微笑道：“非常感谢龙先生能来。祝圣诞快乐！”

“圣诞快乐。”龙舸终于一笑。

他的笑，从眼角展开，最后铺满整张脸，像极了一个受到表扬的孩子。

爱佳心头咚地跳了一声。二十八年来，她第一次发现，一个年过三十的成熟男人，几乎完整地保留了孩童的表情。

以她的阅历，她断定此人心地善良，对人体贴入微，而且很懂生活。找一个这样的男人做老公，非常实在。

实际上，今天见到的四位相亲者，都比她以前见过的男人强——至少在某些方面是突出的。难道真的是运气来了？她心念闪动，可这又该如何取舍呢？

爱佳不说话，龙舸也不说话。他们这个卡包，与外面的喧闹形成强烈的对比。她突然想，反正今晚占了上风，干脆先探探底再说。万一前三位不成，也可考虑这个未来的船长。

“龙先生，您是个实在人，我也很实在。”爱佳放下筷子，认真地看着他，“我必须实言相告，在您的前面，我见过其他男人了。”

“我知道。”龙舸慢吞吞地说。

“你知道？”爱佳不解，换了称呼，“你是怎么知道的？”

“其实我早就来了，一直在大厅外等着。”龙舸像做错了事似的把头一低，“您刚才见了一个老板，好像很有钱。”

爱佳吃了一惊：“你怎么知道他很有钱？”

“他的司机就在大厅外面抽烟，和我聊了几句。”龙舸低声道，“他司机说，他们老板是亿万富翁，开的是大奔，住的是别墅。”

“呵，看不出来呀，龙先生还是个侦探。”爱佳心想，既然说开了，就没必要藏着掖着，“你认为我看上了他？”

“是他看上了你。”龙舸说，“我见他出门时的表情，很兴奋，像喝醉了酒。”

“你怪我既然与他人相亲，就不该再与你相亲？”爱佳问。

“不怪。”龙舸说，“这是您的权利。只是，我很有压力。我们集团的金总介绍过您，说您是不可多见的淑女，我只怕配不上您……”

“谢谢你们金总的表扬。”爱佳沉吟了一下，终于说：“我再告诉你一件事，我以前有个男朋友，我与他相处过两年……说得好听点，是与他分手了；说得难听点，是被他甩了。”

“这个……”龙舸听着爱佳冷冷的表述，有些茫然不知所措。

爱佳心想，看你如此传统，定然不会接受这个现实。她虽在心底叹息一声，但也放松了不少。

“谢谢龙先生的晚餐，我想，咱们可以离开了。”爱佳说。

“好吧。”龙舸不敢看她的眼睛，好像是他自己做错了什么似的。

爱佳叫服务生来结账。龙舸却一把抓住单子，抢先把信用卡给了服务生。

爱佳站起来，说了声“再见”。

龙舸跟着站起来，讷讷地说：“请问，我……再也没有机会了吗？”

“什么？”爱佳抬头看这个男人。他的眼里有一种坚定。

“刚才，您用自己有前男友来搪塞我。”龙舸终于鼓起勇气说，“显然是不想交我这个朋友。”

“我搪塞你？”爱佳一愣，“相亲这种事，成就成，不成就不成，有必要搪塞你吗？”

“可我再笨，也没听说过第一次见面，就说前男友的事的。”龙舸皱眉道，“其实您完全可以明天打个电话，或者不再理我了，我可能会好受些。”

“哦？”爱佳突然笑道，“原来是伤了龙先生的自尊了？对不起，对不起。我其实没搪塞你，真的。我只是觉得你人实在，又比较传统，所以告诉你实情。”

“谢谢。”龙舸眉头舒展了一些，“不过，您过去的事，我不会问，因为它已经过去。就像一条船，靠了港，卸了货，必须开始新的航程。”

“你什么意思？”爱佳问，“难道你的意思是……不在乎？”

“不在乎。”龙舸真诚地说，“如果孔主任给我机会，我会让您了解我的。”

“请不要那么客气，直呼姓名好了。”爱佳对这个人说不出是好感，还是恶感，但至少觉得他不虚伪。

“谢谢你，爱佳！”龙舸接过服务生递来的单子，边结账边说，“明天，我就要出航，恐怕得几个月才能回来。希望咱们还能见面。”

“好的，会再见的。”爱佳不想伤他，说了句模棱两可的话。

龙舸结完账，转身离开了。

爱佳看他走出去的步子，很坚实。她深吸了口气。

看来，今晚见面的四个男人似乎都对自己有意。这是前所未有的事。

那么，最后一个未出场的男人，究竟如何？

看看表，是九点二十分。离李晓明到来的时间还有二十分钟。

宋时鱼已坐在她的对面。

“有意思吧？”宋时鱼的眼神比白天更亮了。

“突然感到很没意思。”爱佳叹道，“宋先生，你说这些男人都是怎么了？这个大副，像个木头人。”

“还有最后一个。”宋时鱼没与她探讨这个问题，“今晚你如果能让五个男人都对你感兴趣，就算大获全胜。至于到底选谁，那是以后的事，你不要多想。”

“那你看，这个李晓明，该怎么应付？”爱佳问。

“从照片上看，李晓明是个精明的‘海龟’，得换方式。”宋时鱼郑重地说，“爱佳，这是最后一个了，希望你打起精神。这种假洋鬼子，喝过几天洋墨水，看啥都是中国的不行，外国的行。你呢，没必要跟他客气。对付心高气傲的人，你得打压他，最好把他气走，他对你的印象就深刻了。”

“明白。”爱佳强笑道，“说真的，要不是你和爱淘等着，我都不想见这个人了。”

“有枣没枣，打一竿子再说。”宋时鱼笑道，“孔爱佳同学平安夜单挑五男，也是中国相亲史上一件大事，你可不能小看了。”

这句话把爱佳逗笑了。

第七章　贫嘴“海龟”

爱佳去洗手间整理了一下情绪。

当她出来时，发现一个瘦削的男人已经坐在她对面的椅子上了。

这个男人的头发精心修理过，镜片很厚，颧骨有些高，单眼皮，薄嘴唇，四方脸。特别是他的手指，纤长白净，指节有些鼓，颇似崖上瘦竹。爱佳觉得，他身高至少在一米八以上。

“我是李晓明，英文名 Jack。”李晓明伸出纤手，与爱佳一握，“听你的老同学讲过你的 story，说你很 able。”

“能讲中文吗？”爱佳轻轻握了一下，“我英文没学好，对不起，李先生。”

“哦，sorry！”李晓明有些尴尬，“真不好意思。请坐……”

爱佳坐下，对李晓明微笑道:“听说，李先生在美国获得了博士学位，请问是哪所名校？”

“不太知名，不太知名，只是比突然在中国知名的‘西太平洋大学’强一点点。”李晓明没料到刚一见面，爱佳就给他难堪，只得自嘲道，“我只不过在一所‘野鸡大学’混了个文凭，没有用的。哪像爱佳小姐，脚踏实地，自己闯出天地来了。今后，还得向你请教。”

“听老同学说，你在世界五百强任职，自然不是我们这种土企业可比的。”爱佳心想，反正前面已有四个备选对象，就算你李晓明不给面子，也无所谓，“但我不解的是，凭李先生的条件，怎么会没有白领丽人追你呢？”

李晓明一愣，突然一笑：“真是 Great minds think alike。爱佳小姐，其实，我也正有此问——你那么优秀，为何也没成家？”

爱佳见这李晓明心理素质甚好，暗暗觉得这家伙不是好惹的，但她决定再打压他一下，大不了把这个假洋鬼子惹毛了，起身就走。“李先生，提醒你注意两个问题，一是我不喜欢被人称为‘小姐’，你应该知道，在国内，这个词让人听了很不舒服；二是请别再夹英语了，这个二十年前还能唬人，现在假洋鬼子太多了，不吃香了。”

“怪不得，怪不得。”李晓明并没有拂袖而去，反而坐得更稳当了，“你二十八岁还没嫁出去，就是因为你这脾气，一般男人还真受不了。”

“受不了，可以不受。”爱佳没好气地说，“我这人，毛病很多，惹毛了，拼命都行。你难道没毛病？长得这么苗条，快四张的人了，还一个人晃荡，毛病就少了？”

“孔大领导，息怒息怒。”李晓明摸出一根烟，也不问爱佳允不允许，自个儿点上了，“我的毛病的确很多。我喜欢泡酒吧，还抽烟，以前也跟人同居过。可以说吃喝嫖赌抽，五毒俱全。所以我断定你见了我之后，会跑得比兔子还快。”

“但我现在没走。”爱佳笑道，“我要让你这个奔四老男人先落荒而逃。”

“我就不逃，你能把我怎么样？”李晓明哈哈大笑，“奔四怎么了？正是黄金年龄！听说过没？女人三十豆腐渣，男人四十一支花。难道我还怕你不成？”

“看来你不是来相亲的，是来吵架的。”爱佳道，“好久没跟人吵架了，今天陪你吵个痛快！”

“欢迎之至。”李晓明笑道，“本来吧，我看你相片，还真不想来的，觉得你长得太淑女了，清汤寡水的，没什么味道。但来了后，我觉得你这个人挺有意思，准备研究一下。”

“瞧你那吊儿郎当的样儿吧，”爱佳“切”了一声，“你想研究谁就研究谁啊？我还不想让你研究呢。”

“可我是研究生啊，”李晓明坏笑，“专门研究女生。”

“李博士，别贫嘴了。”爱佳站了起来，“今天就到这里吧。再见。”

“看来还有明天。”李晓明也站了起来，“爱佳，玩笑归玩笑，我真的希望还能与你聊天。”

“将来再说吧。”爱佳微笑道，“挺晚了，再见。”

“bye-bye。”李晓明朝她做了个鬼脸，起身走了。

十点半，五个相亲对象全部会面完毕，爱佳竟有一种虚脱之感。

饭店内此时人声鼎沸。情侣们成双成对，推杯换盏，场面火热。

宋时鱼已经换了衣服，坐在爱佳的对面。

现在，该是宋半仙点评的时候了。爱佳想，今晚相亲比以往任何一次都要顺，至少自己占了主动。

“孔主任真是快刀斩乱麻啊。”宋时鱼笑道，“说真的，现在我坐在这个位置上，非常紧张，有点受审的感觉。”

“行了，不开玩笑了，宋先生。”爱佳敛容道，“依你看，这五个人中，哪一个比较合适？”

“你都一一过目了，难道没对谁心动过？”宋时鱼为爱佳加了点水。

“我要是有主意，还请教你这个专业人士干什么？”爱佳道，“今晚，我可是按你的设计一一应付的。说真的，五个人看完，我更没主张了。”

“只要五个人对你都有好感，就是胜利。找对象跟做生意一样，你找他和他找你，是两码事。”宋时鱼也正色道，“从我在一旁的观察结果来看，你好像对刘老板有感觉。当然，对其他几位，也有不同程度的好感。”

“你认为我看上了刘老板的钱？”爱佳轻抚了一下头发，“我虽然挣得不是很多，但钱基本够用了。”

“钱多有什么不好？”宋时鱼反问，“咱们这么辛苦，不就是为了挣钱吗？但我认为你不是因为这个，而是认为刘老板有生活的厚度。”

爱佳沉默了一下。这句话，说破了她心底的秘密。

“但从专业的角度看，这五个人中，恰恰是刘老板最不适合你。”宋时鱼说。

“为什么？”

“因为这五个人中，最可怕的人是刘老板。”宋时鱼道，“这个人工于心计，对付任何人，都有他的办法。对你，他采取了以情动人的策略，假装在不经意间讲一则小故事，却显示出自己的大精神。人在职场，要想成功，必备三种‘商’，即情商、智商、逆商。这刘老板智商中等，情商上乘，逆商顶尖。”

“什么叫逆商？”爱佳还是第一次听说这个词。

“逆商就是挫折商。”宋时鱼说，“当今社会，竞争激烈，仅有情商、智商是不够的。一个人再聪明，如果不会与人交往，不会在挫折中奋起，也不会成功。我认为，一个人的成功，智商只占二成，而情商和逆商各占四成，甚至逆商还要占到一半以上。刘老板白手起家，多年来遭受无数挫折，却能奋起，证明他面对挫折、摆脱困境和超越苦难的能力异于常人。从他的出生日期来看,此人生于冬季,是水命。水命的人深谋远虑，智慧超群，眼睛大而眉毛粗，天庭饱满，地阁方圆，是有福之相。同时，刘老板无孔不入，能够准确把握机遇，擅长处理人际关系，善于调动别人的情绪，的确是个做大老板的料。”

爱佳听他一说，觉得这刘老板没什么不好。“如此说来，此人没什么问题呀。”

“观人，形为轻，神为重，不可被表象所迷惑。”宋时鱼说，“此人正当四十一岁。四十一岁看山根，就是鼻子与眉心的交接处。我从正面和侧面观察过刘老板，此人山根发白，眼色青黑暗滞，这意味着中限开始衰落，而且一蹶不振。”

“中限是什么？”爱佳觉得这宋时鱼果然有点“半仙”的意思了。

“中限通常以四十三岁为分界,管十三年的运势。”宋时鱼解释道,“刘老板过了四十，山根、眼色开始出现这种神色，他必走下坡路。而从他的眼神来看，其神光深处已出现散乱，恐怕当前的日子已经不好过了。我敢断言，刘老板名为亿万资产，但如果将他所有的债务相加，恐怕已是资不抵债。他目前所做的，不过是拆东墙补西墙罢了。用不了多久，他就会一败涂地，至少十多年不得翻身。”

爱佳头皮一麻。虽然，她对宋时鱼的话半信半疑，但这种事是宁信其有。万一嫁给这样的人，岂不是被拽进了泥潭？

“那宋先生认为这五个人中，谁最适合我？”爱佳问。

“我只说谁最不适合你，如果指定谁最适合你，一来武断，二来有误导之嫌。”宋时鱼说，“我只能说，其余四人各有所长，也都是不错的人选。”

“最后这个假洋鬼子也不错？”爱佳问。

“假洋鬼子夹几个英语单词，那是习惯，不是毛病。”宋时鱼说，“这人虽然与你斗嘴，却是个性情中人。人的本质，是从性情中表现出来的。他在你屡次以讥讽相试的情况下，还能保持平静，足见此人有平静淡泊的性情，更有明智聪察的特质。其人相貌平淡，但身材高瘦，讲究效率，注意修身，是五个人中性情最为中和的一位。”

“中和？难道一个人没有特点，是好事吗？”爱佳不解。

“人才学宝典《人物志》说，观人察质，必先察其平淡，而后求其聪明。”宋时鱼说，“李晓明看上去虽然瘦削，却是一个有心胸的人。用中国传统相人的方法，需要通过五行去考察。五行，就是金、木、水、火、土，与身体对应的是骨、筋、气、肌、血。李晓明骨骼正直而身体柔韧，因此性格刚强而有毅力，不然怎么会是博士且在五百强企业供职？气色清爽而声音响亮，就正直而心境平和，所以处变不惊，随遇而安；筋带强劲而内心专一，所以很有主见，不为他人意见左右，能持之以恒；肌肤自然而无多余赘肉，说明做事明快，绝不拖泥带水；面色平静而思路畅达，说明血气通畅，能够察觉他人的用意，这是智慧的表征。综上来看，这李晓明的五行，虽不能说完美无缺，但一个生性淡泊且懂得随机而变的人，在今天这个复杂的社会是具有相当的竞争力的，所以综合得分，反而是李晓明最高。”

爱佳一怔。其实在她的心目中，这个李晓明，她最不喜欢。

第八章　相亲结论

“那你怎么看第一个应约的鲁记者？”爱佳问。

“鲁智道长得棱角分明，是个非常有正义感的人。”宋时鱼说，“他是一位很好的记者，但常常自以为是。这种人为友，则可为良友；为夫，则独守空房。”

“为什么？”爱佳觉得不通情理。一个人有正义感且恪尽职守，为何不能做老公？

“鲁智道筋带强健，性情刚直，常常愤世嫉俗，往往因公废私，只顾自身名节而不顾家庭妻小，因此不宜做丈夫。”宋时鱼说，“这种人傲视上级，但对弱小却抱有怜悯之心，对女性也很尊重。如果你只看到这一点，就认为他体恤别人，那只是看到表象罢了。此人，在单位必不招领导喜欢，在家里也是我行我素，很难融入集体。就算对女人关心体贴，也是一时冲动，用不了多久，就会依然故我。谁要是嫁给他，多半独守空房，以泪洗面。”

“说得太玄乎了吧？”爱佳听后一笑，“你仅凭他三言两语，就作出判断了？”

“观察一个人，首要看骨骼，其次看神色，再次看言行。”宋时鱼道，“这个鲁记者，骨架结构属于刚直太过而柔韧不足的类型，神色倨傲而故作谦逊。这两点，前面的论断已经解释过了。我们再来看他的言行，他一上来，虽然客气地问你是喝茶还是用餐，但随后便以‘最近有点上火’为由，自作主张地点了菊花茶。一个善于与他人相处的人，必定会垂询他人的意见，断不会自作主张。仅此一个小细节，就足以说明鲁记者属自专之人。如果你与他恋爱结婚，以后凡事必须依他，不然早晚必生嫌隙。”

“似乎有些道理。”爱佳点点头，“那请说说申处长吧。”

“申峥嵘此人，谨小慎微，懂逢迎，知进退，善藏锋，极富心机。”宋时鱼说，“对他官运的判断，你对他讲的，基本上是对的。但也正因如此，他今晚与你是客气。我敢断言，这个申处长，会再与你联系，虽然他努力展现一个男人的心胸，但其实是个小肚鸡肠之人，所以以后你们如有交往，还得小心为上。”

“为什么？”爱佳一愣。想起申峥嵘临别时有再次约见的诚恳，她不信。

“申峥嵘是一个追求权力的人。除了权力，世间任何事物，在他眼中都是浮云。”宋时鱼叹道，“其实，何止是申处长？多数男人，在女人面前的表现，无非是暂时取悦女人而已。可叹很多女人居然认为他们会儿女情长，视爱情为圣物，岂不悲哉！”

“恕我直言，宋先生。”爱佳说，“这个申处长，与我相见虽然时间不长，但我并没有发现他有任何过失啊。”

“没有过失才最可怕。”宋时鱼皱眉道，“人，都有这样那样的缺点，没有缺点的人几乎不存在。申处长举止得体，表面上看没有什么不当之处，但细观他的情态就不难发现，此人把心机深深地掩藏起来，处处察言观色，事事趋吉避凶，与人接触圆滑周到。这类人城府极深，与他生活在一起，不仅没有生趣，还会被其所累。如果说刘老板追求钱财，鲁智道追求清高，李晓明追求淡泊，那申峥嵘就是追求权力。而他追求权力，更是不惜一切代价，亲情友情，在他眼里一文不值，但只要对他升官有利的，他就会像苍鹰看到猎物一样，猛扑过来。”

爱佳呆了一呆，问：“那你说，龙舸追求什么？”

“龙舸追求安定。”宋时鱼说，“这个龙舸，表面粗豪，其实心细如发；看似坦诚，实则欲擒故纵。这次约会，他准备最充分，提前就到了，所以才有了他碰到刘老板司机的小插曲。”

“我看宋先生是草木皆兵了吧？”爱佳摇摇头，“他能把这件小事坦诚相告，足见此人是个诚挚君子。我呢，虽然也懂得防人之心不可无，但也不能把每个人都想得太坏吧？”

“说得好！”宋时鱼赞道，“如果把人人都想得太坏，这个世界当真是没意思透了。但我需要说明的是，不是把谁想得太坏，而是根据实际情况加以客观地分析、研究，这不仅仅是找对象的问题，还是必须具备的生存手段。就拿这个准船长来说，他属于大智若愚型。他先在你面前坦诚直言，其实就是为了让你相信他的忠厚实诚，倒也不能说他有什么坏心。这种人以退为进，往往得了好处不吭气，是很会混职场、也很会经营家庭的人，所以我建议，在这五个人之中，此人应排在第二位来考虑。”

“哦？”爱佳转了转眼珠，“这么看来，宋先生心中的排序，就是淡泊、安定、清高、权力和钱财了？”

“稍微改动一下。”宋时鱼笑道，“应该是淡泊、安定、权力、清高、钱财。”

“为什么要这么排？”爱佳不解。

“这个排法，只针对你。”宋时鱼道，“我认为，天下男女，不存在最完美的结合，只有最合适的搭配。因此，不能拿个案去复制，而是要看具体的对象。你呢，是个很热情的人，不甘寂寞，更不甘为他人做嫁衣，有自己的独立个性。因此，对你而言，最合适的是李晓明，因为李与你均在职场，你们的职业有较强的互助性，而且此人生活很有情趣，心胸开阔，不钻牛角尖，是易于相处的人。”

“但……但我刚才听你的意思，好像那个龙大副才是最好的吧？”爱佳继续问。

“是的。”宋时鱼眼睛一亮，“如果不是针对你，而是针对其他一位女性，那么龙大副当然是最理想的人选，这里头有三个原因：一是龙大副身体健壮，性情敦厚，又心思细密，很会照顾人；二是准船长职业不错，收入颇丰，一生无衣食之忧；三是龙先生还会烧一手好菜，且懂得养生，加上职业单纯，不易发生外遇。这其中的任何一点，都可以加分，实在是很不错的人选。”

“可你为何将他排在第二？”爱佳问。

“我讲了，这只是针对你。”宋时鱼说，“龙先生对一般的女性而言，的确是上佳人选，但对你来说却不是最好的选择。凡事有利必有弊。龙先生的职业是好职业，从事航海工作，虽然不像过去那样充满风险，但这种职业注定常年在外，一年到头聚少离多，而你却是个喜欢热闹的人。刚开始当然无所谓，只是时间长了，恐怕不是很方便。”

爱佳脸上一红，心想这个宋时鱼可真坏。的确，爱佳在与前任男友杨文远同居时，非常依恋他，甚至对性事要求颇多……如果这个准船长在当了船长以后更忙，要让她独守空房，怕是难以持久……

为了掩饰这种窘迫，爱佳忙问：“这就是宋先生的终极论断？”

“不能说是终极，只是一个大致判断。”宋时鱼说，“其实这世上的人，不能用好坏、贫贱去区分，这样太简单了。好人有可能变成坏人，坏人也有可能变成好人。现在贫困，将来可以发达；现在有钱，将来也可能一贫如洗。我虽不才，但研习过的相人学说颇多，有一点我不是很认同——即强调先天的‘命’，而忽略后天的‘运’。”

“你是说，命运还真是存在的？”爱佳问。

“当然存在，而且也必将存在下去。”宋时鱼说，“命运中的‘命’，实际上就是构成生命能量的元气。古人认为，自然之气，有厚薄之别，厚者命贵，薄者命贱，但这也不是一成不变的。通过后天的再认识、再改造，也可以改变先天之命，即指‘运’了。”

“那这自然之气来自哪里？”爱佳越听越玄乎。

“自然之气来源于母体，”宋时鱼说，“一个生命在受孕之时，是父母精气的结合，因为所处环境、磁场作用、基因、风水等多种因素，先天决定了人生的寿夭、贵贱、贫富和祸福。人只是自然中的一分子，天地万物都是由元气自然而然构成的，人受命于天，自然就有相应的征候表露于身体。这是古人的哲学观，强调命理。但进入现代社会，更应注意后天的变化，积极应对社会的挑战，努力克服先天的不足，才会争取到更好的结果。”

爱佳觉得这是一个辩证的说法，点了点头，“可是具体到这五个人，你还是没有给出确切的答案啊。”

“外人说的都是建议，主意你自己拿吧。”宋时鱼认真地说，“不过你不用担心，我不会因为对你提出了一些建议，就认为我们的合约结束了。我们的合约是——直到你找到男友并确定恋爱关系，我才退出。因此，今晚只是一个开端。以后有事，随时找我，我会尽力。”

“谢谢宋先生。”爱佳见宋时鱼已经说了结束语，料定他想离去，也准备起身告别。

但耳边一个声音说：“宋大哥，可不可以劳你大驾，帮我看一个人？”

爱佳一回头，就看见了爱淘。

“可以。”宋时鱼说，“那个人，刚才我当服务生的时候，已经在观察了。爱淘请坐下，我这就告诉你我的看法。”

第九章　地铁卖唱的哥们

爱淘坐在二姐的旁边。

“原来你也在约会？”爱佳看着妹妹。

“当然啊，就许你约会，不许我约会？”爱淘咯咯笑道，“二姐你是太忙了，没顾得上周围的情况。其实，我们就在不远处喝酒。”

“在哪儿？”爱佳问。

“就在那儿。”爱淘扭身一指。爱佳便看见餐厅那一头的走道旁，一个四人散席的座位上，坐着一个扎马尾辫的男人，正在那自饮自斟。此人约莫二十七八岁，挂了一个耳环，穿一件灰色高领毛衣，拉链顶着下巴，两撇没有修剪的胡子随便搭在嘴唇上，有点像晒蔫了的鼻涕虫。

“就是那个人？”爱佳遥遥目测了一下，觉得这个人不修边幅，穿得怪模怪样的，不知爱淘为什么会与他来往。

“怎么啦？”爱淘不高兴了，“我就知道你不喜欢这样的，所以没敢让他过来，免得尴尬。二姐，人不可貌相，你别看他现在不怎么样，以后说不定会出大名呢。”

“你等下，我走近点看看。”爱佳没理她，借口去洗手间，路过时仔细看了看这人。

这人脸有点尖，胡子拉碴，单眼皮，喇叭鼻，黄皮肤。特别是那双眼睛，眼皮像患了麦粒肿，目光散乱而朦胧。爱佳扫了他一眼，心里感到八分不喜。

等去过洗手间回座，宋时鱼已开始评判了：“……异才是有异才，但此人命运飘浮不定，大起大落。做个朋友可以，如果做老公，怕是要跟着辛苦。”

“赞同。”爱佳虽然未听宋时鱼前面的话，但听了这个论断，马上就表态了。

“宋半仙，你仅凭肉眼观察，就下这个结论，未免太武断了吧。”爱淘也没有不高兴，笑着说，“按照你的理论，这世间哪有般配的人啊？我觉得这哥们就不错，至少是个真人。”

爱佳扑哧一笑：“肯定是真人啊，难道这餐厅里还有假人？”

“真人，就是实在，单纯，不是那种虚头巴脑的主。”爱淘瞟了宋时鱼一眼，“宋大哥阅人无数，难道不觉得这哥们没什么心眼吗？”

“是没心眼。”宋时鱼说，“没心眼、实在，就一生平安？有心眼有什么不好？这个社会这么复杂，直来直去的人往往行不通。”

“我告诉你，这次你错了。”爱淘说，“你们知道这哥们以前是干什么的吗？”

爱佳说：“不知道。很有来头吗？没看出来。”

“他以前是在地铁的通道里卖唱的。”爱淘扬起头，有一种发现了宝藏的骄傲，“一把破吉他，一副好嗓子，唱着动人的情歌，那种潇洒，说了你们也体会不到。”

爱佳轻呸了一声，不以为然。

宋时鱼却说：“这人浑身上下，最可取的就是有一副好嗓子。他的嗓子，有金玉之声，且温润圆畅，回响雄浑，深长悠远，绵绵无尽。所以说，爱淘这一点看得挺准，他将来会有成名之日。”

“是我脑子不够用吗？”爱佳笑了，“宋先生刚才说不能选这人，但现在又表扬起他来了。”

“我只是客观评判一个人，好处坏处都说。”宋时鱼说，“他若成功，肯定是因为他的嗓子；他若失败，则可能是因为他的性格。他的嗓子虽有金玉之声，但圆润中略带悲凄；深长悠远，但后续不足；回响雄浑，但杂而不纯。结合他的面相，他眉弓带青，眼中有红丝，目光时而锐利，时而浑浊，我是担心他会被人利用，有牢狱之灾啊。”

爱淘面色一变：“宋大哥，他真的很实在，怎么会有灾？你别瞎说好不好。”

宋时鱼说：“爱淘啊，如果我信口雌黄，你会让你二姐来找我？我只是说‘担心’，并不是说就一定会有牢狱之灾。如果你真把他当朋友，告诉他一定要注意不能张扬，凡事小心，不可滥交朋友。如果做到这三条，可能会免除灾难。”

“宋大哥，那你说这人会出名，能有多大的名呢？”爱淘对此很关心。

“至少，二线歌星问题不大。”宋时鱼说，“这是底线，看他的造化了。”

“那你看他现在如何？”爱淘又问。

“茫然无措，人生最失意之时。”宋时鱼说，“你看他坐立不安，衣服里像有虫子在爬；举目四顾，但又不知道在看什么；不停抽烟，说明思绪麻乱。我想，他已经到了山穷水尽的地步，甚至下一顿饭在哪里吃，心头都没数。”

“说得好！”爱淘赞道，“实话告诉你，他是没办法了才打电话给我的。今晚，他被三里屯酒吧的老板撵出来了，打车到这里的钱，都是我下楼付的。”

爱佳拍了一下妹妹的手臂：“那你既然知道他都这副德性了，还跟他来往？”

“二小姐，你就不懂了。”爱淘摇摇头说，“我虽然不像宋大哥这样慧眼识人、未卜先知，但我对人的研究，恐怕比你强一些。患难见真情呀！人，在最困难、最需要人帮助的时候，你伸出了援手，这种帮助会让他铭记终身。”

“老实交代，你是怎么认识他的？”爱佳问。

爱淘说：“大概一个月前吧，我在地铁的通道里，听见有人边弹边唱。开始，我没在意，可是听着听着，我觉得那歌声中有一种巨大的热情，有些苍凉，也有些温暖，似乎是在回溯儿时美好的记忆，又像是在控诉这个纷繁的世界，诉说生活的种种不平，我的脚步被他的歌声牢牢地拽住了。我站在那里，一直听了一个多小时，丝毫不觉他的歌声有衰竭之象，于是我请他到饭馆吃了顿饱饭。一聊，才知道，他来自新疆，做过苦工，当过推销员，也在西部贫困山区为孩子们上过课。有一天，他从电视上看到北京，觉得北京真好，于是找哥们凑了点路费，带了把破吉他，坐上火车就来了。他在北京举目无亲，很快就饿得前胸贴后背，于是只好在地铁里卖唱，赚些零钱充饥，但他并没有丧失生活的热情。我敢肯定，你前面相亲的五个人，没有一个敢像他这样义无反顾的。”

“爱淘啊，你同他聊聊也就算了，甚至交个朋友、帮助一下他也无不可。”爱佳见妹妹眼里闪着光，有些紧张了，“但你敢把他往家里领，爸爸不打断你的腿才怪！”

“谁都像你一样活得这么世俗，那这个世界早就完蛋了！”爱淘不屑，

“多少人，就是凑点路费，到京城寻梦的，结果出名了，成大业了。当年的沈从文，现在的王宝强，就是例证。只要有潜质，敢打敢拼，没有什么是不可能的。你说呢？宋大哥？”

“理是这个理。”宋时鱼微笑道，“我就是只身到北京来闯天下的嘛，不过底子还薄，没有什么成绩。”

“你看看！”爱淘摇了摇二姐，“我呢，决不学你，笨乎乎地四处相亲。相什么亲？看准了，下注，培养一个名人，造就一桩婚姻，既有成就感，又解决了实际问题，岂不是两全其美？至于宋大哥说他嗓音有一点点问题，可以通过训练弥补嘛——我已经想好了对策。再说，他这段时间情绪极其低落，神色当然不会好了。一个人连活下去的信心都没有，如何会有精神？”

爱佳见妹妹越说越来劲，心里一沉：“爱淘啊，你真的想把他发展成男朋友？”

“怎么啦？”爱淘水汪汪的大眼珠一转，“你还真以为，人家出了名会再来找你？二姐，说句你不爱听的话，你现在四处相亲，往那一坐，双方像谈生意似的，可曾有半点铺垫、一分情义？没有情义，双方再般配，也没感情基础，就算结了婚，也不见得幸福。我这个人啊，认准的事，一定会去干，决不走你和大姐的老路！”

爱佳知道妹妹的脾气，只要她认准的路，就算前面是个火坑，她也会毫不犹豫地往下跳。以前，她不好好学，成天玩，父亲打她，她就跑到同学家里不回来；一说好好学，就续了本，再考了研究生——但是，要让她这个做二姐的赞成妹妹与前面这个喝闷酒的“怪物”交往，真的难比登天。

她不由得将目光投向宋时鱼。自己相亲的事可以先放一放，只要这个宋时鱼能劝妹妹回头，今天交的钱，就当服务费好了。

宋时鱼当然一眼就看明白了，但他暂时没有说话。

爱佳只好说：“爱淘，如果你听二姐的话，就马上与这个长辫子拜拜。你明年就毕业了，赶紧完成学业，找个有名气的服装公司工作才是正事。你不是想做服装设计师吗？二姐支持你！需要钱，只要我有，你尽管拿。”

“钱，还真的需要。”爱淘将手掌伸开，往桌上一放，“把卡给我吧。不多，我只要两万块，决不多划一分钱。这钱，我半年后还你。”

“你得说明，这钱拿去干什么？”爱佳问。

“实话告诉你，明天我得领这长辫子去拜师，拜师费是一万块，另外一万是他的生活费。我坚信，明儿我们只要进了门，他保证就会火。”爱淘眼巴巴地望着二姐。

“不给。”爱佳严肃地说，“二姐不是在乎这钱，而是觉得不值！”

“你到底给不给？”爱淘站起来，呼吸有些急促。

爱佳没有理她。

爱淘霍地抓起小包，直奔那长发男而去。长发男还没明白过来发生了什么事情，就被爱淘一把捞起，他只好提了吉他，跟在她后面，匆匆出去了。

爱佳心头如猫抓一般。没想到今晚相亲，五位相亲者都没有给她不愉快，结果却是妹妹给了她难受。她呆坐在那里，觉得非常没意思。

半晌，宋时鱼才小声说：“其实，你该给她钱……”

“为什么要给她？”爱佳气得一口灌下了满满一杯啤酒，“她这样做，有用吗？人得靠自己，别人，能拯救吗？”

“说不定，明天还真成了呢。”宋时鱼见她鼻孔里的气都变粗了，只小声道，“命，是先天给了一个长度，但宽度还在于后天的运作……爱淘是个有心计的姑娘，他日成就，不可限量。”

第十章　运筹

爱佳驱车回到家，已是凌晨一点。客厅里亮着灯，却空无一人。看来，父母早就睡了。很多个夜晚，她加班回家，父亲就是这样开着灯。

她叹了口气。今晚的事，说不上什么感觉。或许，对于相亲这种事，她早就麻木了吧。

她家三室一厅，是以前父亲在部队管营房时落下的老房子。说是三室一厅，其实开间都不大。爱美嫁出去以后，家里才宽敞点儿。

她在客厅的灯下站了一会儿，还是去了妹妹的房间。她明明知道爱淘在学校住了研究生宿舍，但她仍然怀有一丝希望——妹妹今天回家来睡了。她想找她谈谈。但房间如她意料的那样，是空的。她只好轻手轻脚地回到自己的房间。

一开门，房间里竟然亮着灯，一个人正枯坐在灯下的书桌旁。

定睛一看，是大姐爱美。

爱美是中学英语教师，今年三十二岁，七年前经人介绍，嫁给了比她小一岁的银行职员许重。婚后一年，许重辞职创业，做了小老板。五年前女儿珊珊出生。但随着两人隔膜的日渐加深，以及许重母亲对爱美的不满，他们的婚姻几近崩溃。

“姐，你怎么来了？”爱佳放下包，走到床沿坐下，看着有些痴呆状的姐姐。

“我……我是没地方去了。”爱美终于说话了，“爱佳啊，姐连死的心都有了……”

“到底发生了什么事？”爱佳见姐姐脸色苍白，突然有些害怕。

爱美站起来，走到门边，将门轻轻打开，见外面无人，再将门关死反锁，这才重新回座：“我跟你说的话，不许告诉任何人，特别是爸爸。”

爱佳点点头。

大姐长爱佳四岁，略带一点湘西苗家口音。爱佳的母亲去世后，爱美等于是担当了母亲的角色，把她从小带大。因此，要论感情底子，还得数这姐俩——爱佳最喜欢爱淘，但最依恋爱美。

“你姐夫……许重那个畜生，今晚居然带着小三回来了。”爱美喘了口气，“那小三，可张狂了……你说，有这样的吗？欺侮人，都欺侮上门来了……”

“姐，你别急，慢慢说。”爱佳拍了拍她的肩膀，“没什么大不了的，咱平时不惹事，遇事不怕事。你说，那小三是什么人？”

“谁有兴趣去调查她是干什么的？狐狸精！”爱美哼了一声，对妹妹说，“爱佳，我决定了，离婚，免得有人说我赖着。趁年轻，大家早散早好！”

“可是……姐，我觉得许重人还不错，是不是你们有什么误会？”爱佳劝姐姐，“再说，珊珊怎么办？”

“珊珊归我。反正我也看透了，天底下的男人，没几个好东西、没几个不花心的。”爱美泪盈于睫，“今晚我来，就是跟你商量一下，怎样才让爸爸不至于太难过，也不至于翻脸。至于我，无所谓了，混一天算一天。”

“姐，你不要恼火，你一恼火，反而中了许重的计。”爱佳说，“我估摸着，今晚他带一个女人回家，就是想激怒你。就算跟他离婚，咱也不能输了气质。”

“这倒是个理。”爱美想了想说，“结婚七年，我受他也受够了。说实在的，离了也没什么，就是觉得别扭。还有，咱爸这人死脑筋，啥事儿不顺心，就犯病。唉，不说这事了。听爸说，他一个什么朋友的儿子，姓申，副处长，今晚约你见面。怎么样？跟姐汇报一下情况？”

“呵呵，今晚情况比较复杂。”爱佳说，“反正明天是周六，我就慢慢跟你讲吧，可有意思啦。”

宋时鱼与餐厅老板喝了几杯酒，才慢悠悠地回公司。刚出电梯，就看到一个熟悉的身影。原来是爱淘独自站在楼道里抽烟。

“爱淘，要抽到我办公室抽。”宋时鱼说，“在这里抽，让保安逮到，不是好玩的。”

“好吧，那就讨宋大哥一支烟抽。”爱淘跟着宋时鱼，往他公司走。

宋时鱼开门亮灯，请爱淘就坐。

爱淘续了根烟，好奇地问：“宋大哥好像知道我要来似的，真是神算啊。”

“我不但知道你要来，还知道你需要这个。”宋时鱼从包里拿出一个信封，递给爱淘，“以前答应过你，现在该兑现了。”

爱淘接过一看，见里头是两沓捆扎整齐的钞票，不由得有些感动，“宋大哥，你真是雪中送炭哪！”

“啥也别说了，拿去用吧。”宋时鱼道，“但你得跟我说说，明天的计划。”

“我明天要带小墨去拜访著名歌唱家李故然老师，恳请她收下小墨。”爱淘老实汇报，“李老师与我的导师罗玉仙教授有交情，罗教授已经帮我打过电话了。我想，还得买件像样的东西带过去。李老师喜欢收藏国画，正好，现在有一个二流画家阮鸿儒，手头有一幅画，只卖一万元，我也看过了，将来这画有升值空间。明儿我准备一大早就去画家村拿货，再送到李老师那里去。”

宋时鱼也点了根烟，陷入了沉思。

爱淘以为他担心这两万元的事，赶紧说：“宋大哥，您这是雪中送炭，爱淘会铭记终身的……我打个条吧。”

“爱淘，不是这个……你多想了。”宋时鱼摆摆手，“我不怕你不还，所以条就别打了。我现在想的问题，是如何把这事办成。”

“那就请宋大哥拿个主意。”爱淘如遇救星，眼睛也亮了。

“这位李老师，名气很大，现在当红的几位歌星，就出自她的门下。”

宋时鱼说，“在圈儿里混，不拜师根本不行，只有拜了有名望的师父，才有可能顺风顺水。能想到这一点，足见你心思机敏。但你也要想到，求李老师的人那么多，她为什么一定要收小墨？”

“有我导师和可以升值的国画，还不行吗？”爱淘问。

“这个办法虽然可行，但她要是拒绝，你怎么办？”宋时鱼说，“既然这是小墨非常关键的一步，就得有把握才行。”

“那宋大哥有什么好办法？”爱淘兴奋起来。

“李老师是大师级人物，你们应该首先想到失败。”宋时鱼说，“我估计，面是可以见，但有几个问题必须解决。第一，李老师年近七旬，是比较传统的歌唱家，估计不会喜欢小墨这种打扮，特别是他的发型、胡须，因为李老师的几位经常在电视上露脸的学生不是这种装扮；第二，小墨名叫墨留成，是个中规中矩的名字，要想成名难，因此你要趁机请李老师给他起个响亮的艺名；第三，你说这一万元的画，对你和小墨来讲，是可以了，但人家李老师见过大世面，这个不容易让她动心，还得想其他办法。”

爱淘心中一凛，觉得宋时鱼想得极为周到，于是虔诚地请教：“宋大哥，有你这几句话，我突然变得心里有底了，看来这三个问题都得正视。你看这样行不，明天一早，我就让小墨好好收拾一下，再加五千元买一幅好些的画，去拜会李老师，请李老师为他取个名字。”

宋时鱼摇了摇头：“这三个问题，如果这样处理，效果肯定都不好。”

爱淘说：“宋大哥，你直说吧，我全都听你的。”

“这三个问题，其实都是外在的，起到的只是烘托作用。”宋时鱼说，“李老师收不收小墨，关键要看小墨的潜质，也就是他的基础和天分。所以，第一步，你有罗教授‘敲门’，可以先同罗教授去拜访李老师，把底数摸清；第二步，要将小墨唱得最好的两到三首歌录下来，带过去，请李老师试听；第三步，才是现场面试，要把长处发挥到极致，短处也要故意显露出来；第四步，才是改艺名、塑形象。”

“可是，录歌需要时间，明天来不及了呀。”爱淘说。

“明天小墨就不要去了。太仓促了，效果不会好。”

“可是……我导师与李老师约的就是明天呀，”爱淘有点急了，“李老师那么忙，咱们改期，显得不尊重吧？”

“我是说，小墨先不去了，但你和罗教授必须去。”宋时鱼说，“明天，把画买了，但你一定要让你导师亲自送，因为李老师应该会看在你导师的面子上收下这幅画。如果小墨在场，李老师会感觉有交易的意思在里面，不好。况且，这画只值一万，并不会产生什么压力。送了画，再把小墨的情况讲一下，讲得动人一些，让李老师有兴趣想见他本人。然后，再约时间，你再带着小墨前去。这个铺垫的过程是很有必要的。”

“好！”爱淘高兴地说，“那带小墨去之前，是不是要把他好好装修一下？”

“完全不用。”宋时鱼说，“像李老师这样的大家，知名度高，到哪都能享受到‘指点江山’的待遇。名人通常都有改变他人以达到自我满足的意识，你把小墨装修完了，她怎么改？不改，就没有重塑人才的满足感和成就感，所以还是原版显现为好，她说怎么改，就怎么改。”

爱淘一听，大喜过望：“高招！那宋大哥，这艺名，还是请李老师起？”

“当然是请她起。”宋时鱼说，“不过你可以提一下建议，请她采纳。李老师这样的高人，为了显示自己很民主，很谦虚，既会坚持己见，也会虚怀若谷。如果事事让她做主，反而不好。因此，你想好一个名字，到时候装作灵机一动的样子，请李老师采纳，她会乐意的。”

“看来，宋大哥已经想好了名字。”爱淘笑道，“那就请宋大哥明示。”

“是想了一个。”宋时鱼笑道，“就叫墨留香吧。”

爱淘一听，眼睛亮了。

她最后问宋时鱼：“宋大哥，你说这画，一万元不足以撼动李老师，可是名画又买不起，有什么其他办法吗？”

“有。”宋时鱼说，“第一，在题跋上将李老师的名字写进去，让这幅画成为她的‘专享作品’；第二，将来再将这个阮鸿儒的画宣传出去，让他成名，那么他的画就会变成名画……”

第十一章　爱美的婚姻危机

爱美听完二妹的讲述，沉默了一会儿，说：“爱佳啊，这婚姻大事不是儿戏，你可得想好了，别步我后尘啊。我觉得吧，这个宋啥鱼的，说得挺有道理，千万别跟那个刘老板好。我跟你讲，男人有钱就变坏，绝对是真理！当初，许重在银行当职员那会儿，老实巴交；现在手头有了点钱，尾巴就翘到天上去了。你这事，我觉得应该放一放，观察一下再说，免得后患无穷。”

“没想到你也赞成宋时鱼的看法。”爱佳说，“姐，我想，你和许重这样冷战下去也不是个事儿，离了，老爸会气急败坏；不离，你憋着难受。我看这样，不如你改天找宋时鱼咨询一下。他的公司正好是解决离婚问题的。”

“爱淘的老师，真的在姓宋的帮助下和好如初了？”爱美问。

“真的。”

“花点钱，倒无所谓，就是怕效果不好。这事，我得好好想想。”

爱佳本来想把爱淘的事告诉她，又怕她闹心。一个即将离婚的女人，不能再给她添乱了。爱佳再一看表，已经两点多了，便催促她睡觉。

姐妹俩熄灯就寝。但两人各怀心事，都没睡着。耗到三点多，爱美终于忍不住问：“爱佳，你说那个宋……什么鱼？”

“宋时鱼。”爱佳说，“怎么啦？”

“真有那么神？是不是有些迷信哦。”

“不像。”爱佳伸手去抱姐姐，“他讲的，我觉得是经他长期观察积累的经验。不然，他开这么一家公司，会有生意吗？”

爱美叹了口气，“不行明儿咱俩去瞅瞅？！”

“姐，你真是没办法了么？”

“真没法子了。”黑暗中传来爱美的长叹，“许重这个人，我越来越不了解他……”

宋时鱼显得精神挺好。

周六，公司只有两个员工值班。他是在爱佳电话相约后专程赶到公司的。

宋时鱼为两人冲了咖啡，“你们姐妹仨，长得各有特色，一个比一个漂亮。”宋时鱼边收拾桌上的文件，边美言道。

“谢谢宋先生，请你说一下，都有哪些特色？”爱佳笑道，“我是最爱听好话了。”

“大姐皎若秋月，清丽脱俗，温文尔雅；二姐宛如夏莲，热情绽放，才华横溢；三妹恰似腊梅，凌寒自开，特立独行。”宋时鱼笑道，“如果不是认识你们，很难相信你们是姐妹。”

“宋先生真会说话。”爱美微笑道，“我听爱佳说，宋先生对婚姻、家庭颇有研究……今天耽误了您的休息时间，真不好意思。”

“爱美女士不必客气。”宋时鱼说，“宋某无非是混口饭吃。没有你们做衣食父母，我恐怕就得喝西北风了。”

“哦，这个……我已经听爱佳说过了。”爱美从包里掏出一张卡，“该交的钱就得交，请宋先生帮忙。”

“交钱不急，还是先说说你的情况吧。”宋时鱼一笑，“你这个情况，如果处理好了，令你满意了，再说钱的事。”

爱佳一愣，心想这个宋时鱼是怎么回事？昨天一见面就要她交钱，今天大姐主动交钱，他反而不收了。

“情况是这样的，”爱美有些不好意思，但还是如实相告，“我与我老公许重，七年前因人介绍认识，不久就结了婚。当时，他是一个银行职员。一年多以后，我们有了一个女儿，生活过得很平淡，但很充实。女儿出生后，他嫌我们挣钱不多——哦，对了，我是中学英语老师，收入也还可以，但他认为要给女儿幸福的生活，要把女儿送到国外去读书，因此就辞职下了海。他在银行有些关系，弄了些资金，办了个房地产中介公司。这几年，北京房地产市场火暴，他也从中赚了不少钱。今年以来，他像变了个人似的，一副趾高气扬的样子。还有，我感觉他有外遇了，就跟他闹。开始他不承认，后来他说，有就有，你想怎么着？我气得要命，但苦于抓不住证据……可是，就在昨晚，他居然……居然带着一个妖艳的小三回家了……”

“哦，逼宫来了？”宋时鱼听完，拿笔在本子上记。

“有这样欺侮人的吗？”爱美眼圈一红，“我对他，比对我的父母都好。现在的人，真是有了几个臭钱，就自以为了不起了……”

宋时鱼递过来一盒纸巾，让她发泄。

待爱美讲完，宋时鱼才说：“你确定你的丈夫出轨了？”

“确定。”爱美郑重点头。

“但我还是要测试一下，请爱美女士把这个简单的测试题做了。”说罢，他从案头取了一页纸，放在爱美面前。

爱美一看，题头写着：男性出轨十大特征。下面是十道很简单的选择题，每道题目只有两个答案，“是”或“否”。

1. 突然变得客气，嘘寒问暖。

2. 手机不离身，接电话时支支吾吾，看短信时十分隐秘。

3. 开始爱打扮，照镜子，重气质。

4. 推说身体不适，不交“公粮”或敷衍了事。

5. 有激情学习新的东西。

6. 常走神，与妻子眼神相撞时立刻回缩。

7. 关心妻子娘家事多起来，不时问几句。

8. 喊累，做事小心谨慎。

9. 看到关于第三者的信息不予评论。

10. 早出晚归，请示汇报多了起来。

爱美反复看了看，只在第四条上选择“是”，其余皆为“否”。

宋时鱼接过看了一下，“经过简单的测试，看来你先生并没有出轨。”

“都带小三回来了，还叫没出轨？”爱美不信。

“出不出轨，不能看他带没带女人回家。”宋时鱼说，“如果他真的出轨，何必带女人回来？”

爱美愣了一下，随即说：“你这么一说，我倒想起来了。那个女人妖里妖气，好像也不是他喜欢的类型。不过，他既然没出轨，何必要这样做呢？”

“他这样做，多半是故意制造‘此地无银三百两’的假象，气你的。”宋时鱼说，“再说，‘男人有钱就变坏’的说法并不可靠。一个人坏不坏，不能看他有没有钱，得看他的本质如何。”

“那，宋先生有什么建议？”爱美问。

“请简单描述一下你先生当前的状况，就是平时的行为表现。”宋时鱼说，“但请不要带任何情绪。”

爱美想了想说：“许重这个人，倒也没什么让人无法忍受的，就是内向些。最近半年来，几乎不与我交流，孩子的事也很少过问。我跟他吵吧，他还就很少回家了。我怀疑他有了外遇，起初他不承认，后来却说，有又怎么的？不行就离婚！没想到昨晚，他真就带了个女人回来……”

宋时鱼打断她：“我再说明一下，我问的是细节，不是这种概述。”

“细节？什么细节？”爱美转了转手中的咖啡杯。

“细节就是细微的表情、动作、语言、穿着等。”宋时鱼直视她，“至少，你应该描述一个情节，完整的情节。”

“我……”爱美皱了皱眉，似乎在努力回想。但她真的描述不出一个完整的情节。

“恕我直言，”宋时鱼说，“以我的判断，不是你丈夫出轨，而是你遇到了心动的男士。”

这句话让爱佳一震。打死她她也不敢相信，大姐会有外遇！

爱美的纸杯掉在地上，脸倏地红了，“我……你说什么？”

“因为，如果你仍然深爱你丈夫，怎么会连关于他的生活细节都描述不出？”宋时鱼说，“除非你丈夫已经走出你的视线。而一个已婚女人，只有在转移感情的情况下，才会忽略丈夫的存在。”

爱美的脸色由红转白。她看着咖啡从掉在地上的纸杯里流出，也不去捡，似乎痴了一般。爱佳拾起杯子，碰了碰她。她才从慌乱中回过神来。

半晌，爱美渐渐恢复平静，“宋先生，也许你说对了，但我没有外遇，只是……只是我的确遇到了一个人……一个令我心动的人。你说，我该怎么办？”

“爱美女士，现在我无法告诉你。”宋时鱼真诚地说，“我的建议是，你需要一个人静静地思考一下。等你思考出了结果，随时再来找我。你看可不可以？”

爱美茫然地点点头。

爱佳几乎是把大姐扶下楼的。在路上，她一个字也没有说。到了楼下，爱佳要送她回家。爱美却说，爱佳，你让我一个人静一静吧。爱佳目送大姐远去。她既为大姐担心，又觉得这个宋时鱼太神了。

大姐有心动的人？这真是奇闻！在她的记忆里，大姐从小到大，活得简直有些刻板。高中时有男生追她，被她骂了个狗血淋头。直到大学毕业工作了三年，才谈恋爱。而这个“谈”，还是在别人的介绍下按部就班地见面、约会，直到结婚生子，这个人就是许重。可以说，大姐的情感生活一直是一潭死水。

就连她都不知道有这回事，宋时鱼何以能知道？难道，描述不出丈夫的生活细节，就是心中另有他人？她不相信这种论断。

于是，爱佳又返回宋时鱼的公司。

她要弄个明白。

第十二章　拜师学艺

宋时鱼还在办公室，见爱佳去而复返，并不感到惊讶，只是请她坐下。

爱佳开门见山："宋先生，我问三个问题。第一，描述不出丈夫的生活细节，就一定有情况？第二，既然你知道我姐现在心乱如麻，为何不马上解决问题？第三，我姐既然来找你，就说明她并不想马上离婚，可是，她既然不想离婚，为什么你又说她有心动的人？"

宋时鱼见爱佳如此较真，不由得笑了："爱佳啊，你真有意思。好吧，我回答你。第一，有的人描述不出丈夫的生活细节也不一定有情况，但你大姐就一定有情况。人跟人不同，同样的道理，也需因人而异，这也是鉴别他人时比较难的地方。从面相上看，你姐姐是个心细如发的人，所以她描述不出你姐夫最近的生活细节，就证明她的心思已经不在你姐夫身上了。再者，她形容憔悴，双目失神，是恋爱中饱受煎熬的情态表征。第二，我还需要进一步考察你姐姐和你姐夫的情况，不可能马上开出药方，所以我只是点醒她，让她慎重思考一下，有助于她理性看待面临的问题。第三，你大姐离不离婚，与她有没有心动的人是两个概念。一个人喜欢另一个人，是天性使然，与婚姻无关。”

爱佳笑道：“你这是自圆其说。反正遇上你这样的大仙，只能看你一手敲锣，一手打鼓。只不过，我看我姐的神色，你好像是点中了她的死穴。”

“对啊，头三斧砍不准，怎么赚钱？”宋时鱼诡秘一笑。

“那你为何不收大姐的钱？偏收我的？”爱佳装作不高兴的样子。

“你钱多，她钱少。咱虽然干着坑蒙拐骗的罪恶勾当，但也有劫富济贫的善良念想。”宋时鱼哈哈一笑，“再说，你姐立案决心并不坚定，必须等她想明白了利害，才好敲诈啊。”

“那你借给爱淘那两万银子是怎么回事？”爱佳突然严肃起来。

“你没借过银子给朋友吗？”宋时鱼双手一摊，“朋友之间拆借，太正常不过了。我觉得爱淘有前途，先借点钱给她，培养一个人脉，不行吗？”

“宋先生，我先打开天窗说亮话，”爱佳正色道，“爱淘呢，是调皮了一点，社会经验少了点，但你不能打她的主意，否则我绝不罢休！”

宋时鱼一愣，随即苦笑：“我说，你没事儿吧？我是帮爱淘相夫。小墨这个人，有前程，会出名的。我只是想撮合他们，你却说我想打爱淘的主意，咱俩这是大象跟鳄鱼打kiss——根本对不上嘴。”

爱佳见他那个苦相，心里发笑，但还是马着脸说：“你明知道我们全家都不会同意爱淘与那长毛谈恋爱的，却还这样做，不是帮倒忙吗？况且，你这样做，图什么？”

“孔领导，你怎么这么势利呀！”宋时鱼说，“人，有点公德心行不？看过《教父》没？教父的成功，就是因为他识人，乐于助人，投了人情资，所以才建立起地下王国嘛。”

“难道你想学这一套？”爱佳没好气地说，“教父的下场，可不怎么样。”

“那是后来黑帮不再适应时代的发展了。”宋时鱼说，“但这个原理没有变，中国几千年来的发展，无非就是各自有各自的社会关系，团结人，帮助人，形成良好的社会氛围，相互帮衬，才能成事。”

爱佳觉得他说的也不无道理，便道：“可是识人之难，难于上青天。万一爱淘看走了眼，将来耽误了终身，后悔就来不及了。”

“是啊，识人，是人生第一要务。”见爱佳认可了自己的观点，宋时鱼也认真起来，“你说爱淘看错了人，这是表象，就如同当初你大姐看准了人，今天却面临婚姻危机一样，也是表象。有句俗话叫‘人不可貌相，海水不可斗量’，多数人都没理解对。人不可貌相，是指不能凭简单的印象对人作出判断，而是要通过人的形、神、音、气、色等诸多方面作综合考察，才能得出客观结论，从而判定所相之人是不是适合自己。”

爱佳一听，觉得宋时鱼所言并非虚妄，但仍然怀疑他是纸上谈兵。她略一思忖，回应道：“宋先生，我当然也知道识人的重要性，可我不太相信凭肉眼就能看出人的本质，特别是不相信一见面就能下结论。因此，昨晚你对五位男士的判断，虽然我也认为有些道理，但我更希望看到一些实质的东西。”

“你想看到怎样的实质？”宋时鱼问。

“我相信实践检验。”爱佳说，“如果我们到大街上，碰到完全陌生的人，你能看准，我……我就拜你为师。”

宋时鱼眉毛一扬：“此话当真？”

“那当然了。”爱佳说，“如果宋先生有空，咱们这就下楼，到大街上转一圈。如果你都说准了，我就效仿古人，提四色彩礼，拜在宋神仙门下当徒弟。”

“四色彩礼倒不用，陪你转一圈没问题。”宋时鱼笑道，“不过这雪后的周末，在大街上活动的人应该不多。楼下有个小公园，咱们去转转也好。”

爱佳心想，我就不信这个邪了。如果真看得准，拜师就拜师。

宋时鱼所在的大厦往南半站地，是一个小公园。说是公园，但并没有院墙，类似社区里的绿化带，无非是弄了些锻炼身体的器材，栽了些树木，有几条小径而已。

雪后，小公园里的道路早就被清理干净了，但仍然有一名清洁工拿着清扫工具，在离爱佳约十步远的地方干活；天气阴晦，园中活动的人不多，偶有路人匆匆而过。

“怎么样？宋老师？”爱佳轻声道，“毕竟还是有几个人，就请你不吝指教了。”

宋时鱼看了一眼前面一个穿着灰色羽绒服、正背对着他们干活的清洁工说：“这位搞卫生的朋友，如果你突然叫他回头，他必定是从右边转过身子。”

爱佳不信，便朗声叫道：“喂，前面那位同志，问您点事……”

清洁工停下手中的活，果然从右边转过身子，向爱佳看过来，“是叫我吗？有什么事？”

爱佳一愣，赶紧回答：“请问到地铁站怎么走？”

“往右边走一站地就到。”清洁工戴着口罩，用手指了一下路线，转身拄着扫把，看样子是想歇一会儿。

爱佳谢过，看了宋时鱼一眼，道：“人，不是往右转，就是往左转，往哪个方向都有百分之五十的概率。”

宋时鱼抬手止住了她，低声说：“你先别急。这位朋友此时双腿并拢，原地没动。等会儿，他要向前走。你猜，他会先迈哪条腿？”

“你说呢？”爱佳觉得这根本不可能猜中。

“右腿。”宋时鱼肯定地说。

话音未落，那清洁工果然提着扫把，先迈右腿，再迈左腿，向前走去。

爱佳暗自心惊，却见那清洁工对面，一位身穿呢子大衣、围着围脖的男子缓步走过来。此人行路，稳健有力，一步一步，稳稳当当。爱佳便轻声问：“那你看看，这个人是干什么的？”

“干什么的不知道，但此人行如顺水舟船，必是大贵之人。”宋时鱼说。

爱佳心想，这恐怕无法验证了。却见那人迎面而来。近了，见此人约莫六十来岁，方脸阔额，目光炯炯有神。

爱佳觉得此人有些面熟，但一时又想不起来，便侧身让道。那人却站住了，看着爱佳，问：“你是爱佳？”

“您是？”爱佳大奇，心想这人怎么会认识自己？

“我是你柳伯伯呀，”那人露出整洁的牙齿，笑道，“几年前，我去过你们家，你还记得不？”

爱佳突然想起，父亲在军队有个上级，叫柳松亭，官至少将，在某军事学院任政治部主任，于是有些惊讶地说：“我是爱佳呀，原来您是柳伯伯。柳伯伯好！父亲前一阵子还提起您和他在部队上的事呢。”

柳松亭慈爱地寒暄几句，说自己退休了，目前在参加一个民间组织，被推选为会长，今天是去参会的。几分钟后，他离开了。

待柳松亭走后，宋时鱼又说：“观此人相貌，如在古代，差不多是个三品官吧。”

“三品官换算成今天的头衔，是多大？”爱佳这下全服了，歪着头问他。

“古代四品官，是现今的地市级主官；三品官要高一些，但刚靠上副省级。”宋时鱼皱眉道，“这位老先生与你父亲在部队待过，我想应该是位少将之类，级别是军级，文官。”

爱佳不住地点头：“他是父亲的老上级，后来调到军校政治部当主任，真的是副军级。可是，你，你，你到底是怎么看出来的？”

“这位将军气度不凡，行事稳当，但非常保守，不然，他可官至二品，弄个中将干干都没问题，可惜了。”宋时鱼叹道，“只因他太谨小慎微，限制了自身的发展。”

一阵冷风吹来，爱佳感觉有些冷了。

虽然宋时鱼只相了两个人，但爱佳对他已是五体投地，她跺跺双脚，搓搓双手，说：“宋老师，咱们要不找个地方吃点东西，顺便把师也拜了。”

“顺便拜师？”宋时鱼笑了，“你真想学？”

“真想。”爱佳做了个鬼脸，“学会了，至少可以省两万四啊。”

第十三章　相人基础

茶餐厅里人不多。有几个小青年正边喝咖啡边上网，或是在笔记本电脑上写点什么。宋时鱼找了个靠窗的位置坐下。窗外是车水马龙的东三环。

宋时鱼喝着咖啡，有些悠闲地说道：“爱佳，既然你想了解一些相人的方法，我可以作些简略的介绍。你随便听听就是了，当是一种交流。理论虽是总结出来的成果，但也并非一成不变。相人，因时而异，因人而异，因事而异。

“相学在中国传统文化中占很重要的地位，只是后来被一些心术不正的人歪曲利用，让人感觉是迷信。其实，相人是根据人的骨骼、五官、筋络、气血、肌肤、毛发、声音、行动、神色等特征，来判断人的性格特征、身心状况、智慧气节，从而推断其命运走向。”

爱佳说：“这个怎么判断呢？比如刚才那名清洁工人，你怎么知道他从右边回头，先迈右脚？”

宋时鱼说：“我是从他的形态气质来判断的，也借鉴了古人的‘贵贱论’，最早出自汉高祖刘邦的第一相师、号称‘相人第一女神’的许负，即先行左脚、从左回头为贵，反之为贱。这个结论虽然有些武断，但我检验过上百人，达到百分之九十的准确率。”

“传统相学真的有那么神？”

“虽然传统相学里有许多无法解释的东西，但也不能说是准确无误。相人，更多的是通过细微的特征去探究，结合传统的相人方法，才有现实意义。今天你正好有空，我就给你讲讲这相人的入门基础。”

爱佳支颐静听。

宋时鱼喝了口茶，说道：“看一个人，无论男女，最要紧的是看神。神，即神态，从该人的眼神、举止来判断。”说罢，他取出纸笔，边说边列出七种“佳相”：

一是藏不晦，有才和有财，甚至有官位，但深藏不露，不事张扬。

二是安不愚，意志坚定，从不轻言放弃，但做事不古板。

三是发不露，工作或与人交流时，很有神采但并不轻佻，懂得礼节。

四是清不枯，五官搭配得好，身材匀称，但不呆板。

五是和不弱，有亲和力，但又不容别人侵犯，即威严于内，和善于外。

六是怒不争，怒不泄于外，喜不形于色，面有正气，通情达理。

七是刚不孤，脸色刚毅，不伪装，令人敬重但不会让人厌恶。

爱佳边凝神静听，边歪头看他的笔尖快速游走，想了半天仍然觉得不好消化，就问：“这七种好相如何鉴别？有没有比较简单的方法？”

宋时鱼说：“主要是看神。对神的鉴别，主要看眼睛。一个人的神，隐藏在眼睛里。看眼睛，主要看三种情况，清、浊、时清时浊。人的目光宛如明珠，澄澈明亮，说明此人表里如一，性格开朗，聪明灵秀；目光浑浊，游移不定，说明此人奸心内萌，浮躁焦灼，轻率冒进；目光时清时浊，说明此人巧言令色，见风使舵，是投机取巧之辈。”

爱佳记住了清、浊、时清时浊，但仍然觉得比较含糊，就问："如果进一步区别，怎么办？"

宋时鱼从眼睛的形、态入手，列出了七种情况：

一是秀而正，眼睛长得灵秀而端正，好看。

二是细而长，眼睛的形状细而长，不能短而大。

三是定而出，眼神专注，不游离，但又不呆滞。

四是出而入，眼神无论左顾还是右盼，都分外精神，控制自如。

五是黑而亮，指瞳孔要黑而亮，瞳孔上半部白的是奸人，下半部白的是罪犯。

六是久而神，眼神持久稳定，能长时间固定某一个点，这是有足够精神的表征。

七是恒而稳，遇到意外事件处乱不惊，泰山崩于眼前而不慌张，即是有很深的修养。

爱佳用心记忆，觉得这七条倒是可以用来鉴别人。只要不是瞎子，区分起来并不难。她是一个非常爱学习和探究的人，渐渐来了兴致，就请宋时鱼讲讲基本的相人方法。

宋时鱼想了想，从相脸开始讲起。

人的形体是一个整体，但从相学上讲，人的脸部占的比重较大，占到六分；脸部以外占四分。五官端正、没有疤痕，身材匀称、脚下不虚浮，就算得上好相。这里只讲好相，不符合这些特征的就不是好相，交往都得小心，更别说"相夫"了。

所以看人主要看脸部。脸部如果按十分计算，那么眼睛占五分，额部占三分，眉、口、鼻、耳共占两分。

看人首先看眼睛：眼睛端正的人，专心致志，为人处事正派公允，对人对事，从一而终，就算命运有波折，也会收获果实。但是，仅仅眼睛端正是不够的，如果眼睛端正而没有光泽，就是平常之相。判定眼神是鉴别人的过程中最难的，必须静心观察，阅人无数，方可比对鉴别。有的人表面很灵秀，但眼波像流水浮云，只能沦为好色的相；有的人表面很木讷，但深藏不露，也是上佳的好相。所以看人的眼睛，是相学的至高境界，稍一疏忽，就容易走眼，误判好人。

其次看额头：额短宜厚，额长宜方，宽阔饱满，没有理纹，没有坑疤，就算是不错的相。但额头仅仅是宽阔还不够，能成大事者都有异相，不能以常理而论，要看额头上的骨，凡是突出的，就是异相，必有异才，相学上有“额无恶骨”之说。

最后看眉、口、鼻、耳：眉毛不疏散、嘴巴不露齿、鼻子圆润直挺、耳朵棱角分明，就算是不错的相。五官的鉴别没有定法，但强调相互搭配协调，看上去顺眼，有内在的精神。

人是天地间的精灵，精、气、神融会贯通。相貌长得好，不一定真好。只有心好的人，才能德行高远，弥补形体的不足，确保心神专一，因此修“行”实为修“心”。形体五官，一眼就看得见，但人心变幻莫测，不是一眼就能看得出的。只有通过观察形体，细品言行，捕捉精神，才能窥其心性，从而了解此人的性格智慧，进而作出客观的判断。

具体到男女，又有分别。男为阳，女为阴，男子以刚强为贵，女子以柔顺为好。反之则会遭遇不顺。

男性的好相，有七种特征：

一是眉宇宽，如果眉毛小而散，叫阴眉，则会妨妻。

二是眼神旺，目蓄精芒，朗如星月，必是贵相。

三是鼻高耸，鼻子挺拔有势，不歪斜，充当面部轴心，与其他部分相称。

四是嘴方厚，色泽红润，形如“四”字，不露牙齿。

五是体健硕，上下体搭配恰当，宽肩阔胸，有山岳之姿。

六是行稳重，静若处子，如虎盘踞；动若腾龙，风从云生。

七是音坚实，声音坚实清润，连绵不绝。

女性的好相，也有七种特征：

一是眉如柳，弯细如柳叶，集中而不杂乱，浓厚而粗壮的是阳眉，会妨害丈夫。

二是眼神清，眼睛清亮，温和贤淑，就是贵相。

三是鼻秀气，女性的鼻子不能像男性一样鼻头圆大，应该挺拔，透出秀气。

四是唇齿依，齿白唇红，丰润，不能露齿，静止时露齿的就不是好相。

五是形体柔，身体端直，肩削颈长，腿臂颀长。

六是形态端，坐时端正，行路款款如和风拂柳。

七是音温和，声音绵脆，像燕子一样温婉动听。

宋时鱼强调，看一个人，无论男女，不可偏取一点，而是综合考察。世间无完相，人都有缺陷。中国传统文化中，讲究阴阳五行相合，将人的形体气质分为金、木、水、火、土。这五型人，各有代表人物：

诸葛亮，属于金型人。这种人坚持原则，金则方正，形体挺拔，脊背较宽，四方脸，鼻直口阔，四肢清瘦，思维、动作敏捷。

林黛玉，属于木型人。这种人多愁善感，五官、身材、手指较为修长。木型人中，男如玉带临风，女子婀娜多姿，常常顾影自怜，不爱说话。

曹操，属于水型人。这种人高深莫测，形体圆肥，肤黑貌威，行动迟缓，沉默寡言，神情不定，怀疑心重，有雄才大略，能驾驭人。

魏徵，属于火型人。这种人充满活力，形体瘦小，面色红润，走路抬头挺胸，行动敏捷，性格叛逆，做事百折不挠，崇尚自由。

张飞，属于土型人。这种人重而厚，大智若愚，体格健壮，身材匀称，肌肉丰满，适合从事军警、体育、航海、勘测等职业。

宋时鱼说，有了五行的判断，就知道人的性情是天生的，当然后天也可改变。但对大数人而言，本性是极难改变的，伪装性情只是权宜之计，一旦得势就会原形毕露。因此考察一个人，必须形神并举，且重在察神。

"比如今天我们在小公园碰到的两个人，前者神情散乱，智慧不足，只会听从别人的指令，做一些简单的工作，所以他是清洁工——这里没有贬低清洁工的意思，社会分工不同，各种工作都需要人去做。这位清洁工行动散漫，一脸茫然，足见其精神不足，难以承担复杂的任务。再说你的柳伯伯，形体精神，均为上佳。不过他目前的状态，显得神情有些萧索，已经过了人生中最鼎盛的时期，如日薄西山，虽有回光，但劲道不足，精神略显疲惫，已不能持久，所以只能参加民间社团的活动，发挥余热，协助政府做一些力所能及的事了。

"社会上的相师重形而轻神，以貌取人，是不全面的。考察人的精神，识别精神的真伪，是鉴人最难的功课。那种故意振作精神的状态容易识别，但看似故意振作却可能真的是精神抖擞，就难于识别了。精神不足，一般会在故意振作后中断，如滴水般断断续续；精神充足，则如长江黄河，滔滔不绝。所以我们看人，要看他潇洒豪放的气概有几分真几分假，看他无事安坐时有几分安静几分浮躁。有的人表面小心谨慎，但做事考虑不周，忽略细节的处理，就是表面细心实际上心思欠周密的人；有的人表面大胆豪放，但做事粗中有细，从不轻率冒进，就是表面粗豪而心思机敏的人。人往往都会伪装自己，不让他人看出自己心底的秘密，所以不能只看其形，只闻其言，而要通过实际的事情去检验，才有可能进一步加深对人的认识。"

宋时鱼最后说，这些只是看人的基本方法和原则。只有在长期的实践中，灵活掌握这些原则，因人而异，因时而异，因事而异，才会系统地形成观察人、鉴别人的理念，从而达到一定层面的鉴人水准。

第十四章　潜力股

一大早，爱淘先到画家村阮鸿儒那里取了画，再打车去接罗玉仙教授。到李故然家，已是上午十点了。

李故然头发有些花白，但气色尚好，皮肤白净光滑，脸上居然没有什么皱纹，根本不像一个年近古稀的老人。罗玉仙的妻子与李故然曾是同事，他与李故然又是多年朋友，自然不必客气；爱淘平日里没个正形，但在德高望重的名家面前，却显得十分拘谨。

“小姑娘，坐吧。”李故然微笑着看她。

“爱淘是我带的学生。”罗玉仙说，“她学服装，有些可惜了，音色很好。如果从小训练，说不定会是一个不错的歌手。”

“哦，”李故然含笑道，“那，爱淘，你试唱一首如何？”

“我？”爱淘紧张得出了身毛毛汗，“李老师，我真不行。”

“叫你唱，你就唱。”李故然突然严肃起来，“就唱《我的祖国》吧，会吗？”

爱淘心里一紧，但想着为了墨留成，豁出去了。于是她站起身，清清嗓子，轻轻哼了起来。

李故然打断她：“放开唱。我这里，装修时花了点工夫，隔音，不怕影响邻居。”

爱淘咬咬牙，大胆地放开喉咙唱了起来，歌声时而嘹亮，时而柔美。在极度的紧张中，她居然发挥得很好。

李故然听完，说道："你做过扁桃体手术吧？"

爱淘点头，心想，不会又出了个宋半仙吧？

李故然说："你的嗓子稍微暗一些，但很有暖意，音质还算不错。"

"只可惜，她年龄大了，要是从小训练就好了。"罗玉仙说。

"不一定从小训练才会出成绩。"李故然说，"有天分的人，如果后天开发得法，也照样可以取得不错的成绩。"

爱淘心里直打鼓。因为，她请导师给李故然打电话时，说有一个青年歌手，想请李故然老师指点一下。听了宋时鱼的建议，她基本没休息，连夜准备，甚至连说词都打了几遍腹稿。可今天一到李故然家里，她就慌了神——如果李故然误将她当做是来求学的，那就麻烦了。

罗玉仙毕竟老于世故。这时，他才将爱淘购得的那幅画交给李故然，"李老师，我朋友画了幅山水，送给您，请您赏鉴和指点。"

李故然眼中划过一丝犹疑，对罗玉仙说："老罗，你这不会是送礼吧？"

"咱俩的交情，用得着吗？"罗玉仙哈哈大笑，"这真是一位朋友画的。说真的，他现在还不太出名，但技法到了一定层次了。我估摸着，我这朋友不出几年，身价就会飙升。他知道李老师是书画鉴赏大家，所以才请您指点啊。"

"唉，老罗，连你也变得世俗了。"李故然笑着叹了口气，摇了摇头，不过她也被罗玉仙的话勾起了好奇心，便将没有装裱的画展开。

这是一幅南国山水，墨迹浓淡相宜，厚绵相长；近石嶙峋，松竹峻拔；远山逶迤，云霭淡淡；渔舟横卧，鱼鹰低飞。的确颇得南国乡村的神韵。

李故然眼睛一亮，说道："老罗你真是有心啊，这正是我的故乡江西的写照。我猜，是小姑娘命了题，请这位阮鸿儒画的吧？"

罗玉仙只好点头。的确，这画，是爱淘打听到李故然的老家后，请阮鸿儒专门画的。阮鸿儒青年时游历四方，自然对江西风物有所了解。

“小姑娘，说吧，”李故然收起画，坐下来，“我知道，不是你想跟我学唱歌。”

“您……怎么知道？”爱淘又开始紧张了。

“从你的歌声里听出来的。”李故然笑了笑，“其实，歌唱就是语言，就是表达。你的确未受过专业训练，但你的嗓音真是不错。然而你的歌声里，有一种焦灼，有一种害怕失去的情绪。你既然是罗教授的高足，怎么会突然想起转行？必是为了他人。说吧，你究竟为谁而来？”

“一个流浪歌手。”此言一出，爱淘突然变得大胆了，“我是在地铁里听到他唱歌，被他的歌声感动了，才决定帮他……”

“慢慢说……”李故然喝了口水，示意她说清来龙去脉。

爱淘不敢有丝毫隐瞒，便将认识墨留成的事和盘托出。

李故然听完，站起身，踱了几步，说道：“小姑娘，你讲得很动人。我收学生，可以不问出处，但必须有天分。你这两天回去，让他录个音，叫快递送来，我听听再说。听完录音，如果觉得可以，还要面试。这事就这么定。画，你们拿走。”

“李老师，您看这阮鸿儒已经题了您的名了，是专门为您所画，我们怎么好拿回去？”罗玉仙站起来说，“看我薄面，这幅画您就收下吧。至于收徒，一看资质，二看人品，三看缘分，这个我和爱淘都懂。”

李故然想了想说：“行。”

爱淘与罗玉仙下了楼，见墨留成傻傻地站在风里。爱淘抬头望了一眼四楼的李故然家，又瞪了他一眼：“你就不会躲起来？”

罗玉仙止住她：“爱淘，看见也没什么，小墨是拜师，不是做小偷。”说完，他先走了。

“收就收，不收拉倒。”墨留成涨红了脸，“这鬼天气，冻得没法弄，你让我往哪儿站？”

“哟，你还来脾气了！”爱淘在李故然家出了一身汗，这会被冷风吹得浑身发冷，心想姓墨的还牛叉，我这是何苦来着？

墨留成一看，赶紧哄她：“行了行了，我错了，我赔不是。知道你为我受委屈了，但人家李老师收的徒弟，都是音乐学院的，我这大老粗，没文凭，长得又不好看，我是自卑嘛。”

“你缺胳膊少腿了？”爱淘说，“我最看不起自卑的人。是个男人，就站直了！”

墨留成果然站直了。

“走。”爱淘拉他一把，往小区外走去。

进入一家小餐馆，爱淘点了些吃的，才对墨留成说：“从今天开始，你叫墨留香，听见没？喂，知道楚留香吗？”

“知道。”

“楚留香到处留情，你不能学他，懂吧？”爱淘认真地说，“你只能到处留下你的歌声。从今天开始，不许抽烟，不许喝酒，要像保护眼睛一样保护你的嗓子。明天，我陪你到我朋友的一个录音棚，把你最拿手的歌录几首，刻成光盘，拿去请李老师听。”

“我懂。”

“这几天要做的事，就是从你那破地下室搬出来，租一间像样的房子。然后，买两身像样的衣服。等回头录完歌，就把你这头长毛剪一下。以后你得勤洗澡。”爱淘白了他一眼，“咱叫墨留香，不叫墨留臭。”

“遵命。”

“你只要听我的话，你就会成功。”爱淘说，“你二十七年没成功，并不是因为你没有天分和实力，而是没有推手，像只无头苍蝇似的瞎撞。你一定要记住一点——你是西部来的雄鹰，除了在李老师那里要当个虔诚的信徒，在任何时候、任何场合，你都是卓尔不群的、独一无二的，懂了吗？”

“明白。”

“你能不能将回答改成三个字？”

“可以。”

“那你说。”

“我……爱……”

爱淘一下打断了他：“谁要你说这三个字，俗气！”

“我是说，爱淘真好。”墨留成笑了，“可我不知道你为啥对我这么好？”

“因为我想嫁给你。”爱淘说，“你就像一支潜力股，现在趁无人识得，我买了。当然，你要是不愿意，赶紧说，我好抛。”

“非常愿意。”墨留成说罢，又叹了口气，“可我感觉配不上你。”

“我不嫌弃你。”爱淘说，“不过说好，等你升值了，你要敢反水，我就废了你。”

“我不敢。”墨留成认真地说，“因为我感觉你是我的救星，也是我的克星。我怕你。”

“你最好怕我。”爱淘说，“一个男人的成熟，是从怕女人开始的。”

“但是，你姐姐好像并不看好我。”

“你怎么看出来的？”

“昨晚，在餐厅，你姐姐暗中观察过我。我从她眼神中看出来，她并不赞成你与我交朋友。”

“她是她，我是我。我有权决定自己的事。”

“你向你姐姐借了钱？”

“不是，是另外一个男人。”

“那个姓宋的？”墨留成眼里盛满了醋意。

“你不要吃醋，他只是个半仙，不会打我的主意。”爱淘笑道，“我这一生，只有我打别人的主意，没有人能打我的主意。”

“那他干吗借你钱？”

“因为他也认为你是潜力股。”爱淘道，“只要你成功那天，记得介绍几位朋友给这位半仙，让他赚点银子，就行了。”

“放心，我对朋友，是够哥们的。”

“那你对女人呢？”

“我不对女人，只对你。”墨留成停下筷子，“如果我真能像你所说，有出头的那一天，纵然有再多诱惑，我也只会对你一个人好！”

爱淘看着他，突然好长时间不说话。最后，她说：“长毛，我告诉你，你哪天觉得厌烦我了，直说，我不会缠着你。我帮你，是你值得帮，这是你的天分和才情所决定的，没有其他原因。从现在开始，如果你对我表现出一点点感恩，我就会停止帮你！”

墨留成一怔。

他突然觉得，眼前这个开朗大方的女孩，心头有一种坚定。这种坚定，如同墙里的钢筋，肉眼看不见，却能撑起整座摩天大厦。

第十五章　军阀式家长

爱佳正用心记忆宋时鱼的话，手机响了，是父亲打来的。老头子不知有什么想法，突然打电话要爱佳赶紧回去，召开家庭会议。

客厅里，一家之长孔志军坐在饭桌的上首，妻子李晓梅与爱淘坐一边，爱美与爱佳坐一边。爱美虽然已经嫁出去了，但每次召开家庭会议，她都不敢缺席。坚持了多年的家庭会议，是孔志军展现军人作风的重要阵地，类似四十年前他在部队当班长时开的班务会。

孔志军已经老了。脸上已经没有什么肉，全是一些沟沟坎坎；头发花白，眼窝深陷。他性子急，爱操心。自从在官场上每况愈下之后，他只有在家中才能保持绝对的权威。李晓梅与他的感情说不上好，也说不上坏，她对亲生女儿爱淘倒是爱得深沉，从小就有些娇惯，这让孔志军很恼火。

孔志军坐直了身体，沉吟片刻，开始发言："都到齐了。迟到的爱淘，先说说为啥迟到？你还有没有纪律观念？从五岁起你就开始参加家庭会议，到现在也快二十年了，难道还没学会规矩？"

"爸爸，我错了。"爱淘低头道，"学校有点急事，罗教授让我去办。这不，接到您的命令，我马上就归队了。"

"想对你老爸撒谎，门儿都没有！待会儿再收拾你。"孔志军哼了一声，"你们三个，个个都有严重问题！严重得已经到了十万火急的地步！翅膀都硬了？眼里没有我这个爸爸了？爱美，你是老大，你说说吧，你到底是怎么回事？"

"没怎么回事啊，爸爸。"爱美怯怯地抬眼看了父亲一眼。她一直怕父亲，嫁出去这么多年还怕。

"上午，许重找我谈过了。"孔志军冷着脸，"看来不是人家许重有问题，而是你有问题！到了这个时候，你还不说实话？"

爱美把头压得更低，小声说："我……我没做错什么……"

"你还嘴硬？！"孔志军把水杯往桌上一蹾，杯中的茶水溅了出来，"那我问你，谁叫萧意离？"

爱美脸上发红，躲避着父亲的目光。

萧意离？这个名字对爱佳、爱淘而言都非常陌生。

"你不敢说是吧？"孔志军喘了口气，继续吼道，"那我来说，这个萧意离，据说是个诗人。这年头，诗人，连民工都不如！这个只会吟风弄月的人，三十六岁了，还在社会上晃荡，要钱没钱，要名没名，要位没位，差不多是个三无人员！而人家许重呢，企业办得很好，又能干又稳重。最重要的是，你也是做妈妈的人了，珊珊都五岁了，你到底是哪根神经搭错了？”

爱美的脖子简直吊不住脑袋了。她的眼睛里，畜满了泪水。

见女儿服软了，孔志军才长叹一声：“爱美呀，你们三姐妹中，你曾经是最让爸爸省心的一个。还记得当年那些苦日子吗？爸爸不在你身边，你带着爱佳，什么苦没吃过？现在，你有了家庭，就得好好过日子，这日子来之不易啊，你瞎折腾什么？”

李晓梅插嘴：“老孔，你老提当年那些事。爱美都当妈妈了，还用得着你教导？我看，爱美有自己的主见，你是狗拿耗子，多管闲事！”

“放屁！”孔志军恶狠狠地瞪了李晓梅一眼，“这么大把年纪了，你还吃醋？爱美的妈妈死得早，我能不管？你呀，从来不管孩子，你看看，爱淘现在都快飞上天了！这都是你从小惯的！”

“爱淘怎么了？”李晓梅气得脸都白了，“以前，你总是说爱淘不好好学习，没有两个姐姐争气。现在好了，爱淘本科上完，又上研究生了，丢你什么人了？你不要因为自己在单位不得志，混得不好，就回家来撒气！”

“你先闭嘴行吗？”孔志军气得直发抖，“爱美的问题，相当严重，但我相信爱美还能劝回来。你这宝贝女儿爱淘，你把她惯成这德性了，我看悬！”

“爸爸，吃枪药了？”爱淘伸了个懒腰，“我做什么丢人的事了？把您老人家气成这样？”

“那个墨留成是怎么回事？”孔志军转向她，“就是那个流浪歌手，扎辫子的那个，你说！”

“原来您是说小墨啊，”爱淘呵呵一乐，“就是个普通朋友，我又没想嫁给他。爸爸不是总教导我们，要广交朋友，向各行各业的人才学习吗？这有什么，我还看不上他呢。”

“你以为我不知道？”孔志军瞪圆了眼，“你们罗教授，啥都跟我讲了。你为了帮这个流浪汉，向别人借了两万块，买画送礼，就为了求李故然老师收他当学生。你以为你是救世主啊？我是说过，广交朋友，但前提是有选择，不能啥人都交。交友不慎，贻误终身，这个道理你不懂？”

“爸爸，您怎么什么事都要管呀，您烦不烦哪！”爱淘撅了撅嘴，“我今年都二十四了，别说我没看上那长毛，就是看上了，也是我的自由啊。都什么年代了，您这种军阀式的家长作风早该改改啦。”

“你以为你长大了？想飞了？”孔志军怒道，“你给我听好，马上断绝与那长毛的来往，不然的话，这个家门，你就别进了！”

爱淘正要反驳，爱佳马上接口道：“爸爸，您别生气。我们都知道您关心我们，怕我们上当受骗，是为我们好。我们既然全来了，就是听您的话，您别生气了，免得伤了身体呀。”

“爱佳说的倒像句人话。”孔志军喝了口浓茶，“不过你最近的表现也不怎么样！那个小申，打电话给我了，说你等于是把他撵走了，到底是怎么回事？”

“我没赶他走呀，”爱佳解释，“申处长，人有些骄傲，挺有优越感的，我不能一见面就对他唯唯诺诺吧？说白了，他一个芝麻小官，又管不了我，没必要在我面前打官腔呀。”

“你懂什么，”孔志军白了她一眼，“政府就是政府，官就是官。你钱再多，买得了稳定？买得了职务？小申前程看好，人又有才，人家看上你，是你的福分，你还气人家，这是啥道理？”

“反正我就是不喜欢他。”爱佳也有些不高兴了。

“你别以为我不知道你干了些啥。”孔志军冷冷地说，“昨晚，你见了五个人，不，实际上是六个，还有一个姓宋的冒牌半仙。你们别忘了，我当兵那会儿，是干侦察出身，你们那点事，我能不知道？做人，要有个做人的样子，哪有走马灯似的连看五个人的？你当是选秀啊？你不用解释，我都知道，是爱淘这鬼丫头的主意。那个姓宋的，就是个江湖骗子，设下套让你钻，你还真就钻了。今天，我跟你讲清楚，那个姓宋的，没安什么好心。他的小破公司，也办不长，你就不要再与他来往了！”

爱佳心头那个气啊。爸爸真是老糊涂了，这都哪跟哪嘛。虽然，自己对宋时鱼的鉴别力颇为欣赏，但压根没有喜欢他的意思。

“爱佳，我知道，你心头不服，认为老爸是草木皆兵。”见爱佳没顶嘴，做父亲的也叹了口气，“但是，你老爸啥事情没见过？人心如海，深不可测。姓宋的，对你有意思，不然他神经病呀，花那么多心思，还借给爱淘两万块。当然，我知道你目前对他，不可能喜欢，他呢，也假装是为了你好。可是，这是男人的诡计，就是让你不知不觉间觉得天底下只有他最好……”

“哼，这句话说得好啊。”李晓梅冷笑，“当年，你不就是这样让我上套的吗？”

“我那是对你负责。”孔志军双眼一翻，“但这个姓宋的，搞封建迷信，开什么‘试离婚公司’，骗人钱财，只要有人到工商一告，他立马完蛋！”

爱佳了解父亲的脾气。他是官场不得志，心情郁郁，与他争论，只会火上浇油。于是她不再言语，保持沉默。

孔志军见三个女儿都不再说话，才又说：“你们别怪老爸多事。就我这身子骨，还能活几年？我是担心你们后半生的幸福啊，孩子们！你们想想，有哪个父亲愿意看到自己的三个女儿往火坑里跳？一个本来已经有了幸福的家庭，却要与一个穷酸文人好；一个经历过情感挫折，好不容易遇上一桩好亲，能够嫁给政府官员，却偏偏要受一个江湖骗子的蛊惑；还有一个，竟然砸钱砸感情，去帮一个流浪歌手……你们说，我这肝能不疼吗？”

“爸爸，咱们这家庭会议，能不能别搞成一言堂？”爱淘嘟了嘟嘴，“既然是会议，就该协商讨论，不是光听最高指示吧？就算不允许发言，也得允许投票吧？”

“投票可以。”孔志军说，“我是脾气大了点，但凡事讲个理。晓梅，你去拿纸笔，今天就民主一下。我们五个人，那就实行多票否决制。票数多的，五个人都要无条件服从。”

接下来，孔志军列出了三个问题：

第一，爱美与许重和好，支持还是反对？
第二，爱佳与宋时鱼来往，支持还是反对？
第三，爱淘与墨留成来往，支持还是反对？

问题写好，投票完毕，由李晓梅唱票。

第一个问题，三票支持，一票反对，一票弃权。反对的人是爱淘，支持的是孔志军、李晓梅和爱佳。爱美本人弃权。

第二个问题，四票反对，一票支持。支持的人是爱淘，反对的人包括爱佳本人。她对这个问题哭笑不得，自己压根就没想过要与宋时鱼来往。

第三个问题，四票反对，一票支持。只有爱淘投了自己的支持票。

“结果已经很明白了。”孔志军长长地吐了口气，答案正是他想要的，“晚上，我请客，一家人好好团聚一下，庆贺一下本次会议取得的重要成果。我就说嘛，公道自在人心。当然，我在会议开场时有些急躁，在此向你们检讨。”

爱淘做了个鬼脸：“爸爸总是最后的赢家。”

孔志军脸上的坑洼，被灿烂的笑容抹去了。

第十六章　私奔

然而事情并没有像孔志军想的那样简单。投票表决，虽然结果让他心满意足，但事物的发展有其自身规律，绝不是家庭权威能够左右的。

孔志军万万没想到，爱美在周五这天，扔下五岁的女儿珊珊，突然失踪了。

三个女儿中，爱美从小最听话，最能吃苦，也最胆小。如果说爱淘干出这种事，孔家上下绝不意外，但爱美在父亲明令后不到一周就“顶风作案”，实在太匪夷所思了。

> 爱佳，我走了。别问我去何方，也别问我理由，我只是想远离都市静一静。我会照顾好自己，请你们照顾好爸爸。

这是爱美发给爱佳的短信。收到短信后，爱佳立刻拨打她的手机，但已不在服务区。看来，爱美是把手机电池卸了。

爱佳当时正在处理公司事务，挂掉电话，她马上回了家，将情况向父亲作了汇报。

孔志军翻箱倒柜，不知从哪里找到一包已经过期的香烟，抽了几口就呛出了眼泪。半晌，他指示爱佳，把爱淘叫回来。

但爱淘也关机了。

孔志军知道，三个女儿中，目前只有爱佳靠得住。当然，李晓梅也靠得住，不过她只关心爱淘的事。

他以军队指挥官的姿态先对李晓梅下了死命令：“你，无论用什么办法，都要找到爱淘。现在是下午五点。今晚十二点之前，如果找不到爱淘，你就别回来了。”

李晓梅嘟囔了几句，换好衣服出门去了。她对丈夫的军阀作风早已习惯。当然，如果丈夫没有这种作风，她对他前妻的两个女儿，恐怕连装出来的亲热都不会有。

“爸爸，您别着急，大姐可能是一时想不通，就把手机电池给卸了。大姐从小就会照顾人，她不会有事的。”爱佳安慰父亲。

等老婆一走，孔志军立马瘫倒在沙发上，拿烟的手不停地发抖。

毕竟在部队多年。不一会儿，他又稳住了情绪，对爱佳下了一道命令："爱佳，你从小就是被爱美带着长大的，你们感情最深。现在，你给我把她找回来，无论用什么方法。"

"爸爸，您没事吧？"爱佳看了看疲惫的父亲，心头一阵难过。

"去吧，我没事。"孔志军无力地挥了挥手，"保持联系……"

爱佳下楼，驱车出了小区，径直往东三环驶去。

正是周末，路上很堵。趁着堵车，爱佳理了理思路。

这几天，一来公司事多，二来既然父亲不同意她与宋时鱼来往，她也没再与他联系。宋时鱼似乎知道这件事，也不与她联系。

平安夜相亲的那五个男人，除了龙舸已经出海，其余的倒是不约而同地与她联系过，有的打电话，有的发邮件，有的在 QQ 上给她留言，都想再见面，但她都客气地表示，公司这段时间事多，有空一定再约他们见面。

宋时鱼到底长什么样？她居然无法在脑海里形成鲜明的印象。与相亲的五个男人比起来，宋时鱼就像她公司的那些业务伙伴一样，没留下什么特别的感觉。

但静下心来一想，如果平安夜自己不是按照宋时鱼的指点，那五个相亲的男人，或许一个都不会再与自己联系，至少，不会五个都对她感兴趣；大姐失踪，宋时鱼在圣诞节那天就发现了征兆，肯定她的情感危机不是因为丈夫出了问题，而是她自己遇到了心动的男士。

爱佳当时只顾怀疑宋时鱼的判断，因为她压根不相信大姐会有外遇。如果当时意识到事态的严重，早点与大姐沟通，或可避免大姐出走这件事。想来想去，爱佳竟毫无办法，只得求助宋时鱼——虽然父亲不让她与他来往，但父亲也说了可以用任何方法。找宋时鱼，或许他有主意。

宋时鱼还没下班。私营公司，下班没个准点儿。他正在办公室整理文件。

今天的宋时鱼看上去很疲惫，显然干这行并不轻松。

“稍坐，我马上就好。”宋时鱼看见她，似乎来了精神。他很快就忙完，移过身来，坐在爱佳旁边的沙发上：“爱佳，看你的面色，是出了什么事吧？”

“大姐失踪了。”爱佳说，“当然，有可能只是离家出走。”随后，她把短信的内容告诉了宋时鱼。

宋时鱼沉吟半晌，又问了圣诞节后发生的所有情况。爱佳把家庭会议上关于爱美的情况一五一十地说给他听，只是没提父亲不许自己再与他来往的事。

宋时鱼皱起了眉头，“爱佳你别急，这事八成是爱美与那个萧意离私奔了。”

爱佳当然也往这上头猜过，可是以她对大姐的了解，大姐性情柔弱，断不敢做出这种事的。

“爱美看似柔弱，但她也有刚强的一面。”宋时鱼说，“如果你父亲不将她的隐情抖搂出来，也没下那道死命令，爱美可能还不至于铤而走险。别忘了，爱美是个知识分子，在学校教英语，没怎么接触过社会，思想相对单纯。而这个萧意离，如果用了什么非常手段，你大姐就会在矛盾交织的当口听他的。”

“可是，就算他们离开了北京，又会到哪里去呢？”爱佳说，“这么冷的天，不是旅游的季节啊。会不会去海南？”

“有这种可能。”宋时鱼说，“不过，她的短信中有一句‘想远离都市静一静’，很可能不是去海南。因为现在的海南岛，暖和得很，游人也多，好像并不安静。”

爱佳觉得头都大了。一个人下定决心逃离，就如同小鱼游入大海，想找到那是千难万难了。别说是老百姓，就是警察要找人，也得有个线索啊。

“你觉得要不要报案？”爱佳问。

“报案？”宋时鱼一愣，“报案可以，但我觉得这种事情，在警察那里根本就不算什么，大不了他们登记一下，然后在系统内公告一下爱美的身份证号码，如果爱美登记住店，还有可能找到她。但是，爱美一向听你父亲的话，这次把孩子扔下离开，那是下了很大的决心，绝不是一时冲动，所以恐怕她会提防。”

“那你倒是想个办法呀。”爱佳有些急了。

宋时鱼沉思片刻，“那个叫萧意离的人，你没见过？”

“我也是在几天前的家庭会议上才第一次听父亲说起。”爱佳说，“怎么，你看不到人，就没法判断？”

宋时鱼没有说话。他回到办公桌前，上网搜索了一下，果然找到了有关萧意离的介绍。

> 萧意离，原名崔晓生，男，七十年代生于内蒙古武川县秦长城下，诗人。大学毕业后游历全国，其诗作以描写山川风物和男女情感为主，或狂放，或细腻，被誉为“两极诗人”。著有《万卷离愁》、《精神骑士》、《贫瘠的都市》、《那朵云，飘呀飘》等诗集。

宋时鱼边看边念给爱佳听。末了，他说：“你不用再想了，你大姐一定是跟着这个‘两极诗人’到内蒙去了。正好明天是周末，我陪你去一趟内蒙吧，一定能把爱美找回来。”

“你为什么这么肯定？”爱佳不解。

“因为他是‘两极诗人’，喜欢干这种极端的事。”宋时鱼笑道，“爱美的短信中说要‘静一静’，这北国冰封雪冻的，我看，想不‘静’都难。”

“就算大姐跟这个诗人去了他的家乡，但武川县也不小，怎么找得到？”

“找到秦长城，就找到他们了。”宋时鱼说，“事不宜迟，明天一早就乘飞机到呼和浩特。我估计，他们多半会坐火车，咱们乘九点多那一班，十点多到。或许，与他们是同期到达。”

“万一咱们猜错了呢？”

“那就当旅游一次好了。”

正如宋时鱼所料。此时的孔爱美，正在火车上与萧意离啃方便面。

萧意离瘦高个子，长头发，大胡子，眼角已有刀刻般的几道皱纹，但眼神却有一种忧郁的透亮。这个诗人为爱美泡好面，坐在她对面的铺位上。他俩都是下铺。这个卧铺包间，只有她和诗人两个人。车是慢车，卧铺车厢空着许多铺位。

“爱美，要做飞翔的雄鹰，就必须忘记温暖的巢穴。”诗人说，“大漠的壮美是因为飞扬的风沙，大海的宽广是因为无垠的浪花。想做骑士和水手，就必须放得下。”

“我知道。”爱美说，“可是，我还是放心不下珊珊……”

“珊珊有她的爸爸，有她的外公外婆，还有疼她的奶奶，你不用担心。”诗人说，“你一直渴望远走天涯，就真正走一回吧。人生不要有太多牵挂，否则只能将自己的梦想埋葬。”

“可是，天涯在哪里？”爱美有些茫然。

“天涯在你的心里，”诗人说，“但心中有天涯，没有脚步的丈量，天涯只能是虚幻。当你的足迹踏遍心中的土地，你就找到了心灵的故乡。”

“意离，我相信你。”爱美温柔地看着他，“我放弃了一切，就是因为想领略一回梦中的风景。”

“谢谢你，”诗人蹲在她面前，缓缓地牵过她的手，摸着他胡子拉碴的脸，“爱美，你是我心中的女神，我奔跑了很多年，终于找到了你。我知道，我不能给你安逸的都市生活，因为我是一名骑士，我必须在广袤的原野上才能找到最原始的生命律动。但是，我会真心疼你！我要用我的全部精神和力量，让你感觉到没有任何羁绊的生活，才是人生中最美丽的事。”

“我相信。”爱美看着诗人虔诚的眼神，心在融化。

类似的话语，她在十五岁时就梦想着有一天，能有一个男人亲口对她诉说。可是，等了这么多年，这个男人才姗姗来迟。

第十七章　绝种的爱恋

不知从什么时候起，爱美与丈夫许重就没了共同语言。老实说，他们结合的时候就没啥共同语言，只是都有一种相敬如宾的感觉。爱美从小就失去了母亲，父亲又不能时常在她身边，加之还要照顾妹妹爱佳，她变得少女老成，敏感坚强，任劳任怨。结婚后，婆婆对她非常苛刻，横挑鼻子竖挑眼，她倍感压抑，却又无力反抗。

一般情况下，化解婆家的矛盾，娘家是大后方。但爱美与后妈李晓梅终究无法形成真正的母女关系，父亲又一边倒地偏向婆婆，认为做儿媳的就得听婆婆招呼，根本不准她找理由。而许重少年丧父，由母亲一手拉扯大，简直有些愚孝，因此爱美是有苦无处倾诉，只得忍气吞声，任凭婆婆数落。

在这种情况下，作为英文老师的爱美选择了阅读，古今中外的书籍，都找来读。后来，为巩固自己的词汇，她疯狂地喜欢上了英文原版名著，渐渐深陷在那种浪漫的爱情幻想中，觉得自己可悲极了。

许重是个不苟言笑、工作起来就忘了一切的人。起初，两人还有时间出双入对，自从许重辞职创业后，这种机会几近于零。爱美是个安静的人，也不怪许重对她的冷淡，乐得清静。除了教学，她便一头扎进书里，自顾自地遨游在虚幻的小说世界中。

那是一个周末，学校的一位女老师约她到后海吃饭。这位女老师名叫江玲，是个诗歌爱好者，担任一个网络文学社区的论坛版主，经常到论坛里发表顺口溜似的歪诗。江玲年届三十，离异后单身，喜欢约诗友见面，对上眼的就做一回露水夫妻，活得逍遥自在。

那天的后海，秋天的脚步刚刚到来。北京的秋天非常短暂，就如少女的青春一样容易逝去。江玲约的人是两男一女，萧意离就在其中。

爱美不太习惯与陌生人交流，只是坐在那儿，礼节性地微笑，并不插话。这几位诗友时而高谈阔论，时而长吁短叹，让爱美觉得颇有意思。

女人独有的直觉，让她感觉到萧意离的目光总是在看她——即使他侧身对着她，但他的目光仍然会拐向她。目光当然不会拐弯，然而当一个人注意另一个人时，余光里那种刻意的强度就会延伸过来。

时间一长，爱美也留意到这个蓄着披肩长发、留着蓬乱胡须的高个男人。他说不上帅，但棱角分明，面容里有一种饱经风霜的倦怠，眼神里是看透尘世的忧郁。爱美的脑子里突然冒出来一个词：牧马人。

也许是萧意离接近原始的朴直形象唤醒了爱美亲近自然的渴望，也许是爱美在家庭的压抑氛围中急切地想寻求解脱，总之，那次邂逅让她的心底泛起了涟漪。萧意离的出现，像一粒石子落入平静的水面，让爱美的心湖微澜四起。

之后萧意离不停地约她。起初，她还刻意推托，但后来，她终于架不住这个执著诗人的追逐。特别是，他亲笔写下的一首首诗歌，从吟物伤怀的抒情，到如遇知音的倾慕，再到肝肠寸断的思念，加剧了她心湖的荡漾。

这种追求是传统的、含蓄的，恰如经典名著里那些美好的爱情，是爱美一直一来的幻想。诗人在北京只是暂住，他畅游各地，用书信表达着对她的思念，同时将山川风物与爱美相互映照，让爱美深醉其中。诗人觉得，爱美不属于都市，她是属于自然的。诗人将浪迹天涯写进诗里，将为伊消得人憔悴写进诗里，一字一句地向她传递着那种几近绝种的爱恋……

平安夜这个西方节日，对于现代都市男女而言，是一个可以疯狂放纵的借口。但对于爱美，这个节日没有任何意思。因为，诗人好久没有来信了。诗人除了偶尔用网络发表诗歌，拒绝用手机，拒绝用DV，拒绝用相机。这些高科技物件，被诗人看成是一种灾难。诗人不喜欢都市，但爱极了都市里压抑地生活着的爱美。

许重当然不记得这个爱美喜欢的西方节日，珊珊早早就被奶奶接回了家。那天，爱美打电话给爱佳，想约她吃个饭，但得到的消息却是她要相亲。爱美顿时觉得没意思透了。婚姻的围墙内，很冷，如果还有一点热度，就是因为珊珊。不过，五岁的珊珊似乎已经被宠她的奶奶完全收买了，不再像以前那样黏她。家里的房子，四室两厅，很大，但她觉得那就是一座冰冷的坟墓。她不愿回去。

在学校的办公室熬到天黑，她才头脑昏沉地出了门。偌大的校园，补课的学生们早就不见了踪影，老师们更是一下班就收工了，只有看大门的老大爷坐在传达室里，捏了个驴肉火烧，就着二锅头，边哼边吃边喝，悠然自得。爱美向他打了个招呼，独自出了校门。她心想，这老大爷独身一人，无牵无挂，活得倒挺自在……

雪纷纷扬扬地下着。爱美深吸了一口寒冷的空气，思忖着如何度过这个可怕的夜晚。突然，斜刺里冲过来一个男人，手捧一束火红的玫瑰，挡在她的面前。爱美一惊，随即发出了呼声："……是你！"

来人正是萧意离。

诗人黑红的脸膛，在漫天大雪里显露出壁炉般的温暖；那一束玫瑰，就像冬天里的火把，在她的眸子里热烈地跳跃。爱美一瞬间醉了。

这一夜，爱美体会到了人生中最难忘的片断。诗人找了个酒吧，用极富哲理而又浪漫的语言，向她讲述他的传奇经历。爱美小时候在湘西老家，后来随军，生活空间极其狭小。诗人所说的，全都是新鲜事物，全都令她心驰神往。

直到午夜来临，诗人仍然意犹未尽。爱美生性保守，从不在外过夜，于是她向诗人辞别。诗人送她回了她住的小区，再去找招待所住宿。

爱美推开家门，家里很冷。不是暖气不烫，而是没有温情。珊珊已经和奶奶睡了。

她把灯关了，独坐在客厅的沙发上，睡意全无。家，本来是温暖的地方，但爱美觉得这个家，已经变成了牢笼。

突然，门响了。丈夫许重打开灯，带着一个浓妆艳抹的女人进来了。

“哟，你也在家？”丈夫喷着酒气，对爱美说，“介绍你认识一下，这是我生意上的伙伴，唐小姐。”

爱美在极度的震惊中，强忍着怒气，冷冷地说：“什么生意伙伴？是小三吧？”

“我是占老三，但我并不小了。”那妖艳的女人咯咯笑道，“许总，你不是说没人在家吗？”

“生活常有意外发生。”许重阴阳怪气地说。

“许重，不用你逼，我走就是！”爱美气鼓鼓地站起来，没再说话，拎包甩门出去了。

回到娘家，父母已经睡了。她有娘家的钥匙，便径直前往爱佳的房间。

这个二妹，平时虽然大大咧咧，但关键时候特能把得住。然而她没想到，二妹的建议，居然是要她找什么“试离婚公司”……

当宋时鱼一语道破她另有“心动的男士”时，她震惊了。萧意离是她心动的男士么？说实话，她跟诗人，连拥抱都没有过。诗人只是在用至纯至真的爱恋向她展示，这个浮躁的社会里，仍有像他这样的人……

在父亲召开家庭会议以后，爱美着实被父亲的严厉吓着了。她开始刻意躲避诗人的追逐。可是，她越是躲避，诗人的追求就越是强烈。

诗人竟然又到学校去找她，而且是在光天化日之下，他买了束鲜花，怔怔地站在学校门口，准备等到她下班。

爱美从窗口瞥见，顿时吓坏了，赶紧跑出去，把他拉到一个偏僻处，压低了声音说：“你是要逼我自杀吗？大白天的，你一个大男人，站在那太显眼了，让我在学校怎么做人？我是有丈夫的人啊，你不知道吗？”

“我知道，可我无法克制对你的思念。”诗人嗫嚅着，“我见不到你，就无法睡觉吃饭，无法思考，无法活下去！”

爱美看着他红红的眼珠，心被绞动着。诗人清瘦的身躯此时显得更加单薄。她丝毫不怀疑他对她的爱慕，因为男女之间的微妙感觉，只有当事人才能触及那种细微的颤动，如同只有空气才能感知蜻蜓翅膀的振荡一样。

“可是，我有家庭，有孩子……”爱美几乎是哀求他，“你还是继续去游历四方吧……意离，真的，我只是一个普通的老师，一个俗人，请你不要再打扰我的生活了，好吗？我求你了！”

诗人的眼神黯淡下去。他嘴唇翕动，说不出一句完整的话。

爱美走了。她能感觉到，自己的身影将诗人的目光拖成了一道久久不散的航迹。

然而，接下来的事，让爱美始料未及——诗人果然没再骚扰她，但他采取了一种最原始的求爱办法。

第二天，艳阳高照。爱美起床后，拉开窗帘，就看到一个人，站在她家小区围栏外的空地上。他站得很直，像一个恪尽职守的哨兵。诗人以标枪般的姿势宣告他坚贞不移的忠诚。

爱美心头涌起由感动、担心、内疚、害怕交织而成的复杂情感。但她还是果断地将窗帘拉上了。

第三天，大风。爱美是被北风拍打窗户的声音惊醒的。许重已经不与她同室，珊珊喜欢与奶奶睡，她又恢复了单身时代的生活。窗外还有些黑。她的神经被一种隐约的感觉牵引，拉开窗帘，她果然看见诗人还站在昨天站的地方，北风正掀动他并不厚实的大衣，让人担心他随时都会被风刮走。爱美不忍看，但又忍不住想看。她觉得只有在小说里，才有这种傻傻的情人。

第四天，大雪。天还没亮，爱美就醒了。她是被冻醒的，尽管屋里有暖气，但寒意似乎从墙缝中不断地渗进来。她披衣起床，下意识地轻拉窗帘。窗外微亮，在那个固定的位置，诗人像一颗钉子一样钉在那里。与以前不同的是，这颗钉子是白色的，已经与天地万物融合在一起。

泪水漫上爱美的眼眶。如果说前两次她还有所顾忌（父亲、珊珊、许重、婆婆、工作……），这一次，这颗“雪钉”已经钉得她的心口发疼。她穿衣下楼，一步一步向诗人走去……

诗人没有动。因为，他的身体已经冻僵，但他的眼神是明亮的。

最亮的眼神，是凝视心爱的情人的眼神。如果还有泪珠滚落，那么，这种被清洁过的眼神，比星星更亮!

第十八章　相人初级课程

经济舱里的乘客没有满员，舱位很空。宋时鱼将爱佳让进靠窗的座位，自己拿了张报纸，低头看了起来。

爱佳常坐飞机出差，但从未与一名熟识的男士这么近距离地坐在一起。老板郝正乾曾有意与她同坐，但爱佳总是将他安排到头等舱。“级别不同，待遇当然不一样。”她总是这样说。郝正乾似乎明白她的意思，笑一笑，不多言语。

在工作上，爱佳的确是个心思周密的人。当办公室主任，实际上就是勤务主任，相当于部队的政治和后勤部门，既要写文件、管流转，又要管吃喝、排日程，没几下子还真玩不转。

宋时鱼一直在看报纸，直到飞机已经平稳飞行。在这个过程中，爱佳才从侧面真正注意起这个“半仙”：他真的不是很帅，脸形较方，皮肤有点黑；额头虽不是很宽，但十分饱满；眼角有几丝不易察觉的皱纹；眉毛很长，直入鬓角；单眼皮，小眼睛，但目光灼灼；鼻梁很挺，人中很深，嘴唇较薄，下巴较平。他的身子显得有些瘦，但很结实。

这样一个普普通通的人，走在大街上绝不会惹眼。他有过什么经历？为何练就了一双能如此洞察世态、通晓人性的眼睛？爱佳不得而知。她只知道，身边这个男人，眼里隐约有一种沧桑，一种忧郁，似乎对人世间的一切都很洞明，但当他安静不语时，眼神里分明传递着一种淡然——这与第一次见面就要收钱的小老板判若两人。

为什么以前从未仔细地看过宋时鱼？因为他是“业务对象”？还是因为他本身就不引人注目？抑或自己在相亲的惯性下，只要不是“目标”，就浑然不觉？机身一震，她的内心也猛然一震！这一震把她活活给震醒了。

在这万米高空，她突然有一种领悟：自己的人生，其实都为目标而活。当初随父进京，要上好小学、好中学，最后上重点大学；毕业前夕，父亲托关系找路子，让她去企业实习，目标就是为了那张写着好评的实习鉴定书；到郝正乾这个半国有性质的公司，开始是在技术部门，后来见办公室比较有实权，她就直奔办公室主任的位置而去，结果一路从办事员干到了副主任。郝正乾原来用的老主任，在她的工作势头下被逼得进退两难，结果郝正乾提那主任当了个闲职副总，为她腾出位置，她又当上了主任……而这一路相亲，她的思维依然是工作思维，极少表现出女人温柔的一面，还未上场，就上纲上线，列出一堆条条框框，跟写程序似的，且带着极其挑剔的目光。当然，结局只能是空手而归。

平安夜那晚的相亲，她当时很兴奋，后来很疲累，第二天起来后就没啥感觉了。细细反思，原来自己并不是渴望什么爱情，而是要满足一种好胜心。如果按照宋时鱼的理论，人的肢体语言会透露内心的秘密，那么每次相亲的时候，对方恐怕也能感觉到自己的心思吧？

难道生活中真的没有适合自己的人？爱佳暗自叹了口气：不是没有，而是自己缺少发现的眼光。

这一通自省，用文字描述下来需要不少篇幅，但对于爱佳这等心思机敏的人而言，不过是须臾之间的事。

突然，耳边响起宋时鱼低低的声音："在想啥？"

"没……想什么。"爱佳回过神，报以一笑，"报纸看完了？"

"我是在假装看报。"宋时鱼笑道。

"为什么要装？"

"因为好让徒弟有机会相相师父。"宋时鱼眼角的皱纹因为他意味深长的笑容，显得深了许多。

"你哪像个师父的样！"爱佳哼了一声，觉得脸皮有些烧。

实际上，只要是女人，很少有不喜欢男人"坏"的。当然，这个"坏"的前提，是这个男人至少长得顺眼，而且有点调皮。

"我是真把你当徒弟啊。"宋时鱼收起笑，一本正经地说，"看过《神雕侠侣》没？"

"看过。"爱佳答，"金老的书，都看过。"

"那你肯定知道，金轮法王收郭襄当徒弟的故事了。"宋时鱼说，"收徒弟，一定要看资质，资质不灵，再好的功夫都传授不了；资质灵的，想当师父还得求着徒弟呢。"

"看你得意的样儿吧。"爱佳轻哼了一声，"那，郭靖让江南六怪教了十年，没教会，结果洪七公吃了几顿黄蓉的美味，就把他教成了武林高手，你怎么解释？我看，还是师父的问题，不是徒弟的问题。"

"好好，我说不过你。"宋时鱼展颜笑道，"不管怎么说，既然当了你的师父，就得尽义务。那天跟你讲了一些相人的基本方法和原则。今天应该正式上第一课了，就是面部结构课，算是初级课程吧。"

"你说什么？"爱佳伸头环视周围的乘客，"就在这飞机上？"

"学习，应该不分时间地点。"宋时鱼笑着从衣袋里掏出一张叠好的纸，递给爱佳，“我继续假装看报，你呢，可以拿这张纸去学习一下古人总结的人像面部特点。当然，不一定准确，但的确对考察普通人的个性有帮助。”

爱佳接过，展开，只见一张A4纸上，是打印得整整齐齐的小四号字。

十字相面法

古人将人的面部归纳成“由、甲、申、田、同、王、圆、目、用、风”十字，取十字之形，用以代表十种类型的性格。

由：脸形上细下大，前额窄，腮骨大，看上去像一只梨放在桌子上。这种脸形的人重家庭，非常率直，但很倔强，不易忍耐。女性欠温柔，但可助夫兴家立业。早年运势较差。

甲：脸形上大下细，前额大而阔，鼻子大而直，基本形状与“由”形相反。这种人思维敏捷，处事认真负责，表面谦逊，内心骄傲，自尊心极强，但易与人相处。早年运气较好。

申：脸形上下皆小，中间较大，具体就是前额窄，颧骨宽，下巴尖。这种脸形的人是双重性格，有时特重感情，有时又很漠然，适应能力较强，但缺乏自制力。晚年运势较差。

田：脸形圆而带方，肥而有骨，面部较短，腮骨较方，整体感觉外方内圆。这种人个性稳重、理智，欲望很强，野心大，计划非常实际，执行力强，适合做领导。一生运势平稳。

同：脸形较方，腮骨、颧骨较大，鼻子挺直，前额低矮，下颌低平。这种人体力好，吃得了苦，个性率直、坦白，做事相当负责，但过分重感情，容易情痴。一生辛劳但富足。

王：面部瘦骨嶙峋，额头大，腮骨、颧骨也大，能明显看到骨头，皮贴骨。这种人固执，自以为是，做事缺乏周详计划，无远见，喜欢较劲。一生中有波折，一年好，一年差。

圆：脸形圆而肥大，鼻头较大，鼻孔粗，实际上就是“由”、“甲”

二形拼合。这种人乐于助人，适应能力强，处事较镇定，忍耐力久，做事不会太计较。一生运势好，无大波折。

目：脸形狭长，鼻子很直，额头高狭，中部扁而小，下巴窄长，像冬瓜。这种人个性刚烈而倔强，脾气大，三句不投机就发火，做事死板，自高自大。一生运势无多大波折。

用：（注：繁体“用”字中间一竖靠右）是歪面形人，以鼻梁为准来看，一边脸大，一边脸小。这种人是双重性格，一方面喜欢说话，欲望强；一方面容易抑郁，缺乏信心，朋友多但少往来。运势极不稳定。

风：脸形前额方阔，腮骨突出，脑后见腮，其腮下坠，但别的地方肉又不多。这种人应变能力极强，做事负责，有远见，自尊心极强，力求实际，学习能力强。中年波折大，晚年安定。

爱佳反复看了几遍，抬眼看宋时鱼，一一对照。突然，她低声笑了：“宋老师，我终于对准了，原来你是‘同’字型脸！”

“说说。”宋时鱼把报纸一收。

“按照这上头的说明，你这个人还有点意思。”爱佳低声念道，“体力好，吃得了苦，个性率直、坦白，做事相当负责，但过分重感情，容易情痴……呵呵，你还是情痴，真没看出来。不过，一生辛劳但富足，这句似乎很准。”

“情痴又不是什么毛病，你笑什么？”宋时鱼白了她一眼，“这是些老古董，古人总结的，不是我的发明。让你好好学，你却拿我开玩笑。”

“真没看出你是情痴……”爱佳捂了嘴。要不是在飞机上，她会哈哈大笑。

“其实……这张纸上，没写全。”宋时鱼说，“按照古人的说法，‘同’字型脸的人，妻贵子贵，寿过八旬。”

“那你为什么不写？”爱佳问。

“因为你又不想当我妻子，写了干什么？”宋时鱼笑道。

“去你的！”爱佳心中一跳。不知为何，她突然不敢看宋时鱼了。

她感觉周身一麻，是那种能够让心灵的颤动迅速涌遍全身的麻。

难道，平安夜过后，她拒绝了五位优秀男士的邀请，潜意识里是对这个“同”字型脸盘的“半仙”产生了好感？她无法回答自己。

为掩饰尴尬，她叠着纸，低声问：“你说这是初级课程，那，高级课程是什么？”

“高级课程就是没有任何参照，只凭感觉看人。”宋时鱼微叹道，“就像一个成功的杀手，初级课程是练习瞄准，但高级课程就是用匕首，甚至是徒手，练习在黑暗中如何一击得手。”

第十九章　那村那人那酒

下机后，宋时鱼与爱佳雇了一辆车从呼和浩特市去武川县。天气奇寒，路上有冰。大车的车轮装有防滑链，尚能缓速前行，而他们雇的北京吉普，开起来就困难多了。不过，开车的蒙古族大叔技术过硬，倒也放心，不过得多花些时间。

车行缓慢，宋时鱼便向司机大叔打听武川秦长城。这大叔一脸胡子，约莫五十多岁，他说武川县段秦长城遗迹全长约九十五公里，已经很残破了。爱佳心想，在这样恶劣的天气里，要找到萧意离的老家，绝非易事。

宋时鱼却一副胸有成竹的样子。他掏出手机，先跟呼市的警察朋友打了个电话，请他帮助查一下崔晓生也就是萧意离的户籍，锁定范围是挨近武川秦长城遗址的乡镇。那头说马上联系武川县公安局，再联系乡镇派出所。

一个小时后，宋时鱼的朋友来电话，说查到了崔晓生的户籍，但不在武川，而是在呼市郊区。崔晓生大学毕业后，曾在呼市某文化部门有过短暂的工作经历，后离职，档案和户籍都在呼市。

爱佳大失所望。但宋时鱼对朋友说，不要紧，请再帮忙核实一下崔晓生的老家所在地，并查出崔晓生的亲人。

车翻过阴山余脉，到了一个小镇。宋时鱼和爱佳下了车，找到一家小饭馆吃莜面。天色阴晦，一片萧索。小饭馆客少人稀，没有暖气。从车里出来，爱佳虽然穿了羽绒服，但仍然冻得直打颤。司机大叔将大衣往身上一盖，坐在车里等他们。

"这鬼天气，我看大姐是待不住的。"爱佳在宋时鱼的劝说下，喝了一口蒙古王，感觉喉头跟刀割似的，但很快就有一股暖意从胃里升起。

"不要着急，等我那朋友打来电话再说。"宋时鱼皱起眉头。看样子，他也没有十成的把握。

"为什么我们不到火车站去等他们？"爱佳说，"咱们乘飞机，他们坐火车，肯定慢，省得我们像无头苍蝇似的乱找一通。"

"我也想过，但我还是觉得他们也有可能先到。直接到诗人老家，无论守株待兔，还是突然袭击，都要有把握得多。"宋时鱼说罢猛喝了一口酒。他身上脂肪不多，也不扛冻。

"为什么？"爱佳不解，"我们的目的，不就是要找到大姐吗？你非得'抄底'干什么？"

"如果不'抄底'，就不能给这位诗人带来压力，也不会震动爱美。"宋时鱼说，"一路上，我总是在想，你大姐作为知识分子，选择离家出走，恐怕不是一时冲动，而是有更深层的原因。做一件事，如果做得不彻底，将来容易出现反复。所以，咱们的努力，不能白费。"

"可是这么冷的天，大姐那身子骨还不如我，恐怕一到这地儿，就会打退堂鼓吧？"爱佳又喝了口酒。她本来就有酒量，现在又需要酒力驱寒，就尽量喝了一大口。“我觉得，要是我，肯定到呼市就不走了，找个地儿住下再说。”

“呼市也是都市，只是比北京小的都市。”宋时鱼摇摇头，“如果诗人只是把她带到呼市，还不如在北京找个地方住下算了，何必多此一举？”

“你认为没有这种可能？”

“有，什么可能都有。”宋时鱼说，“但我们判断一件事情，最主要还是考虑通常的情况，而不是特殊的情况。如果爱美和诗人不回武川，我们去看一下野长城，也是一种体验，并没有损失什么；如果真的能碰上他们，就是惊喜。”

正说着话，宋时鱼的手机响了。朋友来电话说，经查，崔晓生的父母早逝，他只有一个姐姐叫崔晓月，仍在武川县的一个村里生活。那村子叫大庙村，正好在古长城遗址旁边。朋友一并说了交通路线。

宋时鱼连声道谢。结了酒饭钱，上车将地址告诉司机。

大庙村离他们现在所在的小镇并不甚远。若非冰冻天气，早该到了。然而这一耽误，直到下午三点多他们才赶到位于古长城脚下的大庙村。

崔晓月的家并不难找。司机在村口打听一下，就直接将车开到了她家小院。

这是普通的农家。几间房，一个院，两个圈，养着几十只羊和两匹马。

崔晓月听到汽车的声音，打开房门伸头来看。爱佳见这妇女四十多岁，头发有些凌乱，腮上黑红相间。

宋时鱼下了车，上前说：“崔大姐，我们是从北京来的。请问，崔晓生的家是在这儿吗？”

“晓生怎么了？”崔晓月有些紧张。

“挺好的，没事。”宋时鱼说，“我们是他的朋友。他回来过吗？”

“进屋说吧。”崔晓月把门完全打开。

宋时鱼掏钱将司机打发走了，才领着爱佳进屋。

屋内很暖和。炕上斜躺着一个大胡子男人，正打着呼噜，浑然不知有客人到来。

“当家的，有客人来了。”崔晓月上去，在男人的腿上捶了一下。

大胡子坐起来，咂巴了下嘴，眯着眼睛问：“谁？”

“晓生的朋友，北京来的。”崔晓月说。

“哦，请坐，请坐。”大胡子憨厚地一笑。

屋里很暖和，爱佳觉得这两口子活得太滋润了。

奶茶上来时，宋时鱼简单说明来意。崔晓月一听，惭愧地说：“没想到晓生这把年纪了，还干这种儿戏的事！唉，他都好几年没回来了。爹娘去得早，是我把他带大的，是我没教好……”

“大姐，晓生没有错。我们来，就是见个面，好让女方的父母放心，没别的意思。”宋时鱼客气地说，“如果女方真的愿意跟晓生生活，也得回北京把事情办妥才好，毕竟女方有家庭和孩子。”

“丢人哪……”崔晓月不敢看宋孔二人，手头不停地忙活，以掩饰自己的尴尬。

那大胡子性情豪爽，加上宋时鱼极善言辞，两人很快就混熟了。这一聊天，才知道大庙村汉人不多，诗人的父亲是汉人，母亲是蒙古族；崔晓月的男人叫巴根，蒙古族。巴根夫妇育有一男一女，都外出打工去了。诗人是本村第一位大学生，也是姐姐和姐夫将他供养成人。

天色渐晚。巴根夫妇宰了一只羊。当晚的饭菜就是烤全羊，这是蒙古人待客的最高礼遇。酒，还是蒙古王。

蒙古人好客，对朋友胜过亲人。爱佳起初并不习惯拿利刃自行切割羊肉，但一路行来，实在是饿了，也就扔下斯文，开始大块吃肉，大口喝酒。巴根今晚特别高兴，拿出一把马头琴，边拉边唱。他的歌声里，仿佛有金属之音。但蒙古人唱歌，喉头总有一种喝汤圆的感觉。

四人都不再提诗人与爱美的事，就像阔别多年的老友一般，不觉都有些醉了。崔晓月将主屋腾出，供宋孔二人休息。

坐在炕上，爱佳突然有些清醒了。看来，巴根夫妇是将他们看成两口子了，至少，也将他们看成了恋人。爱佳想起身，向女主人说明实情，但回头一想，又何必那么矫情？反正自己的酒量在这放着，先装一会儿醉，且看这姓宋的有何动静。

炕烧得太热，有点烙背，爱佳只觉背上的汗汪汪地淌。宋时鱼睡在炕那头，不一会儿竟打起了鼾。爱佳心想，这家伙真能装。这么热，要是不小心睡着了，醒来说不定就成"烤全羊"了。

屋外夜风呼号，爱佳既疲惫，又亢奋，始终无法入眠。终于，她还是摸索着起来，穿上羽绒服（睡前她只脱掉了外面的羽绒服），轻轻推开门，走进小院。

空茫的大地朔风阵阵。正是滴水成冰的天气。爱佳借着微弱的光，沿着羊圈往外走。寒冷的空气中掠过一丝生涩的羊粪味，让她的大脑深层陡然间掠过杨文远的影子。

杨文远是个很有骨感的男人。如果参照宋时鱼教她的"十字相面法"，此人属于"王"字型脸，额骨、颧骨、腮骨都大，脸上没什么肉，固执自大，拧得要命。

杨文远长爱佳四岁，名牌大学硕士，学金融专业，后来干了投行。爱佳在二十四岁那年，鬼使神差地爱上了他，跟他同居近两年。杨文远生自呼盟，虽是汉人，但极爱吃羊肉，特别爱吃烤羊腰，七成熟的那种。夏天，杨文远从家里回来，嘴里怎么刷都是膻味。爱佳与他在一起，有时实在难以忍受，便建议他少吃羊肉，说他汗里都是那味儿。杨文远很不高兴，为这事常常发火。后来爱佳才知道，并不是这件事让他们之间有裂痕，根本原因在于杨文远特别爱计较，虽然他挣得比爱佳多，但两人租房时的水电煤气等小费用，通常都要爱佳掏。

"我是做大事的，小事都归你们女人干。"杨文远总是这样说。他是个工作狂，志向远大，谈起金融界的事，仿佛就是他操控的一样。但就在他与爱佳分手的第二年，他所在的公司土崩瓦解，投资的股票也迅速缩水，他一下就成了穷光蛋。这个时候，他还衣着光鲜地约爱佳吃饭，希望两人能重归于好。爱佳将酒泼在他脸上，决绝地说："我宁愿相一辈子亲，也不愿再看到你！"

爱佳其实伤心至极。但要强的她决不会示弱。杨文远是将她变成女人的第一个男人，但不重感情重利益的他也将男人追逐功利的一面深深地烙在她心上。

两年多过去了，频繁的相亲，她总是会不自觉地拿杨文远与后来的相亲对象比对。虽然在她心底，杨文远已经被掐掉了，但她还是认为，杨文远是一个能干的男人，只是他的性格有缺陷……

羊粪的味道唤醒了她深埋在心底的回忆。她打了个寒战——此次毫不犹豫地跟着宋时鱼到内蒙来，莫非也有探究一下杨文远成长环境的潜意识么？

正在这时，村头的狗汪汪地叫了几声。一辆越野车冲进村口，往这边开来。车灯在暗夜里投过来长长的光束。

爱佳还没反应过来，就听见越野车里有人惊叫了一声。

爱佳熟悉这声音。正是她的姐姐爱美发出的。

第二十章　浪漫个鬼

北京到呼和浩特仅六百五十三公里，乘火车十一个小时即到。由于火车晚点，耽误了些时间，诗人和爱美到呼市的时间是早上七点多，的确在宋时鱼和爱佳之前到达。

一夜火车，颠簸得爱美有些头晕。虽然，诗人对她照顾得无微不至，但她心头还是有些害怕——不是怕父亲，不是怕婆婆，也不是怕许重，而是怕自己会恨自己。

诗人在火车上开始计划：先回老家看看老房子，住几天，再回到呼市住。在呼市他有一套一居室的空房子，是当年七拼八凑买下的，亦是他的斗室。诗人不止一次重复：只要他在，一切都不是问题。

车越行越远，爱美的心也越来越悬。这次出走，她只跟最信得过的二妹发过短信，其他人一律没打招呼。其实在她心里，与诗人一起过下半辈子的想法并不那么坚决。爱美活了三十二年，虽然生活单一，但她也知道事物变化太快，任何决心都只不过是一种自我安慰。当初嫁许重时，决心何其大，谁会料到这人越来越不可理喻？因此，与其说她要将下半生托付给诗人，还不如说她想报复，或是一种本能的反抗。

报复谁？反抗谁？如果排个顺序，就是父亲、丈夫和婆婆。父亲那种军阀式的家长作风由来已久，积重难返，不做出极端的行动，借她十个胆子也不敢与父亲当面闹翻；丈夫与她的情感已经死亡，离婚是早晚的事，不跟着诗人跑，也会跟着作家跑，或是任何一个可以借以表达愤怒情绪的人，都可以；婆婆实在可恶，成天阴沉着脸，仿佛她一生下来就欠她二百两银子，好几次她都想跟婆婆闹翻，但怒气涌到喉头又不由自主地往后缩……爱美恨死了自己的怯懦，她要来一次绝地反击，哪怕身败名裂！

诗人领着爱美下车，打了辆车，直奔他在呼市郊区的“家”。一进门，爱美只见灰尘遍布，温度与室外相差无几。原来久未住人，暖气未试过水，只是温热。诗人先把唯一的沙发弄干净，请爱美坐了，才去找钳子放暖气里的水汽。

诗人忙碌着，爱美没有动。其实，一上火车她就后悔了。她知道诗人爱她，是发自内心的爱，不含任何杂质。但是，自己真的能够完全脱离北京么？真的可以与以前发生的一切一刀两断么？

看着诗人手脚忙乱地搞卫生，她的心情也如这套不足六十平米的居室一样乱。好半天，诗人才把煤气弄燃了，但烧水的壶，恐怕得洗上半天；水放进水池里，全是黄色的；锅碗等餐具，都得洗上几遍才能用。爱美看不过去，挽起毛衣袖口，上去帮忙。诗人惭愧地说："那你先弄着，我去买点米，买点菜，好歹做顿饭吃了，再回老家。"

诗人下楼去了。爱美一边收拾，一边发愣。在家里，这些活通常都是婆婆干；在娘家，小时候当然是她干，但后妈来了以后，虽然对她和爱佳有些冷淡，活儿却没让她们干多少。这些年下来，她与厨房疏远了。诗人这套位于城郊的小房子，外头是低矮的平房和裸露无水的排水渠，根本算不得风景。爱美无法想象，他将与诗人生活在这样的环境里……

诗人的腿倒是跑得快，不一会就买了些羊肉和蔬菜回来。"我在外漂泊的时间长，好歹会做点饭，就不劳烦爱美老师了。"诗人笑着说，"请爱美老师到厅中休息吧，暖气热多了。"

爱美报以一笑，洗洗手，就退回厅中去了。诗人将羊肉放在案板上后，却四处找不到切菜的刀。

爱美自告奋勇："你接着收拾吧，我去买把菜刀。"

"行。"诗人说，"下楼往右拐，过一个小胡同，就能看到一个五金市场，那里有菜刀，随便买一把吧。来，给你钱。"

"我有。"爱美穿衣出门了。

外头真的很冷。爱美紧了紧围巾，按诗人说的道路前行。五金市场很冷清。爱美在一家店买了把菜刀，出了门，见门外有一个长胡子老人袖着手，随意往那一站。他长着一张瘦削的脸，却有刀锋般的目光，似乎知道爱美要从这里经过，故意拦阻她一样。

老人看了她一眼，将手从袖筒里抽出来，对爱美说："这位女士，请留步。"

"什么……事？"爱美一愣。

"测个字吧，五块钱。"老人看着她，"不准，不收钱。"

爱美对看相测字一概不信。加上天寒地冻，实在不想与他纠缠，于是掏出十块钱，递给老人："大爷，您收下吧，我不测。"

"免费，测一个吧。"老人的手往外一推，"姑娘，你就报一个字吧。"

爱美拗他不过，想着自己要买刀回去切肉，就随口说道："切。"

老人眉头一紧，说道："切，横七刀，竖一刀。看来你是横了七条心，但抵不过一刀斩啊。"

"什么意思？"爱美一惊。

"从你测的这个'切'字上看，你是心乱如麻，左右不是。"老人眼眸一闪，"'切'，音通'妻'，你应该是为人妻母；'切'，也有诊断之意，你还是要找准脉搏，才好下药呀。"

爱美头皮一麻，赶紧把钱往前一送："先生，请再测一字，肉。"

"肉，两人身陷囹圄，一人挂着，一人悬着，大是不妙。"老人摇摇头，"肉，依附于骨。若有不慎，恐遭骨肉分离。"

爱美大骇，赶紧把十元钞票塞到老人手里，逃也似的离开了。

"一人挂着，一人悬着"，不正是她与诗人目前的状态么？特别是"骨肉分离"四个字，像一柄锥子扎在她心上——如果她真的就这样离开了北京，那么，小珊珊将与她骨肉分离……

在路上，爱美感觉有汗涌出。她头脑轰轰地回到诗人的屋里。诗人正在洗菜，见了爱美苍白的面色，大吃一惊："你……怎么了？"

"没什么。"爱美把菜刀交给他。

诗人也不敢多问，继续做饭。

饭菜端上桌了，爱美心不在焉地吃着，嘴里味同嚼蜡。诗人不敢多言。他觉得爱美的表情如同一张白纸。

"吃点吧，下午我们就回家。"诗人叹息了一声。

诗人不理解爱美的情绪为何从激情高涨到低落入谷。诗人原以为离开京城的爱美，会为塞外的风景着迷，会带着无限的憧憬去迎接和体验新的生活。

"你们家，真有你说的那样好？"爱美幽幽地问。

“是啊，在古长城下，野草连天，骏马奔腾，羊群如云，目光可以无限地延伸。”诗人大口吃着羊肉，眼里恢复了神采，“还有我大姐、姐夫，都是当地能干的人。晚上，坐在热炕上，天南地北地聊，不必担心第二天还得早起去上班。爱美啊，咱们既然出来了，你就当是来旅游一次，行吗？”

“好的。”爱美不忍让诗人难过。她想，反正就这一回吧，都市虽好，但太压抑了。她想看看真正的草原，呼吸一下原野的气息，而不是沉浸在影像或书本中遐想。

下午，诗人简单收拾了一下，领着爱美直奔公共汽车站。车是旧车，窗户都关不严，跑起来哗啦啦直响，还有，似乎车厢内的每一个部件都让劣质烟草年长日久地熏染过，十分刺鼻。爱美坐在靠窗的位子，冻得直发抖。路滑，车开到半途的山上，熄火了。司机咒骂着这鬼天气，检修了几次都没有成功。

风又大了起来，爱美觉得这趟行程，一点都不浪漫，简直有点活见鬼了。大概因为常年在外，这种事对诗人来说稀松平常，他下了车与司机唠嗑。爱美想下车透口气，又怕受冻；在车上坐着，直想呕吐。她这时才真正认识到，想象的事情永远是虚幻的，现实里没有浪漫，只有罪受。

这一等，就是四个小时。偶尔有路过的车，不是载满了，就是方向不同，根本搭不上。直到天黑透了，车还是没修好。

爱美终于忍不住，吐了，随后有些昏迷。诗人惊慌失措，求司机打电话找一辆车来。司机打了好几个电话，没有人愿意来。

诗人急得流出了眼泪。他一直站在布满冰雪的道路上，见车就拦。这样过了两个小时，终于拦住了一辆军用越野车。开车的蒙古大汉一听是有人昏迷了，立刻让诗人将爱美背到他的车上。那汉子是呼市军分区医院的军医，赶紧对爱美施救。原来爱美是晕车加上受冻，才出现了这些反应。越野车里的暖气开得足，军医给爱美吃了两粒药丸，爱美方才好了些。

诗人这才放下心来。但军医当场训了他一顿，说你怎么能对爱人这样？这么冷的天，你爱人身体虚弱，不能坐这样的破公交，最好呆在暖和的地方。诗人被训得脸色一阵青一阵白——他一直以为，任何人都可以像他一样，即使在野外生存也没问题。

军医驱车到了武川县城一个部队的院子里，又为爱美仔细检查了一通，让其好好休息。在部队吃了点东西，爱美感觉身体暖和多了。诗人这才松了口气，请求军医送他们回家。

那军医生怕爱美晕车，请她坐在副驾驶位，乘夜往大庙村赶。其实路程并不远，车子又好，很快就到了诗人的老家。

当爱美看见二妹一个人站在院外时，她简直不敢相信自己的眼睛。那一声惊叫里，有惊讶、慌乱，更有欣喜。

第二十一章　爱的条件

灯又亮了起来。

客厅的炕上，摆了一张桌子，六人围坐。夜静得可怕，彼此能听到彼此的呼吸。

一切尽在不言中。大家都知道是怎么回事。

还是爱佳先开了口。她分别介绍了在座的人。其实主要就是介绍诗人与宋时鱼认识。

诗人垂着头。在他的诗行里，他是潇洒自如的智者，但面对宋时鱼和爱佳，以及姐姐、姐夫，他显得笨拙无比。

“晓生啊，你丢人啊。”崔晓月终于开了口，“这么大冷天的，害得人家宋先生和爱佳姑娘找到这里来。”

诗人仍然低着头，没有说话。

“崔大姐，这也不能怪晓生。”宋时鱼说，“晓生有追求真爱和幸福的权利。我们来，也不是责备他们，更不是来带爱美回去。我们来，只是希望大家能够坦诚面对，因为婚姻和情感，不完全是两个人的事，爱美目前有自己的家庭，还有一直担心她安全的父亲。我和爱佳是受爱美和爱佳的父亲孔志军先生的委托，才赶到这里来。我想，大家可以开诚布公，说出自己的真实想法，才有利于事情的解决。当然，我声明一下，我只是陪同爱佳过来，主要拿意见的是她们姐妹，我个人尊重每个人的意见。”

这一席话说得进退有度，爱佳不禁暗暗佩服。

爱美也一直低着头。她的心乱极了。说实在的，经过一天的奔波，她恨不得立刻插翅飞回北京。但现在她坐在暖烘烘的炕上，见诗人像做错了事似的低着头，又于心不忍。关键是，如果跟着妹妹回去，如何面对父亲、丈夫、婆婆和珊珊？

“晓生，你倒是说话呀。”崔晓月有些急了。

“我说什么？”诗人突然抬起头，眼神里有几丝愤怒，继而转变为惭愧的神色。“我爱爱美，是真心的，既不是为了钱，也不是为了色。宋先生，你刚才讲的话，句句在理。可是，你真的认为这个世界就不需要真情了吗？难道我们活着，就是为了房子、车子、金钱？如果世界只需要这三种东西，这个世界还有意思吗？”

“你说得好啊。”宋时鱼说，“其实你说的这三样东西，我都没有。房子，我是租的；车子，我也没有；金钱，勉强够养家糊口。我非常赞成你的观点，也认为这个社会不能完全功利。同时，我并没有怀疑你对爱美的感情，但爱美的情况有所不同。她目前的家庭的确有些矛盾，可是她在法律上还是许重的妻子，更主要的是她还有一个小女儿，你们一走了之，以为逃离了北京就万事大吉了？那她的家庭怎么办？她的父亲身体本来就不好，这一气，说不定会出什么毛病。我们男人立身处世，不能只顾自己的感受吧？”

诗人一时语塞。

宋时鱼叹了口气，继续道：“这事，关键还得看爱美的意思。如果爱美下定决心，要跟你一起生活，那也得先回北京把手续办了。说实在的，在草长马肥的时节，到这里骑马、烧烤，有你们招待，也是人生一大快事。”

爱佳心念一闪，觉得这宋时鱼变化也太快了，居然帮起诗人来了。

“如果回北京，我是不是也得跟着去？”诗人好像来精神了。

“可以，不过你去了北京，不能露面，免得有人找你麻烦。”宋时鱼说，“你只等爱美把事情办完，再找你，一起回来。我估计，也就十天半月的。现在离婚快，双方协议签字，到那就办。”

“我不走。”爱美突然冷冷地说。

在场的人，包括诗人，都吃了一惊。

宋时鱼看看表，已是凌晨两点。他总结道：“反正一句话，尊重爱美的意见。我看，大家还是休息吧。天明再说。”

巴根打了个长长的哈欠。这个生活极其规律的男人早就想睡了，他对这些事根本不感兴趣。

于是宋时鱼、诗人、爱美、爱佳睡在大炕上。巴根家只烧了两个炕，一大一小。大炕留给客人，小炕巴根夫妇自用。两男两女睡一个大炕，倒也没什么。爱佳与爱美挨着，宋时鱼睡诗人旁边。但炕太热，又都各怀心事，四个人根本无法入睡。

爱佳突然想了个办法。她对宋时鱼说：“宋老师，反正大家都睡不着，不如讲讲故事什么的，好歹熬到天明算了。”

可是，在这种气氛下，谁也没心情讲故事，更没心情听故事。

爱佳又说：“那就请宋老师讲讲看相吧。”

诗人叹息一声，说：“这种迷信，你也信。”

爱美却说："我倒不认为是迷信。宋先生，你就讲讲吧，反正我心里乱得很。"

宋时鱼说："大诗人，如果你不嫌弃，我还真给你免费相一个。"

诗人最怕爱美不高兴，只要爱美高兴，干啥都愿意。于是他说："好啊，请宋先生直言。"

宋时鱼说："我们的大诗人骨相清奇，崇尚自由，面部特征是典型的'王'字型，优点是重情义，洒脱，正义，有灵性，具创造性；缺点是固执自大，做事随意，缺乏周详计划，基本没有远见。你的财路时断时续，不能稳定。加上不是很合群，不能融入集体，导致只能单干，但单干又缺乏长远规划，东一榔头西一棒子，往往入不敷出，生计成了问题。"

诗人噌地一下坐起来，掀开被子，大声说："你怎么知道？是不是爱美告诉你的？"

"我告诉他？"爱美一听就不高兴了，"我只见过宋先生一面，就几分钟，根本轮不到谈你的事。"

"对不起，对不起。"诗人赶紧赔罪，"唉，宋先生说得准啊，我这人，不能在单位上班。明明是单位里别人的不是，可人家却把我当怪胎。我呢，看不惯的事，就说，跟领导出门一两次，领导再也不带我去了，也不知是为啥。"

"那是你在饭桌上不给领导面子吧？"宋时鱼问，"是不是领导讲话时，你插过话？"

"是啊，"诗人说，"领导废话太多，居然还有人说他讲得好，太假了。"

"是不是领导还没下桌，你就先走了？"宋时鱼问。

"是啊，"诗人说，"一顿饭吃几个小时，没意思，不走简直是如坐针毡。"

"我要是领导，也不带你。"宋时鱼笑道，"在中国当领导，不管是大领导还是小领导，无非图个尊重，要的是面子，有意见可以私底下说，决不能当众不维护领导的尊严。所以说，你只能当独行侠，不能融入团体。”

“这个……混单位的事，也罢。”诗人说，“但宋先生怎么知道我随意性很强，缺乏长远规划？要知道，计划赶不上变化，很多惊喜就是在不经意间发生的，这些如何计划得了？如果一个人的一生，提前都规划好了，按部就班，没有悬念，没有惊喜，活着有什么意思？”

“规划，是一种预期，不一定能够实现，但至少为未来做了准备。”宋时鱼说，“随遇而安，或有惊喜，但决不能说是好的处世之法。有句老话叫‘人无远虑，必有近忧’，人生几十年，如果没有好的规划，一旦出了事，因无准备，极难应对。远的不说，就拿你们实际上比我们先到呼市但却深夜才抵达目的地这事来说，你就做得很不好。如果不是碰巧遇到一位热心的军医，爱美得不到救治，或许就有生命危险！诗人啊，我们都是俗人，活在现实里。万一爱美出了什么差错，谁来负责？爱一个人，不是把胸膛一挺，掏心掏肝就可以，还得会照顾人、体谅人、理解人。我说句你可能接受不了的话，你现在根本不具备爱一个女人的条件！”

爱佳心头一震。她觉得，如果自己是诗人，会跳起来与宋时鱼大干一场。因为，这句话说得太伤诗人的自尊了。

诗人却没有生气：“宋先生，我就不明白了，爱一个人，需要条件么？”

“当然需要条件。”宋时鱼说，“不仅是爱，任何事，都要讲条件。你只有一米五的个头，身体再强壮，也当不了三军仪仗队队员，这就是条件；你不能挣钱，就买不起房子，甚至买不起营养品，生了病，住不起院，多好的感情都会消磨掉，这也是条件。生活本身就是这么残酷，谁有什么办法？”

“可是，爱是一个人的权利。”爱美突然插嘴，“爱同公民的其他权利一样，与生俱来，不容剥夺！”

“权利不等于就是条件。”宋时鱼说，“譬如爱美老师，你有权利当学校校长，但因为你的条件不具备，只能当普通教师，就这么简单。”

“如果世界都像宋先生说的那样，活着还有什么意思？”诗人叹道，“我本事有限，但我对生活充满信心。我积极努力，与世无争，难道天地间容不下我么？”

“理想是理想，现实是现实。”宋时鱼说，“就拿婚姻来说，每一对父母，都希望自己的儿女幸福，可是当儿女真正要成家时，还是有不少父母反对。不是父母不理解儿女们，也不是父母不爱儿女们，而是父母通过自身的经历，看透了人生其实就是要争取更好的生活环境，那些想象，再有激情，都不能当饭吃。生活，就是要有生机，才能活得下去。生机就是要落地，要有生存的土壤，才能带来生命的活力。从这一点上来讲，我赞成那些讲求实际的人，但同情那些精神生活很丰富、物质生活很匮乏的人。”

宋时鱼这一席话说完，余下三人都不吱声了。

良久，黑暗中传来诗人的叹息，“谢谢宋先生。我明白了，我爱爱美，但我没有条件去爱。实际上，从今天一路而来的细节中，我已经看明白了，也在反思。以前，我没有真正地爱过。但现在我知道了，爱，只有一腔热血是不够的。爱美，我真的很爱你，但我真的不能给你很好的生活环境。天明后，你跟着他们回北京吧。”

“意离……我不走……”爱美翻了个身，哽咽道。

“实际上，你的心已经走了。”诗人说，“不是现在，而是在你买菜刀回来的时候，你的心已经飞回北京了。我再傻，也能看得出。就当我们做了场朋友吧。现在说什么，都显得多余。”

爱美没再说话。

窗外寒风呜咽。爱佳觉得，今夜屋里好热，但心，好冷！

第二十二章　旺夫相

卧铺。

火车并不挤。宋时鱼、爱佳、爱美三人，在一个区间。宋时鱼以瘦为由，主动选择中铺，而将两个下铺让给爱美、爱佳。上铺没有人，另外一个中铺的主儿是一个面如满月、身材丰满、肤色略黑的中年妇女。

那中年妇女衣着朴素，面相和善。放好行李后，她就离开了。

爱佳让宋时鱼坐在下铺，自己与姐姐并排坐另一张下铺。车都开了一个多小时了，爱美仍然无话。爱佳清楚，姐姐这一趟，心头五味杂陈，劝说过多，反而不妙。但总不能三双眼睛相互瞪着，一直不说话吧？爱佳不敢逗姐姐，就又考起了宋时鱼："宋老师，你说，刚才中铺上的那位大姐，是个什么相？"

"旺夫相。"宋时鱼伸了个懒腰。昨晚，他没休息好，此时有点困。

"怎么看出来的？"爱佳问。

"中铺那位大姐，别看她穿得简朴，坐火车，但她的丈夫必定是富甲一方的人物。"宋时鱼说，"估计身家至少上亿。"

"你就忽悠吧。"爱佳笑道，"如果她丈夫是富豪，那我姐姐的丈夫，还不成了首富？"

"爱美也旺夫。"宋时鱼打了个哈欠，"不过不是同一类型的。"

"那我呢？"爱佳觉得宋半仙是在开玩笑。

"你也旺夫。"宋时鱼随口说道。

"真邪门了。"爱佳笑得眼睛都眯起来了，"那爱淘呢？"

"爱淘也旺夫。"宋时鱼将背往后一靠，准备打盹。

"净瞎说。"爱佳碰了一下姐姐，"大姐，你说呢？"

"你就听听宋先生的解释吧。"爱美有气无力地说，"你们聊，我听着。"

"不准睡。"爱佳轻踢了一下对铺，"照你说的，天下女人就没有不旺夫的。”

“那你错了。”宋时鱼说，“以前我跟你讲过，人分五型，即金、木、水、火、土。古代相术认为，对女人而言，除土型人之外，金、木、水、火四型女人，如果同时具备三种以上的特点，都旺夫。”

“详细点嘛。”爱佳说，“既然拜你为师，你就不能藏私。”

“好吧。”宋时鱼打起精神，“先说刚才那位大姐，她是典型的‘水型旺夫女’。这类女人的特点是面部圆圆的，像满月一般，面色健康而暗透油光，鼻子长得很正，耳垂大且圆，行动不慌不忙，走路一步是一步，稳稳当当，气定神闲。这种女人给人的感觉很厚实，像东北的黑土地，丈夫会极其富有。”

“可是，我觉得她身上穿的，加起来也不值一千块呀。”爱佳还是不信。

“能不能稳住财，并不体现在衣着上。”宋时鱼说，“你要是不信，待会那位大姐来了，你自己问她。”

爱佳伸头出去，看看走道。那位大姐还没回来。

于是她又问：“那我大姐是怎么个旺夫法？”

“爱美是‘火型旺夫女’。”宋时鱼说，“火型旺夫女的特点是‘四尖’，即发尖、眉尖、鼻尖、嘴尖。发尖就是通常说的‘美人尖’，眉尖即指柳叶眉，鼻尖指鼻梁有骨感，嘴尖指口型小。此外，眼神慈和，面部能感觉到骨，又看不见骨，就是骨起有肉。这样的女性，身上有贵气，丈夫必然是独当一面的人物。爱美，你的先生，一定是你嫁过去后才发展起来的，对吧？”

爱美眼里闪过一丝亮光，但随即又摇摇头：“人家厉害啊，我哪能影响他？我只是个教书匠。”

爱佳却听进去了，接着问：“那爱淘呢？”

“爱淘是‘木型旺夫女’。”宋时鱼说，“木型旺夫女的特点是瓜子脸，眉清目秀，眼有灵光，下巴肉厚，通常都是眉长过目，应变能力极强，善于与人打交道。这样的女人，丈夫会有某一方面的专长，能够名扬四海。”

爱佳一愣，随即说：“看来，你真的支持他与那长毛来往？”

“长毛只要理了发，就不长了。”宋时鱼微笑道，“不要戴有色眼镜好吧？”

“可是，宋先生怎么戴有色眼镜？”爱美突然插嘴，“昨晚，你一席话，把意离……萧诗人说得挺难受，他差不多是撵我们回来了。他是没钱，但他人好，简单，干净。”

“是我错了。”宋时鱼微微叹道，“可是，总得有个人说那些话吧？”

孔家姐妹便都不吭声了。

实际上，她们都知道，甚至昨晚在巴根家的六个人都心知肚明，爱美必须回北京。

生活不是武侠小说，大侠可以身无分文独行天下，还杀富济贫、笑傲江湖，牛得不得了。现实生活中的人，对别人指指点点可以，麻烦事一旦落到自己头上，往往百无一策。

解决事情，必须有人出面。宋时鱼不过是做了一回“恶人”，圆了一下场罢了。宋时鱼不出面，也得有人出面。这个道理，受过高等教育的孔家姐妹非常清楚。打心眼里，她们是感谢他的。

为了避免这种尴尬延续，爱美赶紧转移话题：“那请宋先生讲讲，爱佳旺夫，旺在哪里？”

“爱佳是‘金型旺夫女’。”宋时鱼说，“金型旺夫女的特点是面形尖中带方，但主要是方，秀目樱口，眼神柔和，颧骨鼻子搭配得十分完美，脸上有肉但不显肉。具备这些特点的女性，能给丈夫带来极大的自信，时常鼓励丈夫积极上进，旺夫又帮夫。”

爱佳被他说得有些脸皮发烧。但无论是谁，听到夸奖，总是高兴的。

“看相，一定要把人往死里夸吗？”爱佳不敢与他对视，插了句话。

“相人，以表扬为主。”宋时鱼笑道，“表扬与自我表扬，在这个竞争激烈的社会中，比批评与自我批评有用得多。”

爱佳突然问："平安夜相亲的那五个人，你认为我可以旺谁？"

"实际上，那晚的五个人，分别代表了五种类型，即金、木、水、火、土。"宋时鱼说，"申峥嵘是金型，性方正；李晓明是木型，多情感；刘隐龙是水型，善谋略；鲁智道是火型，有个性；龙舸是土型，主厚重。"

"上次你说，李晓明是不错的人选。"爱佳说，"这次回去，约他谈谈。"

"其实你不仅要约他谈，五个都可以谈。"宋时鱼说，"这五个人各具特点，都有自己的独到之处。谈不成对象，交个朋友也没坏处。但如果要考虑长远生活在一起，还是'海龟'最适合你。"

爱佳本来是想试探下宋时鱼的反应，最好这家伙不悦或者找理由反对，没想到他反而建议五个都谈，真没劲！爱佳心头哼了一声，不再说话。

爱美却认真地听着，末了，问宋时鱼："宋先生，我呢，对看人这种事半信半疑。不过，如果仅仅看人的长相就能判断他的命运，那也太神了。"

"不神，"宋时鱼摇摇头，"其实我早讲过了，形只占三成，神才是最主要的。就拿刚才那位大姐来说，她的举手投足，稳重得体，目光平淡，待人友好，再加上她的身体结构是均衡的，面部结构也符合水型旺夫女的特征，所以我才判断她的丈夫是富甲一方的人物。"

"怎么能够判断？"爱美一脸茫然，"这'稳重得体、目光平淡、待人友好'十二个字，我觉得放在我身上也很合适呀。"

"那是你自己觉得合适。"宋时鱼说，"很多注解，需要用心去体察，才能得到精准的印证。说那位大姐稳重得体，是指她的心态非常平和，所以举止中透出一种安定；钱财、名声对她而言已经不再是追求的目标，所以她的目光趋于平淡；她既不需要讨好谁，也不必在乎别人的看法，所以透出真正的友好，既保持距离，又不让人有敬而远之之感。所以，这里头是有差别的。你呢，稳而不重，平而不淡，友而不好。所以放在你身上，只能说一半是，一半不是。"

"怎么解释？"爱美一怔。

“我随便说说，你别多心。”宋时鱼看着她的眼睛，“稳而不重，就是你的形体看起来是安安静静的，但‘神’的重心在浮移，换句话说，你的身体是安静的，但精神是飘移的；平而不淡，就是你看似平静，没有什么野心，想追求生活的恬静，但你的精神上又渴望外界的刺激，平静的心湖下面偶尔会暗流涌动；友而不好，就是你对人没有恶意，对亲人、朋友，你都忍让为先，不想伤害人，但恰恰是这种状态，让亲人、朋友焦心，让关心你的人揪心。”

“那我究竟要怎么做，你们才满意？”爱美突然泪如泉涌，吓了爱佳一跳。

“爱美，你想多了。”宋时鱼没理会她哭，“你活着，并不是为了让谁满意，只需要让你自己满意就可以了。你的父亲，因为他自身的职业和经历，可能有些方法并不适当，但他的初衷是为了你能够幸福；你的丈夫，与你有了隔阂和矛盾，就算将来你俩不在一起，也不必积怨；你的妹妹们，都希望你过得好，因为你过得不开心，她们才着急，你要是过得挺好，她们何必操这份心？”

爱美哭得更凶了。

爱佳瞪了宋时鱼一眼，意思是你这家伙怎么回事。但宋时鱼没管她，继续说：“经过这次内蒙之行，你也体验到了，生活并不是想象的那样。我承认，诗人是个很干净的人，他对你的情感是完全真挚的，但你们的性格、志趣，完全是两条平行线，永远不可交互。说得俗一点，生活是一个极其个人性的问题，我们连改变自己都极其艰难，更不要奢望改变他人。因此，人生顶级的大事，就是在鉴定我们的生活伴侣时要特别留心，学会从细微处感受另一半的方方面面，才能开个好头，并争取一个好的结局。”

“可是……我的……头已经开坏了，怎么办呢？”爱美哭得声音颤抖，“现在，爸爸、许重一家都知道了，我有什么脸回去？可是你们又硬逼着我回去，还让人活吗……”

“你做错了什么？”宋时鱼问，“你与诗人是清白的，你只是一个人出来透口气，而且有爱佳和我作证。如果许重连你出来透口气都不能容忍，那就是他的错。只要爱佳与我把过程说清楚，谁会责备你？就算你死活不跟许重过了，也有的是时间，何必急于一时？”

“好吧……”爱美听他一解释，才认识到是自己想得太严重了。

不过，想到诗人对她的好，她又哭了：“可是，意离……怎么办？”

“萧诗人是独来独往的人。”宋时鱼说，“别说你们是在这种情况下认识，就是你没结过婚，没谈过恋爱，认识了他，也不会有好结果，因为你们的人生观差异太大，生活习惯更是相差万里。既然不会有结果，何不尽早结束？爱美，与其纠结在错误里，不如尽早忘记。”

“可是……我忘不了。”爱美接过爱佳递来的纸巾，擦了擦泪水。

“忘得了。”宋时鱼说，“记忆就像一张硬盘，容量虽大，但有的东西需要删除，特别是病毒更要清除。因为你与许重的感情有了裂痕，刚好诗人又适时出现，你才会把他当做精神寄托。如果你爱诗人真的爱到骨头里，内蒙再冷，哪怕冻死人，你怎么可能会跟我们回来？”

爱美止住了哭声。她用红红的眼睛看着宋时鱼，半晌，才吐出一句话：“宋先生，你没谈过恋爱吗？”

“谈过。”宋时鱼叹了口气，“人的生命有限，时间有限，不能自我设限。要活下去，就得目视前方……”

“这位先生说得好啊。”一个爽朗的声音传来。原来，那位大姐回来了。

“大姐……”爱美一惊，随即说，“这位宋先生说，您家先生富甲一方，是真的吗？”

“宋先生夸张了。”那大姐微笑道，“我老公不过在鄂尔多斯有几个矿罢了。”

爱佳大吃一惊。因为她在平时的业务中，接触过在鄂尔多斯开矿的人。这地方，别说开几个矿，就是开一个矿，也能成为富翁。

第二十三章　过招

回京后,宋时鱼先让爱美回娘家。他则问明地址,独自一人去了许家。

回程途中，经反复商量，宋时鱼与孔家姐妹达成一致：爱美因精神焦虑，对爱佳说要去内蒙草原散心，被爱佳及时追赶，刚到呼市就劝了回来，见证人是宋时鱼。

宋时鱼反复交代，这个说法对谁都一致，打死也不能提萧诗人，包括对孔老爷子。

到了许家，宋时鱼按过门铃，一个头发斑白、长着三角眼、眉心打了个结的矮小老太太打开房里面的门，隔着防盗门横了宋时鱼一眼：“找谁？”

“请问您是王阿姨吗？”宋时鱼微笑着问。他从爱美口中得知，许重的妈妈叫王芳。

“你是？”老太太迟疑道。

“我是来报喜的。”宋时鱼答。

“报喜？”老太太丈二和尚摸不着头脑，“我这把年纪，哪来的喜？不报丧就好了！”

“如果我们迟到一步，就真的要报丧了。”宋时鱼收起微笑，脸上顿时结了寒霜。

“怎么个意思？”老太太更懵了。

“你们家爱美，差点就自杀了，您和许重，都是要担责任的！”宋时鱼冷冷地说。

老太太张开两张薄嘴唇，愣在那里。

“我可以进来吗？”宋时鱼见这招奏效，马上进了一步。

“哦……请进……”老太太打开防盗门。

宋时鱼连鞋都不换，进屋就往沙发上一坐，接着说：“幸好，我和爱佳及时赶到，爱美才没有轻生。您知道，爱美哭着说了句什么吗？”

“她说了什么？”老太太有些慌了。

“说您让她喘不过气来，不如死了算了，反正珊珊有您疼，她也没什么牵挂了。”宋时鱼见老太太的气焰几乎落下去了，接着进攻。

“这爱美……哪跟哪啊，我对她，像对自己的亲生女儿……”老太太语无伦次。

“反正没出事，所以是报喜，您坐下说。”宋时鱼把手一扬，反客为主。

老太太坐下，一时有些手足无措。“爱美……我还以为她回娘家了呢……”

“爱美离家出走，你们居然都不知道，足见你们对她漠不关心。”宋时鱼得理不饶人，“刚才，爱美爸爸要来找您闹，被我拦住了。您说，要是爱美真有个三长两短，你们怎么向孔家交代？”

老太太垂下头，张了张嘴，没说话。

“其实吧，您没错，只是您的方式不对。”宋时鱼见老人年事已高，心想不宜再责备下去，必须见好就收，“您那些方式方法，说白了，还不是为爱美好？还不是为这个家好？”

“是啊，是啊。”老太太嘴唇动了动，“我这个人吧，有个毛病，就爱瞎操心。唉，都怪我命不好啊，许重他爸，走得早，你说我一个人拉扯孩子，容易吗？拉扯完许重，还要拉扯珊珊，这日子什么时候是个头啊？这都不说了，人家爱美还不领情，要死要活的……”

老太太的情绪被带动了，眼角已经潮湿。

宋时鱼要的就是这个效果。“阿姨，我还不知道您的辛苦吗？但您看看，许总现在是成功人士，大老板；珊珊聪明可爱，成绩又好，将来也会有大成就。这说明，您带出来的孩子，跟别家的就是不一样，说明您对教育孩子有一套。可是，您也要想到，爱美虽然不是您的亲生女儿，但嫁到你们家来，就是一家人。咱们先不说爱美轻生的事，就是她真的离开了你们家，对您的儿子、孙女，影响都是一辈子，而且是坏影响！

您这么一个完美的家，如果破坏了，多可惜呀！”

老太太的三角眼终于沁出了泪水。她撕了张纸巾擦了擦，说：“你说得对啊，我这几天也在检讨，到底是哪儿出了问题？爱美吧，我打心眼里就没把她当外人，可是有时候就是控制不住地来气，也不知道为什么。再说，我虽然不是她亲妈，可我是她婆婆呀，至少也是长辈吧？她只要稍微尊重一下我，我能不好好待她？你说，我都这把年纪了，还能活几天？犯不着和她置气。”

宋时鱼便又数着爱美的好，末了又说，王阿姨是福相，有气场，镇得住这个家。老太太聊着聊着就乐了，去拿水果给宋时鱼吃。宋时鱼见沟通的目的已经达到，便起身告辞。

老太太将他送到门边，舍不得他走。

等宋时鱼出了小区，她才想起，应该问问这个说话贴心的人的名字。

下午两点半，盛唐饭店，二楼餐厅。

许重长一张盘子脸，典型的“圆”字型脸。虽然才三十一岁，但已微微发福，低头时隐现双下颏。

宋时鱼走进去时，他已经在靠窗的座位上候着了。

约许重见面，是宋时鱼的第二步。

他目测了一下面前这个人。从面相和神色上来看，他与爱美的描述略有出入。这个男人大概早熟，镇定，有耐力，适应力很强。一般情况下，男人身上都有母亲的一些特征，但许重例外。

“宋先生，非常感谢！”许重握了一下宋时鱼的手，请他坐下，“我刚跟母亲通过电话。您的那番话，让我母亲安心不少。”

“许总的孝心令人敬佩。”宋时鱼坐下，“但我认为，一个男人，既要孝顺母亲，也要处理好与妻子的关系。从您第一句话中，我感觉不到爱美的存在，也难怪爱美会有轻生的念头。”

许重一愣，随即面有愠色。只要有点社会经验的人都看得出，他脸上的表情透露出一种信息：爱美是你什么人？用得着你来教训我？

但这种信息只存在一瞬，就消失了。他的表情早已转为一种谦恭：“谢谢宋先生一针见血的批评。说实在的，我不太懂女人，也未能尽到一个做丈夫的责任。今天应约而来，就是想请宋先生开个良方——当然，爱佳已经讲了，宋先生的工作是从事婚姻危机处理的。从您与爱佳将我妻子平安带回来，您就已经付出了。所以说，价钱，好商量。”

“这个好说。”宋时鱼见许重干脆，也爽快回应，“许总能干出这么大的事业，什么事情都明白，我说多了，显得班门弄斧。如何定夺，还得看您的决断。”

“宋先生别客气。”许重摆摆手，“这事，当局者迷，旁观者清。不瞒你说，我哥们与老婆闹离婚，就是我劝和的。但这事落自己头上，真的是百无一策。我既然如约而来，就是认你。先不说以后的事，你能及时把爱美劝回来，我就已经很感谢了。”

宋时鱼觉得许重确实挺沉稳，城府也深。但以他的从业经验来看，越是“好说话”的人，越是难对付。往往是那些一见面就针尖对麦芒的人，几个回合下来，反而容易搞定。

本来，他一开始也准备用“将”老太太的方法，但一看这架势，许重肯定不吃这一套。这笔生意烫手啊！

他急速地在脑子里打了几圈算盘，终于决定坦诚面对。

“这笔业务，我免费服务。”宋时鱼说，“也许许总还不知道，爱美前几天去找过我。”

“还有这事？”许重略感吃惊，“她说什么？”

“她说你有外遇。”宋时鱼看着他。

“你怎么看？”许重表情平静。

“我认为你没有。”宋时鱼说，“不是现在才这么认为，而是爱美找我时我就确定了。你带一个女人回家，不过是为了气她。”

“哦？”许重来了兴趣，“我为什么要气她？”

“因为你发现她有外遇。”宋时鱼喝了一口茶，平静地说。

“这么说，你们到内蒙，不是为了救想要自寻短见的爱美？”许重略皱了一下眉头，“而是去破坏草原诗人的浪漫情感？”

这句话说得有点重。但无论是语气还是表情，许重都表现得相当平静。

“对你的母亲，还有爱美的爸爸，我只能这样说。”宋时鱼叹道，“但对许总，我不能有丝毫隐瞒。”

“你认为我会再次接纳爱美？”许重定定地看着宋时鱼。宋时鱼觉得，这个沉得住气的男人，此时心头正翻滚着热浪。这是由愤怒的火山炙烤而成的热浪。任何男人，得知自己的妻子与别的男人私奔，都会变成一头被惹毛的雄狮。不同的是，许重能够将自己的情绪控制得恰到好处。

“所以我刚才说，这笔业务不收钱。”宋时鱼叹道，“因为，我的第一个建议，就是尽快与爱美离婚。”

这个回答让许重感到意外。“你不是开‘试离婚公司’的吗？据说你成人之美的概率一直都很高。”

“在一个强势的男人面前，我只能选择放弃。”宋时鱼认真地说，“许总是做生意的。当你发现，你的中介公司无法说服房产买卖双方，或是双方的期望值差距太大时，你可能也会选择放弃。”

“你确定我会放弃？”许重问。

“我只确定一件事。”宋时鱼站起身来，“一个真正的爷们，不应该对女人玩阴的。这跟有没有钱、是不是很牛没关系，这是最起码的做人问题。再见，许总。”

“你给我站住！”许重终于忍不住站起来，抬起手准备拍桌子，但当手掌就要落到桌面时，他停住了。

宋时鱼回过头来，冷冷地看着他。许重突然觉得，桌子对面这个瘦削的男人，此时就是一座山。山上的石和树，有些单薄，但撞入眼里，就是那种铁骨铮铮的力！

“请坐……”许重改了口，换了一种友善的目光，“对不起，你……终于把我激怒了。”

宋时鱼回身坐下。

“宋先生，你坦白，我也坦白。”许重摸出一支烟，点燃，深吸一口，喷出浓浓的烟雾，“其实，爱美刚开始与那蒙古诗人交往，我就知道……还有，她去呼市的路上，我找了人，一路跟过去……”

“我知道。”宋时鱼说。

“你知道？”许重有点惊讶。

“你是说那个在五金店门口给爱美测字的老人吧？”宋时鱼说，“爱美后来悄悄地对我讲了，并问我所测俩字是真是假。我当时就觉得很奇怪，测字先生不会在那种地方做生意，因为，如果看得不准，容易挨菜刀。而且，这个测字先生所测，并不专业，更像是事先知道了什么，特意暗示给爱美的。”

“是。”许重点点头，“那老人是我雇的……宋先生，事已至此，我也真是没辙了。刚才有所冒犯，请你别往心里去。”

“你要是心头没有爱美，不会找个女人来气她，不会派人去跟踪她，更不会应我的约。”宋时鱼坐踏实了，“还有烟吗？”

“有。”许重赶紧掏出烟盒，递上一支。宋时鱼刚抽了一口就呛得直咳嗽，赶紧摁灭了。

“原来你不会抽烟。”许重笑了。

“心情激动的时候，也会抽一支。”宋时鱼也笑了，“爱美就在楼下。”

“在楼下？”许重一愣，“那，你有没有想过如果咱俩翻脸了呢？”

“那她就不在楼下。”

宋时鱼讲完，许重突然哈哈大笑起来。

第二十四章　爱是付出，爱很辛苦

爱美你好：

有些事情不便当面讲，想想，还是写个邮件，与你交流一下。

许重是个非常优秀的人。事实上，你们在性情上差异很大，但正因如此，才有互补的可能。婚姻是一件平淡的事情，就像水，唯有平淡，才可溶解苦辣酸甜。

道理就不多讲了。关于你们的家事，以我粗浅的了解，大体有两个矛盾：一是你与婆婆的矛盾，二是你与许重的冲突。你婆婆早年丧夫，许重是她活下去的唯一理由。因此，她把全部情感都倾注在儿子身上。她不容别人分享那种垄断式的爱，但她又无法扮演母亲和爱人的双重角色，所以凡是与她儿子亲近的女人，她都会潜意识地抗拒。再加上老人家独撑门户多年，习惯了独断专行，不容家庭成员有不同的声音，谁做她的儿媳都会面临这个问题。虽然你"逆来顺受"多年，以沉默对抗她的专制，但她其实更希望你发泄出来——你用沉默对抗她，会让她觉得你是轻视她，不屑与她计较。这种无法发泄的火气，久而久之就会令她深度郁闷，从而找你的茬、给你设陷阱、挑你的毛病。你想，老太太退休了，除了带一下珊珊，整天无所事事，自然容易生出是非。在这种情况下，你不要躲她，越躲越容易出问题。甚至，当她与你发生冲突时，你要据理力争，适当碰撞一下，大家把气都出了，反而有益。当然，更重要的是你作为后辈，一定要设身处地地想，老人家这一生，过得多难啊，换作是你，又将如何？因此，主动接近老人，多体谅她的难处，像孝敬自己的妈妈一样孝敬她。如果你觉得为难，不妨这样想：老人家毕竟年迈，你还年轻，就算是她的错，让她三分又何妨？

对于许重，他母亲的位置，你暂时还不能取代。许重孝顺，是美德，不是缺陷。你不理他妈妈，老太太必然在背后数落你。好多话，听一遍两遍，不以为意，但听多了，印象得以强化，就起作用了。做一名聪明的妻子，应该让丈夫时时感觉到你在关注他关注的，爱着他所爱的，尊重他尊重的。那么，只要这个人不是石头人，都会感动。其实许重心思机敏，早就发现了你与诗人的事，但他不点破，一直在暗中观察。当然，通过调查，他也知道你与诗人不过是在寻求一种浪漫，或是你封闭太久了，需要透透气。如果你与诗人真的发生了什么，他不会原谅你，也不会赴我的约——与其说我在你们和好的过程中起到什么作用，还不如说我是你们情感回归的一个借口。他在与我谈话时，强压着内心的愤怒，证明在他心里，是有你的，只是，你用冷漠将他隔离了，他又好面子，无法低下身来与你心平气和地沟通，才酿成今日的局面。我的感觉，你们要尽快修复裂痕，至少，为了珊珊，你必须让一步。许重能将公司做这么大，绝不是靠运气。他花钱找女人来气你，就是想刺激你，借机挽回自己的颜面。像他这类男人，最看重的是面子。从男人的角度出发，我可以告诉你，大多数男人将面子看得比性命还重，特别是一个已经有了一定经济实力和社会地位的男人。

以上是我对于解决两个矛盾的建议。此外，关于珊珊，我认为一个五岁的女孩，喜欢跟奶奶在一起，有利有弊。有利，是有人疼爱，你可安心教学；有弊，是小孩长期与老人黏在一起，对成长并不利，因为孩子在这个时间段，接受新鲜事物最快，需要父母尤其是母亲的悉心引导。老人固然善良、慈爱，但老人的思想毕竟陈旧一些，不一定能够很好地切合时代，更不易对未来抱有前瞻意识。再者，孩子长期不与妈妈在一起，会导致疏离感。很多女人，就是因为在孩子懂事至逐步养成性格的阶段忙于事业，结果永远失去了陪伴孩子成长的黄金时期，这是无法追回的遗憾，这一点我必须郑重提醒你——婆婆、丈夫，都在其次，孩子才是第一位的。因为，一个女人再成功，如果孩子的成长并不理想，那她的一生都会感到歉疚，甚至追悔莫及。

一句话：对亲人、爱人，必须付出。爱很辛苦。唯有辛苦，才有幸福。

先说这么多。欢迎随时垂询。

宋时鱼　即日

爱美收到宋时鱼的信时，许重已经主动找她谈过了，许家的冲突暂时恢复平静。婆婆对她的归来，显示出了足够的热情。许重当然不会将诗人与爱美的事透露给母亲。老太太其实就是性格要强，有时略有些偏激，但并不是恶婆婆。爱美进屋后叫了一声“妈”，老太太的三角眼立刻眯成了一条缝，连声答应着，赶忙去为爱美熬银耳莲子羹。

爱美也来到厨房帮忙。其实婆婆已经准备妥当，她不过是借干活之机与婆婆唠了几句。喝完汤，回屋，打开电脑，就收到了宋时鱼的邮件。细读之后，她的心头一片茫然。下午，许重专门约她来到一家安静的咖啡厅，送给她一束火红的玫瑰。爱美捧着玫瑰，芳香扑鼻，许重突然拉住她的手，向她郑重道歉，说对她关心不够，以后会尽力弥补，绝口没提诗人的事。爱美本来就是个心软的人，见丈夫肯低头，感动不已，随即向许重主动交代了她与诗人的交往。许重认真听完，才说：“诗人并不适合你。如果哪天你真的烦我了，找到了真正疼你的人，咱们也不必像仇人似的……好聚好散。”爱美眼中含泪，看着许重，“你不要这样说，我不会离开你和珊珊。我错了，但我绝不会再错第二次。”

当晚，许重搬回了他和爱美的房间。老太太抱来被子，关上门就走了。这个举止，让爱美心头一暖。她本想把宋时鱼的邮件给许重看看，但仔细一想，里头有些话，许重看了不一定会高兴。许重是个自尊心极强的人，如果知道宋时鱼这么“多事”，难免会有逆反心理。

两个久未接触的躯体又相拥在一起。爱美觉得陌生而又亲切。这种感觉与和诗人在一起互诉衷肠时大不一样。这是一种久违的温馨，她的眼眶不由自主地潮湿了……

正在这时，电话响起。“该死！”许重嘀咕了一句。爱美拧亮台灯，去接电话。原来是爱淘打来的。

“姐，救救我……”爱淘在那头气喘连连。人声很嘈杂，乱哄哄的，间或有人高声叫骂。

“爱淘，怎么啦？”爱美感觉不大对头。

“我在三里屯，出事了……长毛的头让人给打破了……”爱淘的声音还算冷静，“无论如何，你求求姐夫，找找分局的人，麻烦大了，这回……”

许重在旁边听着，一把夺过电话，问：“爱淘，咋回事？赶紧说。”

“姐夫，我和我男朋友在三里屯酒吧，打架了，伤得很重，你赶紧找你分局的哥们来。”爱淘央求道，“求你了，姐夫！”

“爱淘，你别怕，啊。”许重说，“把地儿告诉我，我马上打电话。”

前次爱美失踪，又找不着爱淘，着实让孔家乱作一团。

孔志军发出指令后，一下子气倒了。李晓梅出去转了一圈，打了几个电话，无非是问了问有来往的几家亲戚和几个爱淘同学的家长，根本问不出个所以然来。李晓梅不敢回家，就在小区门口转悠。突然，她看见爱淘身后跟着个长发青年，径直往小区走来。

李晓梅一下放了心，赶紧往小卖部一躲。

丈母娘对女婿的关注，胜过婆婆对儿媳的挑剔。但李晓梅并没有看清这个长发青年。

长毛只到小区门口，就被爱淘撵回去了。没有拥抱，没有黏糊，甚至连扬手拜拜都没有，爱淘简直就像轰小狗一样把长毛撵走了。

李晓梅又激动，又惊讶。激动的是得来全不费工夫，在自家门口就完成了任务；惊讶的是女儿竟然能够控制长毛，看来丈夫的担心完全是多余的。作为孔志军的第二任妻子，李晓梅一直活在孔志军前妻的阴影里，根本没机会翻身。于是，她将希望寄托在爱女身上。她认为，夫妻之间，谁是老大太重要了——但这是两人在相爱时就形成的格局，谁抢占了先机，谁就掌握了主动权。至于其他，都好商量。

爱淘被从小卖部里冲出来的母亲吓了一跳。没想到李晓梅满面春风地捉住女儿的手说："走，妈请你吃饭去。"

爱淘开始还有点紧张，见母亲如此，也就放心了。

在饭馆，李晓梅为女儿点了她最爱吃的羊杂汤、溜肥肠，看着女儿吃得直冒汗星子。爱淘吃到一半，突然抬起头来问："妈，您不给爸爸打个电话？"

"让你爸着急一会儿。"李晓梅哼了一声，"成天这个那个的，见风就是雨，瞎操心。哦，对了，你怎么不开机？"

"我手机丢了。"爱淘说，"这两天，都快忙死了。"

爱淘的确很忙。

她先给长毛租了房子，又按宋时鱼的指点，为长毛录音。找来找去，在朋友的朋友那里找了一个三流的录音棚，录制的几首歌并不理想，还把手机弄丢了。出了门,爱淘与长毛吵了一架。长毛一赌气,就想回新疆。爱淘冷静下来一想，画也送了，路也铺了，好歹得有个结果，便带着那几首歌，再次去了李故然家。

李老师听了大半首，就关了。"爱淘啊，你这朋友，还没入门。"李故然说，"如果要进我的门，还差些历练。"

"李老师，他不容易啊，您就帮帮忙吧。"爱淘急得都快哭了。

"他这种状态，基础关都没过，我这把年纪了，也没有精力给他打底了。"李故然叹了口气。实际上，老人家说的也是实情。她虽已退休，但上门来拜师学艺的人、邀请她参加各种活动的人络绎不绝，她连当评委都当不过来，哪有时间指导长毛的基础课？

但聪明的爱淘还是听出了点弦外之音，“您是说，如果他自己打好基础，您也会考虑的是吧？”

“那得看他的努力程度了。”李故然说，“爱淘，你是不是想给他报个班，补习一下？”

“不是。”爱淘说，“您曾经在中央电视台的一次全国性歌手大赛上讲过，艺术来源于实践。我想，小墨从生活中来，没唱好，是因为他对生活的理解和体验不够，与大众的交流和学习不够。我认为，他最好先到酒吧去唱。等有一天，他有了听众，您再点拨点拨他，就是他的福分了。”

李故然沉默了一会儿，说：“爱淘啊，你要是从小学音乐，我二话不说就收你。你对小墨讲，什么时候，他认为可以把他的歌唱给我听了，再来找我吧。我知道你费了不少心思，我也不让你为难。这样吧，小墨的事，按你说的办，先在我这里记个名。面，先不见了。”

爱淘回去后，将前后经过告诉了墨留香（现在他已经决定叫墨留香了）。长毛当场就给爱淘跪下，磕了个头，唬得爱淘手足无措。末了，长毛说，爱淘，你放心，以后我决不跟你吵了，我全听你的！

于是爱淘冒着旷课的危险，领着他，在三里屯一家家酒吧里转。转了几家，老板都嫌长毛的吉他破、嗓子破、衣服破，说就你这形象和嗓子，多半会把客人吓跑。爱淘无奈，找同学左拼右凑，借了五千块钱，给长毛买了把新吉他，置了一身新行头，这才有一家规模不大的酒吧愿意让长毛试试，不过不给报酬。此时，爱淘连买手机的钱都没有了。

直到回家路上碰到母亲，爱淘才厚着脸皮从母亲的私房钱里匀了一点儿，买了手机。那时孔志军听爱佳说爱美去了内蒙，已经去找了，爱淘又安全回家，也就消了气。但他严厉地叮嘱爱淘不要乱跑，好好上学。

但爱淘对长毛放心不下，白天帮他收拾，给他讲一些混酒吧的技巧，晚上则要一篮爆米花、一瓶啤酒，在酒吧的一角坐着，守着长毛。长毛有爱淘打气，演出十分卖力，几场下来满头大汗。就这样唱了两夜，终于有了点掌声。

又一夜，爱淘仍然要了一篮爆米花、一瓶啤酒，坐在不远处看长毛演出。今夜长毛来了感觉，将新疆民歌唱得声情并茂。爱淘突然有些感动，为自己这份心，也为长毛的努力。她觉得长毛的水平还远远没有发挥出来，他的才华被盖住了，是大都市生活的窘迫，还有人们的歧视，挡住了长毛的光芒。他的嗓音是有点破，但“破”的深处是无穷无尽的广袤戈壁，是未经雕饰的金玉，是冰川下静静涌动的河流，是无垠大漠浩瀚的沙尘……一瞬间，爱淘的眼泪夺眶而出。她突然觉得自己听懂了长毛——长毛不属于都市某个灯光昏暗的角落，他属于民族，属于世界！

泪眼朦胧中，爱淘隐约地感觉自己找到了那把开掘长毛的镢头。这是一种直觉，没有任何理由。她正想往深里想，一个声音在她耳边响起：“小妹，失恋了吗？”

一个大块头坐在她身边，喷着浓浓的酒气，哈出一种类似烂醪糟的味道，令人作呕。他长了一个猪脑袋，像极了某个摇滚歌星，肉包子眼红红的。爱淘在京城长大，知道这种痞子，其实只要不招他，敷衍一下就没事了。但她今天情绪激动，被这“猪头”突然打断了思路，有些冒火。

“滚！”她忍不住骂了一句。

猪头一下子毛了，抬手就给了她一记耳光。

爱淘只觉得眼前星光闪闪，还没明白过来，只听“咣”的一声，一把吉他就在猪头头上开了花。接着，只见邻座一下扑过来四五条汉子，抓起凳子就朝长毛招呼。长毛本来身手不错，但他只顾护着爱淘，长发又被人揪住，瞬间就挂了彩。

毕竟在社会上混过，长毛拼命挣脱他们的控制，将爱淘推出酒吧的大门，一路挥拳，打红了眼。一会儿，围攻的那帮人半数已躺在血泊之中……

第二十五章　祸福

事情并不像许重想的那么简单。

本来，他以为给分局的哥们打了电话，再让那哥们对派出所的兄弟吆喝几声，就搞定了。万没料到猪头关系更硬，几通电话下来，分局的哥们从信誓旦旦逐渐变成了支支吾吾。当他驱车赶到现场时，分局的哥们干脆把手机关了。

宋时鱼和爱佳也来了。但宋时鱼一外地人，看相还可以，解决这种事就没招了。

现场的情况是：长毛眉心拉了一道口子，向外翻着，怪吓人；猪头脑袋破了，满脸是血，衣领上结了厚厚一块血片子；猪头另外四个兄弟均受了不同程度的伤。看来，这长毛战斗力相当强，一个干翻五个。当然，是在对方都喝多了的情况下。

警察来了以后，将受伤的人全部送往附近的武警总队医院缝针，留下爱淘和酒吧老板作笔录。

“医药费，我们掏。”许重说。

“你们掏？你丫有钱是吧？”一个闻讯赶来的猪头的兄弟恨恨地说，“那长毛，不送他进去，我给你舔屁眼！”

宋时鱼见说话的人长着个蛇头，老鼠眼，暴牙，瘦，大概二十四五岁，目露凶光。宋时鱼多少懂一点法律，如果法医鉴定猪头和他的兄弟是轻伤，一旦走刑事诉讼程序，有判三年以下的可能，重伤则是三年以上十年以下，那么长毛就等于废了。问题的关键是，长毛见猪头打了爱淘一巴掌，冲过来照着猪头的脑袋狠拍下去，吉他就粉碎了。警察作笔录时啥也没说，但宋时鱼知道，这可以被认定为故意伤害罪。至于后来双方混战，各有损伤，就另当别论。当然，爱淘一口咬定长毛是正当防卫，但这种情况不好判定：长毛如果不先拍那一下狠的，没人攻击他。至于爱淘挨了一耳光，从法律上讲，是另一个概念。

说白了，这事说简单就简单，说复杂就复杂，结果如何，取决于双方的社会关系。

许重是个内敛的人。在没有摸清对方来头的情况下，他不会当场与之发生冲突，导致事件恶化。但他心里明白：既然分局的哥们都不管了，看来这次爱淘的愣头青朋友遇到了地头蛇。

京城繁华之地，历来龙蛇混杂。别说宋时鱼这样的外来人，就连许重这等土生土长、多少认识些头面人物的北京人，都不敢惹事。

现场的警察，看似公事公办，履行程序，实际上都历练得比鬼还精。他们一边作着笔录，一边抽烟。这种鸟事，见多了，他们不会轻易说什么话，也不会当场表态。

那边，医院的情况还不知道，这边，“蛇头”又叫来了几个兄弟，嚷着要去医院把长毛废了。虽是下半夜，可围观的人却有增无减。许重不敢多说话，抬眼看看宋时鱼。宋时鱼也百无一策。蛇头见许重不说话，就冲爱淘嚷嚷：“你活得不耐烦了？也不打听打听，敢惹我们老大！”

“就惹了，怎么着？”人群里爆发出一声愤怒的断呵。

但见一个瘦高的、带着湖南口音的男人分开人群闯了进来，来人正是孔志军。

“爸……”爱淘一见父亲，立刻哭出声来。

孔志军一把拉过女儿，对一个年轻警察说：“你们人民警察，就任由这些混混胡来？”

警察皱了下眉，见这老头眼中冒火，一时不知他的来头，“这不正找当事人作笔录嘛，请问您是？”

“我是受害人的老子！也是你们孙局长的战友！”孔志军哼了一声，“老子在越南战场杀过多少人，还没见过这么狂的人。”说罢，他一把将蛇头抓了过来，在他肩上一拨弄，蛇头就晕菜一般，一屁股坐在地上。

另外几个混混傻了眼，但还是作势上前，被警察一拦：“都给我站好了！你们不要我们解决，我们就不管了！”

这下双方才停住。蛇头脑袋一阵晕眩，不由得被这火暴脾气的老头给震住了，吓得不敢说话。

孔志军这才拍拍爱淘的肩膀，说：“爱淘，你做得对！你那个长毛朋友，我以前挺烦他，但从今天起，我决定改变我的看法。对欺侮小姑娘、聚众闹事的人渣，就该揍！揍得好！”

宋时鱼和许重都低下了头。这老头尿性，他们自愧不如。

正在这时，一名警察从医院回来了，小声对作笔录的警察耳语。之后，作笔录的警察说：“大伙都散了吧。当事人的伤已经逢合，没有大碍。根据当事人双方自愿调解的意愿，明天上班时间到派出所来解决吧。”

警察驱车走了。蛇头从地上爬起来，拍拍尘土，一脸茫然。大概他没闹明白，一向牛哄哄的猪头，为何要与一个外地来的三流酒吧歌手和解？

路程不远，孔家的人都往医院赶，去看长毛的伤势。

许重请老丈人上车。孔志军哼了一声，径自走了。于是许重弃车步行。宋时鱼、爱佳、爱美、爱淘紧跟在后面，向医院走去。

急诊室里躺着好几个浑身是血的人。猪头的脸肿了，余下的兄弟伤得并不重；长毛眼神还很亮，见了爱淘，想坐起来，被爱淘止住了。

孔志军一言不发，围着小床转了一圈，将长毛检视一遍。末了，问：“你叫墨留成？”

“现在叫墨留香。”长毛应道。

“干脆叫长流血算了。”孔志军哼了一声，但眉梢上有了笑意，“怪不得我女儿想帮你，还算有种！只是，可惜了，可惜了……”

“大伯，可惜什么？”长毛不解。

“要是把你这长毛剃了，当兵就好了。”孔志军叹了口气，“不过，和平年代，不打仗，也没劲……喂，这位小伙，伤得如何？”他转头看猪头。

猪头此时酒醒了，脸虽肿着，但眼神变得和善了，“谢谢大伯关心，不要紧。酒喝多了，不好意思。刚才，我已经与墨兄弟和好了。不打不相识，多大个事儿……”

这时，蛇头带着几个兄弟来了，脸上是汹汹怒气。“都在啊，大哥，要紧吗？怎么办，大哥发个话！”

猪头眨巴了下小眼睛，对蛇头吼了一声：“没你们的事，别再添乱了，赶紧滚回家睡觉！”

蛇头果然乖乖地领着兄弟们走了。

一场看似麻烦的斗殴事件就此平息。孔志军让三个女儿各自回家。他毕竟上了年纪，精神一放松，立刻开始打哈欠。

出了医院的门，孔志军突然拉了一把宋时鱼，找了个无人的地方，低声说：“小宋，你人不错，但并不适合我家爱佳，你明白吗？”

“明白。”宋时鱼心头一凉。他觉得自己的心，此刻就像路灯下的胡同一样昏暗。

“那就好。”孔志军说，“你能帮我们把爱美找回来，促成她与许重重归于好，我们孔家感谢你。但是，感谢归感谢，我还是不喜欢你。”

“我知道。”宋时鱼没有多说什么，独自走入灯光昏暗的胡同，没有回头。

爱佳走了上来，想要去追宋时鱼，却被父亲一把拦住了。

“爸，你对他说了些什么？”爱佳有些焦急。

“我伤了他的自尊。”孔志军冷哼一声，“如果一个男人没有血性，智商再高，也等于零！”

长毛做梦都没有想到，那晚，那一架，竟然改变了他的人生。

猪头不仅没找他“算账”，反而把他当成最铁的哥们，还全力捧他。

猪头名叫朱自干，原名叫朱提干，在西藏当过几年兵，结果，干没提成，还因为打了连长，被遣回原籍。此后他在一国营单位上班，因无特长，一冒火就决定自己出来单干，所以改名“朱自干”。目前他经营着一家琴行、两家歌厅。他老子是一名退休老警，当过市局刑侦处长，功劳赫赫，照顾过一帮小兄弟，所以许重认识的分局“小虾米”，一打听是老朱头的独生子，只好把手机关了。

朱自干这个人，表面上浑，其实颇有心计。那晚，他与另外一伙人“争地盘”，谈得不顺，喝了不少酒，心头有气，正巧遇到爱淘。本来，他就是想逗逗小姑娘，没料到爱淘劈头盖脸来一个“滚”，顿时就把他惹毛了。这个“滚”字，是当初他离开部队时首长给他的最后赠言，也是他辞职时国企领导甩给他的送别礼。他最烦别人对他说这个“滚”字。

但挨了一吉他之后，他被打醒了，也认识到是自己的不对。猪头性情豪爽，不是斤斤计较之人。一架打过，暗暗佩服长毛尿性，有心交他这个朋友。特别是长毛能忍着疼，让他更是佩服。长毛缝针时，因伤着眉心，医生要求打麻药。长毛想着头部手术，怕影响神经，就让医生直接弄。医生说，伤口不规则，要翻开肉皮清洗，怕他疼得受不了，想绑他的手。长毛说不用了，随便整吧。医生便真的用酒精清洗，长毛一动不动，哼都没哼一声。

晚间，医院急诊室的值班医生不多，所以几个打架的人都在一间屋里。两边手术一做完，猪头就主动道歉，说兄弟，你有种，咱私了得了。长毛当然巴不得。他目前身无分文，再摊上这事，万一进去了，实在对不起爱淘。于是两人尽释前嫌，在爱淘家人到来之前，就决定私了，连警察都不找了。猪头也真够意思，叫兄弟们把长毛的费用也一起垫了。

过了几天，长毛的伤好了，到医院拆线。猪头已在那候着了，说墨兄弟，你的事，安排好了。吉他，你到我琴行挑；酒吧，你选，继续唱，谁不给面子，有他好看。爱淘觉得猪头用强，这样不好，人家开酒吧是做生意，和气才能生财。猪头说，哪家酒吧请我墨兄弟去唱，我一晚上组织一二十人去喝酒，捧场，不断介绍朋友来听，谁会不愿意？

就这样，长毛因祸得福。再加上眉心有了一条疤，扎上马尾，长毛越来越有西部歌手的范儿。

猪头几乎夜夜来捧场，呼朋唤友，好不热闹。很快，这条街上常来的客人都知道有个西部歌手长毛，为救女友以一敌五，是条汉子。当然，宣传队长是猪头自己。猪头这人不护短，承认自己被长毛削了，但痛快、有劲、够份儿。

长毛在爱淘和猪头的帮助下，渐渐找到了感觉，慢慢就放开了。他唱歌，不管酒吧有几个人在听，都很投入。他平时与爱淘在一起，话很少，但一上台，浑身上下就绷足了劲，所有的痛苦、屈辱和悲凉，都通过歌声宣泄出来。他的歌，未经任何雕琢，但那是来自社会最底层的呐喊，每个音符和字词都注入了血肉和灵魂，让人听了热血沸腾。那些先前被猪头找来的哥们姐们，后来竟有些中毒了，几天不听长毛那苍凉激越的歌声，就觉得少了什么。

一个阳光明媚的午后，爱淘突然接到李故然的电话，要她带着长毛去她家。一进门，李故然啥也没说，就放了一首歌。爱淘一听，录得不太清楚，里头乱哄哄的，但仍然能感觉到长毛的歌声如同大漠长风，颇有绵延万里的气势。

李故然对长毛说："小墨，你在酒吧唱歌，我去听了两回，没敢惊动你。同样，我也叫人去听过几回，并录了音。爱淘没看错，你有潜质，有天分，可以说近二十年来，我没见过比你更有天分的歌手。但你不要骄傲，你的缺陷也是很明显的。无论做什么，只有谦虚好学，肯下苦功，才有可能成功。从今天起，你就是我的正式弟子了，也是我这一生中最后一个弟子……"

爱淘正要感谢，却见墨留香呆若木鸡。

半晌，两串葡萄似的眼泪，挂在他那张已有风霜之色的脸上。

第二十六章　相人要诀

宋时鱼已经有一段时间没跟爱佳联系了。

转眼到了一月下旬。新的一年，正是职场中人最忙的时节。

爱佳的部门，要提交总结报告和年度计划，要组织年会，要回访重要客户，要开展联谊活动，几乎天天加班，忙得昏天黑地。工作一忙，家事、私事都只能暂时抛一边了。

值得庆幸的是，爱美与许重的事告一段落，两人重归于好；爱淘与长毛进展顺利，长毛得到名家指点，技艺大进。这两件事，孔志军都比较满意。唯有宋时鱼，孔志军似乎对他颇有成见。那晚告别时父亲究竟对他说了些什么，爱佳不得而知。她曾打电话问过宋时鱼，得到的回答是："没什么，只是孔伯伯不喜欢我。"

宋时鱼这段时间也极忙。生意不错，近一个月来接了不少活。甚至，有的女士上门要求宋时鱼派"暗探"调查丈夫包二奶、养小三的情况，价钱出得挺高。但宋时鱼坚持自己的原则：劝和不劝散。私人侦探的活，他不接。

又是一个周末，宋时鱼忙到晚上八点才准备回家，刚要锁门，却见爱佳站在楼道里正向他微笑。大半个月没见，她明显消瘦了。

"哟，爱佳来了。"宋时鱼赶紧把她让进屋，看座倒水，很是客气。

"怎么觉得像陌生人了？"爱佳盯着他，"老爸是老爸，我是我，你怎么那么小气呀。我不打电话，你就跟消失了一样。"

"知道你忙嘛，"宋时鱼伸了个懒腰，打了个哈欠，"大公司的总管，年前年后，还不忙晕？怎么好意思打扰你？"

"少客套了。"爱佳哼了一声，"还向你拜过门呢，怎么刚上了初级课程，就不继续了？今天不准敷衍我啊，要教点有用的！"

"得实践才行。"宋时鱼笑道，"再说，上次爱淘那事，你爸爸怪我没出手，没血性，让我挺内疚的，到现在心头还有阴影。”

“我认为你做得对，是爸爸鲁莽了。”爱佳认真起来，“靠拳头打天下，是草莽行为，与这个时代格格不入。我觉得一个人立身处世，还得学会隐忍和退让。爸爸就是因为那牛脾气，才在官场上极不得志，每况愈下。逞强好胜，一时倒也痛快，长远就不灵了。”

“可是，你看，小墨现在弄顺了，朋友也交了，名师也拜了，人气是与日俱增啊。”宋时鱼叹道，“据说，那个朱自干正张罗他签约京城有名的晴天娱乐公司，准备在电视台组织一场青年歌手大赛，海选一些‘分母’，主要推他。看来，他要红起来，是指日可待的事。”

“你的情报倒是挺快的。”爱佳笑道，“咱们不谈这个了，人各有命，祝贺小墨吧。今天来，真的是想进一步学习相人，还请宋老师不吝指点。”

宋时鱼冲了两杯咖啡，提了提神，才说：“咱俩经过了一些事，也认识了一些人，我想可以从这些人当中总结一下。今天就顺便讲讲吧。

“所谓相，是一个整体、一个格局的问题。这个整体的两端，就是头和足。头为阳，足为阴。如果只看头，则将额、颌分开，上额为阳，下颌为阴。阴与阳是一个整体，要协调、平衡才好。如果阴阳不协调，那么这个人的命运就会出现波折。对于男女，相人的重点也有所侧重，即男看头、额，女看足、颌。男性的头要长得敦实才好，否则容易出问题。譬如那晚我们见到的那个‘蛇头’，就是极其危险的相，容易被人利用，早晚必有牢狱之灾；而你姐夫许重的头，方圆搭配适当，有领导气质，就算不出来创业，在银行系统也必获升迁。此外，看男性走路，贵相用四个字可以总结，就是‘鹅行鸭步’，就是有鹅的敦实，有鸭的稳当，走路不慌不忙，一步一步，如闲庭信步，这种人一生吉祥，存得住钱，成得了业。看女性，要看先天的长相是否符合阴柔之道，后天的行为举止是否端庄柔顺。女性下颌最好是方圆饱满，太尖或太露骨都不好。由于女性体内阴气较重，形体天生圆润柔和，下颌应当方圆饱满、敦厚福实，这样才能性情宁静，生活安逸。女性腰细臀大为佳相，这种女人浪漫多情，生殖力强。对于女人的脚，脚大则刚，譬如你的脚就稍微大了些，性格刚强，永不服输；而爱美的双脚小巧玲珑，性格忧郁内向，适合做些稳定安静的工作……”

“原来你变着法子骂我脚大啊！”爱佳白了他一眼，“那么，明朝时的马皇后，出名的大脚，可是旺夫旺到天上去了，朱元璋没有她，江山哪能那么稳，这又怎么解释？”

“我是说，脚大脚小，都有其特点，也没说脚大不好啊。”宋时鱼笑道，“这不打比方强化你的印象嘛。我本人，倒是更喜欢脚大的。”

“德性样儿。”爱佳轻呸了一声，“是不是脚大，走路就稳当？脚小，就不稳当？”

“不能这么看。”宋时鱼说，“稳当是一种感觉，就是说不能像风中之草，摇摇晃晃的。有的女人走路，手摆得像爪子，一刨一刨的，或四处乱抓，如同溺水一般，就不是好相。女性的举止，应该规范、柔美。人的肢体动作，被精神所控制，传递的是内心的信息，因此要让人感觉舒服才好。”

“模特呢？走猫步的呢？那晃得厉害吧？”爱佳追问不休。

“那是艺术表演。”宋时鱼说，“任何模特，在生活中都不会走那种步子。一个女人，如果屁股甩的幅度太大，就不稳重，容易沦为风流性情。女人走路，既不能幅度太大，也不宜双腿夹紧，自然、大方、得体，才是好相。”

“你尽说些虚的。”爱佳说，“自然、大方、得体，是怎么个尺度？有什么标准？”

“相人，没有标准。”宋时鱼说，“生产电子元件，必须有标准，不然无法批量生产和组装。人，是个体，一万个人有一万种情态，一万个人有一万种命运，哪里会有标准？所以相学是一个讲究感应的学科。也就是说，任何人都会看相，只是程度不同罢了。譬如，你父亲看我不顺眼，你好像还不太反感我，就是两种态度、两个出发点。对一个人的看法，十个人有十种评判，哪里会有标准？”

爱美听得有点糊涂。她眨巴了下眼睛，说：“我是个急性子，你刚才讲的意思，就是大概有个原则对吧？”

“对。”宋时鱼说，“你挺聪明，是这个意思。相人，大概有个原则，但没有标准。工业化生产才需要标准，相人，因为个体差异太大，不能有标准。”

“那你直接跟我讲，这相面有什么诀窍吧。”爱佳有些急了。

“相面，通常的方法是看颅、面、眉、目、鼻、嘴、耳、发。在相学中，颅面一体，大致分几种类型：头顶圆而面形椭圆的人，憨厚朴实、勤恳实干，如你相亲时见到的准船长；头顶圆而面形也圆的人，活泼机灵、能言善辩、腹有谋略，如你相亲时见到的刘老板、那晚打架的朱自干；头顶圆而面形方正的人，稳重自持、真诚坦率、胆大心细，如许重，还有你相亲时见到的申处长；头顶圆而面形尖的人，多阴善谋、城府较深、自以为是，如你相亲见到的鲁记者；头顶尖而面形也尖的人，意气用事、喜好争斗、一生波折，如那晚在三里屯见到的‘蛇头’，还有小墨也偏向此类。”

“眉毛有什么讲究？”

“相眉，主要是分辨人的贤愚。眉毛宜细平，不宜粗浓。秀气而长者聪明，逆乱短促者凶顽，眉低压眼者贫乏，眉高离眼者刚烈，眉尾垂目者懦弱，两眉相交者贫薄，眉有缺漏者奸诈，眉毛稀薄者狡猾但居于人上。此外，看眉毛感觉润泽的，有官运；男人眉毛如弯角的性情会过于和善，容易受欺侮；眉毛倒生者，一生波折辛苦。”

“眼睛呢？”

“相目，非常复杂。这里只说原则，也是按‘五行’来区分的。金型人，目光炯炯、神态自若，很有洞鉴力；木型人，左顾右盼，神采奕奕，很有观察力；水型人，目光深邃、神情专注，很有定力；火型人，顾盼流星，神采飞扬，很有创造力；土型人，顾盼缓慢、目不斜视，很有意志力。

这五型人，不能说哪一类型更好，只能看哪一种类型的人更适合自己——无论相夫还是合作，都需要鉴别对方的大致性情，才能少走弯路。”

“怎么看鼻子？”

“相鼻，可以看出肺的虚与实、寿命的长与短、一生的贫与富。鼻子高耸丰润，即使不富贵也会寿命长；鼻子瘦削少肉，不贫贱也会短命。鼻孔朝天，先天不足；鼻如竹筒，丰衣足食；鼻如鹰嘴，心肠狠毒；鼻子塌陷，骨肉分离；鼻头圆肥，富足一生；鼻头尖薄，命运悲苦；鼻尖歪邪，心术不正；鼻梁不直，多有欺诈；鼻有光泽，财源滚滚。所以，相鼻，圆滑、丰隆、有光泽为好。像马加爵那样的鼻子，就是凶相，平时应当趋避，以免惹祸上身。”

“嘴巴有什么说法？”

“相嘴，主要看仁德、福气。唇色鲜红、丰润，一生富足。长得像牛嘴的人，天性仁慈；口型似弯弓，财运亨通；线条分明，有领导才能；嘴角上挑，心地奸险；嘴尖者贫困；口宽者快乐。总之，嘴有缺陷或色泽乌青的人，一生很难幸福。因为，古人将嘴当成人体的门户，关涉一生荣辱。所以说，嘴以端正有型、红润丰厚为佳，除此都不是吉相。”

“有人说耳垂大就是好相，是真的吗？”

“这得看情况。相耳，也有一些基本原则：耳朵圆而色泽红润的人，活泼乐观、乐于助人；耳朵大而下垂且颜色偏黄的人，性情缓慢而多有忍耐之心；耳朵尖而色泽偏黑的人，城府深而善谋略，很难与人交心；耳朵长而色泽偏青的人，性情多疑，表面上很信任你，实际上疑心重重；耳朵大而洁白的人，稳重自持，淡定厚福；耳垂肥厚下垂的人，长寿、坐享其成。一般的相师，比较注重耳朵的形，但通过比对很多人的耳朵，我认为色泽才是最重要的。色泽是血液循环、神情心态的具体表征，面部神情可以通过后天训练来伪装，但耳朵极难训练。譬如，一个人被人揭穿了谎言，或是碰到了心动的情人，耳根通常会红，就是例证。所以说，相耳的关键是看色泽，再配合形状，可以侧面了解此人的性格特征。”

“头发怎么判断？”

“相发，相对比较简单。发黑而硬，性急而刚；发细而软，性多柔顺；发粗而易立，多凶悍；发黄而卷曲，性情多不稳定；秃顶的人大多好色；头发、胡子密不透风的人命运多舛、时运不济。男性上佳的好相是‘贵人不顶重发’，胡子浓密的人适宜搞文艺或从事有风险的工作，一生劳心费力；女性头发则宜浓密茂盛、色泽鲜亮，必旺夫旺子。”

爱佳用心记忆。她觉得今天宋时鱼讲的相人，比前两次进了一层。对照他的讲解，她仔细想了一下——别的不说，就说这头发胡子，中央领导和那些经常上电视的企业家，还真没几个是浓头发、大胡子的。

最后她问，如何才能更进一步地看准一个人？

宋时鱼说，你要真学，就去观察一百个人，记录他们的形状、情态、气色、声音。观察要细，要闭上眼睛就能完整勾勒出被观察者的形象，让他活在你的心里。到了这一步，我们就可以学习中级课程——形神的关系，以及如何捕捉变化中的情态。对于这些相面原则，宋时鱼说等得空了，整理成邮件，发给爱佳参考。

爱佳深吸一口气。说真的，她觉得太难了。

有一件事情，她不知道该不该对宋时鱼讲。她找他学习相人，其实不是她真的喜欢这门功课，而是她觉得与宋时鱼在一起，她是快乐的，学习相人不过是一个沟通的媒介罢了。

“那，请问宋老师，你对我这么熟悉了，你看看我目前的神，内心有何秘密？”她努力笑了一下。

“从你一进门我就发现了。”宋时鱼说，“你心上压着一块大石头，因为你的神色非常不安，对我的讲述，你虽在用心记忆，但你的神情中却有一种无法摆脱的深深的忧虑。人，如果心不在焉，通常是因为几种情况：第一，对话题或说话的人不感兴趣，或是不屑一顾；第二，心头压着事情，但又不便说出来；第三，相机行事，等候最恰当的时机表述自己的观点、主张，或是说出心底秘密。以我对你的了解，你属于后两种情况。如果我所料不差，可能你家里出什么事了。”

“是的……”爱佳的眼神瞬间黯淡下去。她再次深吸一口气，说：“看来，无论我怎么伪装，都瞒不过你……爸爸，查出了肿瘤，在胃上，已经扩散了……”

“有法子治吗？”宋时鱼明知到了这种程度，恐怕没啥好办法，但还是焦急地问。

“权威专家都看过了，没办法了……”爱佳的泪水溢出眼眶，“关键是，我可能得多花些时间陪爸爸，咱们……咱们见面的机会就少了，甚至很难见面了……今天来，就是想跟你说清楚。”

“这有何难？”宋时鱼站起身来，“我也可以去陪孔伯伯嘛。”

“你……还是别去了。”爱佳为难地说，“爸爸恐怕时日不多。他这个人，你也知道，固执得要命。他的意思……不让我跟你来往了，说生前……要看到我嫁人……”

宋时鱼脑袋里“轰”的一声，眼前瞬间冒出无数金星，像夏天野地里飞舞的萤火虫。

“还是……那个申处长？”他觉得脚有些虚，想站起来，没有成功。

爱佳避开他的目光，点了点头。

第二十七章　任何人都会看相

孔志军被查出胃癌，是五天前的事。

他的胃一直不好，但他一直拒绝体检。以前胃疼，他总是吃些胃药，敷衍了事。直到一周前，胃突然疼得要命，爱佳和爱美强迫他去检查，他才极不情愿地去了医院。

结果出来时，一家人吓懵了。胃癌晚期。

爱淘一下瘫坐在楼道里，这孩子平时大大咧咧，其实最心疼老爸。爱美性情柔弱，只知道嘤嘤哭泣。爱佳是个能控制感情的人，上前扶住了李晓梅——直到这一刻，她才感觉到后妈的不容易。

与家人的剧烈反应相比，孔志军的情绪显得很平静。

他把爱佳叫进病房，请护士关上门，对爱佳说："你们在外面商量什么？是想隐瞒我对吧？这没用。医生不用告诉我，我都知道，我这病，没治了。人终有一死，早晚都要过这一关，没啥。你们哭几声，我也高兴，因为我在乎这种亲情。但哭完了，打起精神，该干啥干啥。活一天就得活出个样子。你爸这一生，当官很失败，做人还可以。生了你们仨丫头，我都爱，也挺高兴。"

爱佳知道说什么安慰父亲的话都显得多余。老头要强，脾气古怪，是典型的军阀式家长，但他人善良，重情重义。爱佳虽然不赞成父亲的一些观点，但只要父亲决定的事，她都会无条件地服从。

"三个女儿中，我最宠爱淘，最疼爱美，最担心你。"孔志军说，"爱美性格内向，优柔寡断，遇到了许重，算是她的福气；爱淘任性，性子倔，天不怕地不怕，将来肯定会有一些挫折，但她总是能发现机遇，关键是有决断力。"说到这里，孔志军看着爱佳，似乎要从她脸上读出什么秘密。

爱佳觉得，此时的父亲，俨然是一个相师。

"我从来没与你谈过这些，我知道宋时鱼跟你谈过相人。"孔志军眨了眨眼睛，"但我可以告诉你，任何人都会看相，任何人都是相师。你在相别人，别人也在相你。前些年，你跟杨文远在一起，我都知道——那是你的伤疤，爸爸不愿揭。人的一生，哪有圆满的？有谁没犯过错误？又有哪一个人是完相？但是，一个人不能两次错误地踏入同一条河流。你已经二十九岁了，再不嫁人，将来怎么办？心中可以有美好的憧憬，但现实就是现实，只要不得绝症、不遭遇意外，就得活下去。所以，你别担心我，我不会很快就死了，我一定要看到你结婚成家才能闭眼。”

“爸爸……”爱佳终于没能控制住自己的眼泪。刚才在外头，她知道如果父亲要叫人进去，得有一个面色平静的人去应付。爱佳是在企业里摸爬滚打出来的人，她顾大局、识大体。

“你靠近些。”孔志军让她坐在身边。

他抹去女儿面颊上的泪水，继续说：“你现在知道我为什么担心你了吧？你相了几十次亲，没一次成功。原因在哪里？是你眼里没有对方。人的情感是相互的，你眼里没有对方，对方眼里也不会有你。两个人的事，总得有一个人先朝前走一步。但你在这点上继承了我的坏毛病，就是不低头，不让步，也不主动。很多人都认为我不会混官场，不懂得人情世故，甚至逢年过节，从来不去送礼。可是，你爸爸当年独自收拾了十几个凶狠的敌人，智商真的那么低？说白了，有些事，做了，我能得到好处，但我内心得不到安宁，划不来，所以我不干。你妈妈当年为什么喜欢我？就是因为我这个性子；你晓梅妈妈为什么知道我这毛病还跟着我，就是因为我靠得住。但是，作为女人，你不能这样，要改。”

“爸爸，我改。”爱佳低声说。

“孩子，这些年来，我知道你心里的苦，多少次，我想找个机会与你谈心，可是又觉得不合适。”孔志军叹了口气，继续道，“现在，我知道我的病情了，我必须借这个机会与你谈谈。要知道，就算是父亲，想与孩子谈贴心窝的话，通常也迈不过这坎儿。人活着，不能由着自己的性子。爸爸虽然没做过一件违心事，但活得不愉快，压抑，心中有不平，所以才得这病。这是教训，我不希望你活得不开心。过去的事就不谈了，多少痛苦都是经历，没啥。但你如果觉得爸爸说的话有道理，你就听我一回，试着与小申谈谈。”

爱佳一边听着，一边在想，父亲话里有话，作了这个铺垫，就是为了这个结果。此时的她虽然内心犹豫，但她不能反驳父亲。

“宋时鱼看人，有些道道，这一点，爸爸承认。”孔志军说，“但是，你观察过他的眼睛吗？他的瞳仁深处，有一种深深的忧郁，像一口深井，隐藏了太多的秘密。他的过去，你了解吗？他三十五年的人生，到底有过多少苦痛，多少失败，多少煎熬？你不知道，因为你阅历有限。然而在我看来，他上停短缺，必定先天不足；中停起伏，中青年运势不稳当；下停稍稳，但仍显辛苦。可以说，宋时鱼的一生，充满艰辛、曲折，别人得到一个东西，只费一分力，他得付出十分。你说，爸爸会将最担心、最像自己的女儿交给他吗？”

爱佳一愣。她觉得父亲的眼睛突然变得深邃，仿佛两盏闪烁着智慧的明灯。“爸，这三停有什么讲究吗？”

“上停是发际到印堂，主早年运气；中停是山根到鼻头，主青壮年运气；下停是人中到地阁，主晚年运气。”孔志军用手比划着头部，“你看爸爸的上停，短窄，说明先天不足，早年辛苦。这三停，以饱满宽阔为好。小申的中、下停基本接近圆满，所以我看好他。”

“可是……爸爸，年前我相了五个人，为什么你就认定申峥嵘好？”爱佳深知此时不宜与父亲辩论，但还是忍不住问。

“女儿啊，看问题要看全局，不能看局部。”孔志军说，“你那次相亲的情况，我多少也有些了解。那个刘隐龙，表面有钱，但这种从最底层发迹的私营老板，就像一条在滩涂上造的船，看着雄伟，一旦海里有风浪，最先散架的是他，况且他比你大十二岁，背景又不清楚，风险太大；鲁记者呢，年龄倒合适，但这个人以自我为中心，恃才傲物，目中无人，断断不能成气候，你与他在一起，不会幸福；龙大副将来当个船长没问题，收入也好，脾气也好，但干远洋是个高风险行业，一年半载也回不来一次，跟着他，你受得了吗？李晓明差不多长你十岁，有海外经历，观念洋派，我找人调查了，这个人观念比较开放，保不准将来有外遇啊。当然，话又说回来，如果小申与你谈不拢，他倒是个替补人选。”

爱佳心头一惊。父亲的这个分析，虽然与宋时鱼站的立场不同，但结论大体一致。看来，父亲相人，也颇有见地。

“爸爸，我就不明白，那申峥嵘，到底有什么好。”爱佳将头向父亲靠了靠，有些撒娇的意味。

“孩子，你究竟看得不远。”孔志军语重心长地说，“公务员，是最稳定的群体。虽然公务员拿的钱不是很多，但你见过有国家机关倒闭的吗？前些年，国家改革，裁撤了一些部门，但弄了半天，你见哪个有职务的公务员流落街头？背靠大树好乘凉啊，孩子。况且，小申的父亲与我有点交情，我是比较了解这孩子的，懂事，有才，领导喜欢，比我在官场上能混，加上他在中央部委，空间大，将来升个司局级不成问题，说不定运气来了，部级都有可能啊。到了那个时候，你还用上班？在家看看孩子就行了。人，为什么一定要那么辛苦呢？如果开头感觉不好，处一处，时间长了就好了。”

爱佳心里难过极了。她知道父亲说的不无道理，自己也并非死心塌地地爱上了宋时鱼，但她总觉得别扭。说实在的，他对申峥嵘的印象，并不坏。如果平安夜那天，不是在宋时鱼的“唆使”下“出招”，而是单独与申峥嵘相亲，说不定他们早在一起了。然而父亲在这个时刻，像交代后事似的谈起这个，她真不知如何是好。

“我知道你犹疑不定。”做父亲的变得越来越严肃了，“爱佳，这是你性格中的重大缺陷。当年，你想考文科，但又怕不好找工作，就报了电子工程；毕业后，你又觉得成天做技术没有前途，想做管理。还有，你在恋爱的路上，也是左顾右盼，患得患失，所以造成了今日的局面。孩子啊，人生不会给你太多的时间让你慢慢选择，就连我们在考试时做选择题，都是有时间限制的。以前，我以为我身体还行，不催你。现在，我最放心不下的事，就是你要确定与谁结婚。如果这件事你都不能完成，我死不瞑目！”

最后一句话，孔志军加重了语气。爱佳知道，孔志军的军阀式家长作风，至死都改不掉了。

但父亲的生命已不久长。想起父亲艰难地将她们姐妹仨抚养长大，自己何曾尽过半点孝心？与其犹豫不定，不如顺从了父亲的意愿。况且，顺从父亲的意愿，并不意味着错误。

她真的动摇了。

“可是爸爸，人家申峥嵘不一定看得上我。就算我同意，也是一厢情愿啊。”爱佳终于低声说。

“这个好办，关键在于你要下定决心。”孔志军见爱佳同意了，本来应该感到高兴，但他的眼里却已无神采。他太累了。所幸今天的谈话，毕竟还是有了个结果——女儿愿意下定决心，不再犹豫！

作决定，真的很不容易。但当我们真正狠下心，也并非想象的那样艰难。

爱佳将门掩上，轻轻地走了出去。

她决定，在安顿好父亲之后，去见一下宋时鱼。无论如何，宋时鱼对自己的帮助是真诚的，她不想骗他……

此时的爱佳以“学习相人”为借口，就是想跟宋时鱼多呆一会儿。她知道，她对父亲的承诺不久就会实现。而一旦与申峥嵘确立了关系，她与宋时鱼的“师徒关系”就到了终结的时候。

第二十八章　情盲

再见到申峥嵘时，爱佳潜意识地拿宋时鱼的“理论”比对了一下。

他是“王”字型的脸，按宋时鱼的说法，这种人固执、自大。由于久在国家机关，修炼出一种谨小慎微的官场做派。他说话的嗓门很低，动作很轻，生怕惊扰到谁。在订好的餐桌前，他很绅士地将椅子拖到合适的位置，请爱佳坐下后，自己再绕到对面就坐。

菜点得很精致，红酒是张裕，餐厅中高档。综合这些细节，可见申峥嵘不张扬，讲品味，重实效。

“孔伯伯，做化疗了吗？”申峥嵘问。

“爸爸坚决不做。”爱佳叹了口气。父亲的病，是她心上的一块石头。

“恐怕还是应该做吧，毕竟多些希望。”申峥嵘的表情里充满关切，“我爸说了，老朋友的事，他会尽力，一定会帮忙找最好的医院和大夫。”

“谢谢，”爱佳说，“但爸爸认为化疗副作用太大，身体免疫力会急速下降，所以他坚持过了这段时间的治疗后，就回家静养。”

“爱佳啊，你也别太担心，人都会生老病死，你要注意身体啊。”申峥嵘的身子向前倾了倾，“有什么事，你直接跟我讲，不要客气。”

“先不提这事了。”爱佳深吸一口气，“今天咱们约会，讲明了吧，你对我有什么看法。爸爸一直夸你，我呢，方寸已乱，年纪也不小了……当然，如果你对我没感觉，咱吃完这顿饭，就散了吧。”

“爱佳，看你说到哪儿去了？”申峥嵘有些窘，“我对你的印象，平安夜那晚已经讲明了，我觉得挺好的。我都三十四岁了，这些年忙于工作，的确疏忽了感情问题。说起来不怕你笑话，我还没真正谈过恋爱……”

“什么意思？”爱佳被震住了。一个三十四岁的男人，长得并不难看，有身份有地位，居然没谈过恋爱，可信吗？

“是这样……”申峥嵘迟疑了一下，“我呢，从小妈妈就管得严，不让我与女孩子接触；后来上了大学，有几位女同学似乎对我有点意思，但当时的我吧，假清高，认为自己会遇到梦中的公主……”

“你梦中的公主长什么样？”爱佳觉得他有点搞笑。

“跟你……差不多吧。”申峥嵘脸皮有些发烫地说道。

“你还真会奉承人啊。”爱佳被他逗乐了，“那参加工作之后呢？没机会？”

“有。”申峥嵘说，“我相过十几次亲，可是……那哪是相亲，跟敌我谈判差不多吧。有的，还带了亲友团，那架势，虎视眈眈的，真让人受不了……”

爱佳理解这种感受。她的相亲经历，基本可达罄竹难书的级别。

“你反感相亲？”爱佳又问，“可是，平安夜那晚，你好像没有受不了的意思啊。”

“那晚不一样。”申峥嵘垂下头，“我觉得你跟那些功利的女性有天壤之别，你很有见地，看问题很透。咱们见面的时间虽短，但我回去一宿没睡。约你吧，你总是忙……”

“你了解我吗？”爱佳盯住他的眼睛，“到我这年龄，就是剩女了，你不怕我有毛病？你不怕受不了我的脾气？”

“不怕。”申峥嵘勇敢地昂起头，“这些年来，我也在反思，为什么我总是找不到合适的？”

“为什么？”爱佳问。

“因为我设置的条条框框太多。”申峥嵘有些尴尬，“现在想想，人无完人，我的性格也有毛病，根本没权利要求别人如何如何。”

这句话说得爱佳心头一动，自己又何尝不是如此？

这时，酒菜上来了。申峥嵘为爱佳倒了酒，敬了她一下，“爱佳，我真诚希望，你能给我一个机会。我想，遇到你，是我命中注定的。错过你，我就会错过一生的幸福。”

“我爸爸要我跟你谈。”爱佳回敬了他一下，“你坦诚，我也不妨直言。实话实说，我对你，印象不错。但我也跟你一样，挑三拣四，这山望着那山高。我也相过亲，次数比你多得多。每次相亲结束，都觉得像是经历了一场非常无聊的谈判。很可能，现在的人，包括你我，都太实际，心中的美好憧憬被现实磨灭了，就像买一件商品一样，总带着挑剔的眼光去看待对方。感情这个词，应该是感性多些，情义多些，理性少些，功利少些吧。可能包括咱们今天见面，仍然不是感性为先，而是理性占了上风。”

“爱佳，这没有什么不好，谢谢孔伯伯看得起我。”申峥嵘的眼里有了光彩，“我从不相信那种虚无缥缈的所谓爱情，那是小说里、影视剧里的段子，不是现实。现实就是男女双方组成家庭，互相支持，把工作做好，把亲人照顾好，一起走完一生。试想，如果一个人成天把情感放在第一位，怎么可能做好工作？既然咱们都理性，观点也差不多，我看还是多相处吧。对了，我妈妈看了你的照片，挺喜欢，还说要我请你去我们家做客呢。”

“谢谢。”爱佳说，“有机会我会去的。不过，现在我关心的是，你今晚看起来并不像一个没谈过恋爱的人，到底是怎么回事？”

申峥嵘一愣，目光有些闪烁。看得出，他又被爱佳点中了死穴。

“没事啊，咱们不是说好要坦诚么？”爱佳微笑道，“我猜，一定是有高人指点过你了？”

“呵呵，也算不上什么高人。”申峥嵘调整了一下表情，“是一个……心理咨询师，告诉我如何与女性打交道。”

申峥嵘遇到程米西非常偶然。

一天，他的一个同事约他出去吃饭。饭桌上，还有一个女孩，长得很漂亮、很单纯的样子。同事告诉他，这个女孩叫程米西，是北师大心理学硕士，著名心理研究所的专家，专门研究情感问题的。

申峥嵘一开始不以为然。他想，一个二十几岁的小女孩，懂得什么？如果读过几本心理学的书就会处理问题，那这门学问也太简单了。

但接下来他发现这程米西还真有两把刷子，她从他的“身体语言”着手，给他“相”了一回。对申峥嵘，程米西大致说了三点：一、从小家教甚严，保守、固执，以自我为中心；二、不擅与女性打交道，带着挑剔的眼光看人；三、表面坚强，内心孤寂，理性思维，官迷。

最后，程米西戏称申峥嵘是“情盲”，认为他要好好补一下情感课程，否则人生难以完整。

虽然当时申峥嵘不置可否，但同事一听，立刻就笑了，还说程米西的分析基本是准的，只有一点没说出来，就是申峥嵘这个人，忠于事业和家庭，对领导交办的任务一丝不苟，除了在恋爱上经验不足，其余的事情都不在话下。程米西笑了，说我只讲缺点，申处长的优点，能写三页纸。

那晚回家后，申峥嵘反思前一次与爱佳见面时的失误，越想越觉得程米西讲的很在理。凭良心讲，申峥嵘的确一眼就相中了爱佳，但并未达到非爱佳不娶的程度。爱佳的相貌、年龄、工作、家庭背景，他都感到满意。特别是爱佳讲的如何混官场的观点，他十分赞成。现在，他所在的处室负责党群工作，是个清水衙门。眼见处长就要调走，他虽排在第一副处的位置，但如果坐等上头提拔，连神仙都没把握。然而请客送礼这些必然的升迁途径，是要花钱的，对于目前的他来讲，是心有余而力不足。爱佳的收入毕竟不错，是他的几倍，再加上爱佳的公司是半国有性质，如果与她结亲，往俗点说，可以不露痕迹地“洗”点钱出来，那么升官就有盼头了。这年头，不跑不送，原地不动。官场的利害，他混了十年，最清楚不过。弄不好，排在身后的副处兄弟会踩着他的肩膀爬上去，或是空降一处长来，他还得在原地踏步。

经过综合考虑，申峥嵘认为必须主动出击，把爱佳抓住。但他十分清楚，自己几乎不懂女人，还得求教专业人士才行。于是他通过同事，要了程米西的电话，约她再次出来“面授机宜”。

程米西用了半天时间，专门给他讲解女性的心理，归结起来是“四喜四不喜”：

一、喜欢坦诚直率。多数女人不喜欢吞吞吐吐、绕来绕去的男人，最好能敞开胸怀面对。

二、不喜自作聪明。男人讲自己的事要坦诚，但不能道破女人心事，或表现出无所不知。

三、喜欢求新求变。女人情绪变化较快，男人要适应女人的变化，既不迎奉，也不刻板。

四、不喜自以为是。女人讨厌把自己当根葱的男人，渴望得到男人的理解、尊重和支持。

五、喜欢被人欣赏。男人看女人，争取找到她与众不同的优点，女性会有被发现的愉悦。

六、不喜被人冷落。谁要是冷落了女人，女人必反弹甚至报复，面子对女人也非常致命。

七、喜欢呵护体贴。女人天生有受男人照顾的优越感，除非她表现出烦你，否则要爱护。

八、不喜邋遢啰唆。女人可以有唠叨毛病，但男人如果邋遢或是话痨，很难被女人接受。

申峥嵘是个有心人，听了程米西的讲解，回家将这八条整理并打印，贴在床头夜夜温习。直到他觉得有些心得了，才让父亲给孔志军打电话，以“老朋友”这张牌，拉近与爱佳的距离，同时约爱佳出来吃饭。

一个三十四岁还没谈过恋爱的男人，一旦惦记上一个女人，就会茶不思、饭不想。

但他无论如何，还是不能将现学的知识运用自如。所以刚一上场，就露出马脚，被爱佳识破了。

听了申峥嵘的坦白交代，爱佳忍不住笑了起来。她突然觉得，申峥嵘其实是个大男孩，简单，诚实，与她以前接触过的男性完全不同。

像一张白纸的男人，可塑空间更大。爱佳突然有些心动了。

“峥嵘，如果我对你没好感，今晚我就不会来。”她第一次这么亲密地称呼他，“女人，其实没有你说的这么复杂。多数女人，就想找个踏实、安分、顾家的男人过日子。而你的优点，可能恰恰是你不懂女人。如果你太懂女人，恐怕我还会敬而远之。”

“谢谢你，爱佳。”申峥嵘的眼里闪烁着希望之光。

恍惚间，他觉得面前这位清丽脱俗的女人，浑身上下散发着非同一般的魅力。他的心无法遏制地狂跳着，蓄积了三十四年的情感，如爆发的洪流，就要撕裂大山……

第二十九章　谈婚论嫁

年关工作虽然繁忙，但爱佳还是抽出空来，与申峥嵘约会了三次，还去了一趟申家。

申峥嵘的母亲是一个很厉害的女人，原来是从事审计工作的干部，今年五十八岁，比申峥嵘的父亲大一岁，退休两年多了。对待爱佳，她表面客气，实际上有点查账的意味，落座后就问这问那。爱佳倒不是特别在乎申妈妈的态度，而是拿从宋时鱼那里学到的皮毛，一边谨慎回答，一边观察这位干净利落的女人。

申妈妈短头发，粗眉毛，镜片压在不太明显的鹰钩鼻上，目光从镜片上方射向爱佳。这个女人身体板实，身上没有赘肉，说话直接，表情严肃。申峥嵘坐在旁边，几乎成了哑巴。看得出，只要母亲咳嗽一声，三十四岁的儿子就会像皮球一样从沙发上弹起来。

申峥嵘的父亲几乎是个挂名家长，出来寒暄几句，就回房闭门看书去了。申爸爸白白胖胖，眉尾钩垂，是搞科研的，一看就是对老婆言听计从、从不操心家事的甩手男人。

爱佳回答申妈妈的盘问，几乎不假思索。她是个极其精明的人，要讲“斗争经验”，也算是相当丰富，特别是对付“审计”，公司每年的应对策略，都是由她与郝正乾秘密制定的，还没失过手。一个人挑剔，并不难对付，不好对付的是那种你无法判定其性格特点的人。

聊了两个小时，爱佳突然有种自信：如果她嫁入申家，绝对有把握搞定这三个人，并且最好搞定的就是申妈妈。

十分挑剔的人，做事严谨、细致，但往往生活单一、情感专一，只要在细节上注意一些，在态度上恭敬顺从一些，就会获得他的认可。申妈妈从镜片上面看人，明显带着提防心理，生怕给儿子挑错了对象。然而这样一来，会让绝大多数相亲对象产生抵触情绪，深恐将来不好处理婆媳关系。而在爱佳看来，这种爱操心的婆婆，身体好，又退休了，只要忽悠好了，反而能帮忙处理一些家庭琐事。如果将来有了孩子，更是可以放心，连保姆都不用请了。

反正那天双方都极其满意。刚开始，申妈妈还从镜片上方盯着爱佳。到了后来，聊得投机，申妈妈就把镜片扶上去了。爱佳本来就能说会道，这次又带着父亲的“使命”，加上在宋时鱼那里学了几招，热炒热卖，投其所好，直把申妈妈夸得满脸潮红，油光隐现，非得下厨做几个好菜犒劳爱佳的甜嘴不可。爱佳也不推辞，扎上围裙就去打下手。等菜做齐，两人的关系又进了一层。

饭桌上，申妈妈破例喝了点红酒，当即表态，以后申家就是爱佳的家，欢迎常来，并对申老头和宝贝儿子作了指示：老头子别往房间里躲，在儿子十年的相亲历程中，爱佳是她最中意的，他也要对爱佳好一点；儿子要珍惜爱佳，勤走动，多看望孔伯伯、李阿姨。最后，她对爱佳说，你们都不小了，既然双方家长都支持，你们就抓紧时间，加深了解，下一步双方家长见个面，抓紧把亲事给定了。如果不想与他们一起住，可以住在东四环的一套闲置商品房里，那是申家用多年的积蓄，为独子申峥嵘买的婚房。

事情进展如此迅猛，爱佳有点措手不及。她想了想说，还是应该先加深了解，对双方都有好处。房子的事，姐夫许重那里留着几套房，价格公道，以她的经济实力，没多大问题。

回去的路上，车堵得厉害。爱佳边听音乐，边总结当天的成果，大致有三条：

第一，婆婆对待儿媳，心理非常矛盾，既有本能的排斥，又想极力拉拢。特别是有点身份地位的婆婆，总觉得自己的儿子是最好的，唯恐别家姑娘配不上。在这种情况下，如果看上了她儿子，就得心态平和，设法拉近与她之间的距离，不抗拒，不自恋，多赞同，消除其防范心理，但又表现出独立自主、不靠男人、不啃老的态度，让未来的婆婆有种“既在掌控范围之内但又不好抓牢”的感觉，是为上策。

第二，男人在母亲与妻子之间左右为难，尺度极难把握。孝顺的儿子，就算再宠妻子，老娘那头也不能怠慢；叛逆的儿子，完全站在妻子这边，老娘就会无穷无尽地找麻烦。这些矛盾，除非父母双亡，不然永远存在。像申峥嵘这种虽断奶多年但仍被母亲恨不得搂在怀里的独生子，老妈的话就是圣旨，要想完全拥有他的全部感情，几乎不可能。只有想办法分而化之，让其离开父母，重建二人空间。所以今天，她想到了自己购房居住，物理隔离这对一起生活了三十四年的母子。不过爱佳隐隐觉得，申峥嵘一直跟着父母居住，又家教极严，生活规律，肯定没有花花事，弄不好，恐怕还是个处男。

第三，夫妻生活中，必分主次，难以举案齐眉。申爸爸眉尾低垂，申妈妈眉粗且高，自然是老头子俯首帖耳，但也落了个清闲；在孔家，爸爸军阀作风，晓梅妈妈虽在背后嘀咕几句，但凡事由爸爸说了算。普通家庭，很难达到相敬如宾这种高标准，必有一强一弱，才能长久。爱佳看明白了这一点，心想将来如果与申峥嵘生活在一起，必然是自己占据上风，可以弥补申峥嵘的不足。难道，宋时鱼说自己旺夫，就是指这个？

想到宋时鱼，爱佳暗自叹了口气。她不止一次问自己：是父亲的干预，才让她放弃宋时鱼的吗？她无法回答自己。如果去除一切功利因素，她承认自己当然喜欢与宋时鱼在一起。这个人聪明、细致、有情调，可能因为过去的经历太丰富，已经修炼到喜忧不形于色。但是，现在的都市女性，又有几个不是“现实”的呢？宋时鱼有一家小公司，可他连房子都没有，等于是漂着，哪一天潮水来了，他那小公司或许就被淹没了。

爱佳已经过了感性、冲动的青春年龄，看惯了早婚的姐妹们变成为生计奔波、被丈夫孩子拖累的黄脸婆，看惯了恋爱时信誓旦旦、结婚后拈花惹草的男人，包括同学、同事和朋友。哪个女人不渴望浪漫？哪个女人不祈求爱情天长地久？但现实就是现实，个人的意志和诉求在现实面前总是显得苍白。宋时鱼会相人，可他的目光回望过自己的内心吗？申峥嵘显得世俗，然而他的性格和生活环境，注定他会是一个稳妥的丈夫。权衡利弊，爱佳心灵的天平偏向了申峥嵘。她既讨厌自己的功利与现实，又欣慰自己的镇定与成熟。

直到后面的喇叭响了好几声，她才发现前面的道路已经畅通了。

她回过神来。心境亦如前面的道路一样，变得开阔。

转眼到了年关。

爱佳找了几次姐夫，请他帮忙买房。许重果然够意思，为她推荐了一套“保留房”。这套房是许重一同学在四年前买的。当时，这位同学要出国，许重认为将来房价必涨，劝他买。那同学就委托许重办理，等升值后再卖掉。不料四年过去，房价涨了两倍半。

许重联系上了远在美国的同学，明跟他讲，是小姨子要买，能不能便宜些。那同学当年并不想买房，完全是受许重的怂恿，不料真的涨了，就算扣除通胀因素，也是赚了，双方议定以原来两倍的价格卖给爱佳。

一周后，爱佳拿到了钥匙。许重让她先住，再办理相关手续。

房子四年前装修过，一直没人住。爱佳找人收拾了一下，心想以后有个家了。父亲的病情比较稳定，在家休养，得知女儿按自己的意愿与申峥嵘相处，进展顺利，直催女儿赶紧办事。申峥嵘最近似乎开了窍，送花请客，殷勤备至，爱佳觉得他与杨文远有根本的不同：杨太精明、太功利、太自我；而申则诚实、踏实、会照顾人。

爱佳刚刚入住，爱淘就来看二姐的新房了。进屋转了一圈后，爱淘转了转眼珠，说："房子不错，原来的装修也不过时，挺好的。二小姐啊，能否借我住几天？"

"干吗？"爱佳有些奇怪，"我把家里的房间让给你了，还不行？"

"你这房，主要是缺少人气。"爱淘笑道，"等我把'短毛'叫来，开开火，住一段，你再来住就顺了。听没听说过，房子必须有人气才好住，跟暖被窝一个道理。"

"什么'短毛'？是小墨吧？你们同居了？"爱佳一愣。

"小墨同学现在不一样了。"爱淘打开手机，给二姐看照片。

照片中的墨留香剪掉了长发，留了个板寸，蓄了小胡子，看上去简洁明快，颇有铮铮铁骨的味道，与先前的"长毛"判若两人。

"真的按宋大仙的意思设计了？"爱佳问。

"是按李故然老师的意思设计的。"爱淘掩饰不住心头的喜悦，"最近看电视没？小墨已经完成了初赛，评委都亮出了高分。小墨最近可忙了，回来后倒床就呼呼。"

"你还真跟他同居了？"爱佳盯着妹妹，"你不知道这样很有风险吗？"

"唉呀，你这人真是没救了。"爱淘不以为然，"你说，人家小墨这么辛苦，我得犒劳他一下吧？呵呵，这种事，你又不是没经历过……"

"你……"爱佳被碰到了伤处，不由得把脸一沉。

"得，"爱淘伸了下舌头，"二姐啊，你别把男人都想象成杨文远好不？人跟人不一样，小墨这娃，放他十个胆子他都不敢翻船，你就放心吧。不过呢，我们租那屋，暖气不热，又不隔音，所以才想借你的新房住几天，把年过了，行不？"

"不行。"爱佳说,"老爸催得紧,二姐要结婚了。等你那短毛成了歌星,自己买房吧。"

"切,"爱淘撅起嘴,"那个姓申的,挺装的,看着就不喜欢。你还真想嫁给他?"

"谁不装?"爱佳哼了一声,"早晚都得嫁,趁现在有人要,赶紧办了。"

"还真是进展神速啊。"爱淘见二姐不借房,心头不爽,"不过,我看啊,你们俩,成不了。"

"为什么?"爱佳的犟劲儿上来了,"你以为我搞不定他?"

"不好说。"爱淘撇了撇嘴,"说句你不爱听的话,这申处脸色苍白,看上去一把骨头,还不知有病没病。"

"什么意思?"爱佳心头有点发毛。

"二小姐,你到底是装糊涂还是真不明白?"爱淘说,"那申处都三十四岁了,还一直单身,身体、气色,哪里像个男子汉?我猜有几种可能,第一,他是同性恋,对女人根本不感兴趣;第二,性功能有问题,说不定手淫过度,成了阳痿;第三,超级恋母,还不一定有啥龌龊事呢……"

"爱淘,你胡说什么!"爱佳脸色陡变,大声喝住她。

"哼,你学了半天相人,根本就没这个潜质。"爱淘没借成房子,也不给二姐面子,"那我问你,你与那申处约会了几回,他主动抱过你?还是眼里有男人的那种欲望?"

爱佳想了想,还真没有。

"一个三十四岁的男人,谈过恋爱,或者泡过妞,才算正常。"爱淘继续给二姐扎针,"啥年代啦,还装处男,没毛病才怪!我看呀,不是爸爸逼你,是你的功利心在作怪,想找个稳定可靠的男人。可是,如果这个男人有问题,就是给你一座金山,有毛用!"

这话虽糙,但爱佳心头还是震了一下。

"那你说,咋办?"她终于泄了气,问妹妹。

“试啊！”爱淘一瞪眼，“这年头，是骡子是马，拉出来遛遛，自然就明白了。女人，如果找个男人，连起码的‘性福’都没有，嫁个毛啊，还不如单身爽快！”

爱佳无法反驳妹妹。她在想，真得找个机会，检验一下申峥嵘。

第三十章　验身

农历腊月二十九，天阴。

虽然还有一天才放长假，但在中国这个重视新年的国度，上班族们早已无心干活了。

爱佳处理完案头的工作，已是下午四点。手机疲惫地响了一声，她拿起一看，是一条短信：

我先回山东老家过年了，预祝春节愉快！宋时鱼。

这是一条非常普通的短信，既不是从网上荡下来随便转发的节日问候，也不是有所指或有特殊含义的节日告白。凭爱佳的直觉，宋时鱼对自己有意思，但自从父亲明确指出“不喜欢”甚至单独“劝退”他以后，他就没再与自己主动联系过。

前次，爱佳借着“学艺”之机，委婉表达了自己的意思。宋时鱼的眼神里，自然是难过，但他啥也没说，临别时还建议爱佳，如果真的想结婚，就主动一点，并祝福了她。

爱佳心头隐隐觉得空落。难道，自己的潜意识里希望宋时鱼参与竞争么？想到这里，她摇了摇头，觉得自己与申峥嵘既然到了这个份上，最好不要节外生枝了。

这个短信怎么回？是回“谢谢，也祝你新年愉快”，还是回一个特别点的内容？想着即将要“检验”申峥嵘，她的心突然跳了几下，干脆把回短信的念头打消了。

她放下手机，准备收拾一下办公桌。正在这时，手机响了，是申峥嵘打来的。

“听说你买了房子。”申峥嵘在电话那头说，“爱佳，我们这边没什么事了，你们还在忙？”

“忙，”爱佳假装敲了几下键盘，“不过，晚一点就没事了。”

“那我去找你？”申峥嵘说，“到你公司？还是约个地方？”

“到我新买的房子里看看吧。”爱佳觉得脸皮有些烧。想起爱淘的话，她暗暗下了决心。今天，无论如何都要把“事”办了。

爱佳的第一次给了杨文远。那是四年多前的事了。

那年，爱佳二十四岁，杨文远二十八岁。

当时，杨文远工作的地点在中关村，爱佳在东城，两人相聚不便，就在北三环中路租了一套两居室的房子同居。杨文远谈过两次恋爱，手段老到，三下五除二就把爱佳哄上了床。都说女人特在乎第一次，然而至今想来，爱佳仍然记不清在那种紧张的情况下，自己都做了些什么。倒是在杨文远的循循善诱下，爱佳很快变成了一个真正的女人。

他俩同居两年，性生活是比较和谐的。但身体的默契无法弥补性格的差异，最终两人情感破裂，爱佳又回到了单身时代，搬回家去住了。

只有在深夜，爱佳抱着枕头突然从梦中醒来时，才强烈地渴望得到肉体的爱抚。她的身体就像一片原始的荒地，经过开垦后突然断了耕种和浇灌，寂寞如同杂草一样疯长。在爱佳的观念中，她觉得性是上帝送给人间的美好礼物——能与心爱的人分享这份礼物，是生命中最美好的事之一。

两年多了，爱佳未再与任何男人分享过这份礼物。她不是一个随便的女人，但她渴望得到心仪之人的抚慰。今天，她早早地下了班，舒服地泡了个澡。洗完，她在镜前凝视自己的身体。线条还是那样优美，皮肤还是那样富有弹性，只是在侧身时会发现小肚子已微微凸起。“你快二十九岁了，爱佳。”她对镜子里的自己说。然后，她精心梳妆打扮，喷了香奈儿5号，静等申峥嵘的到来。

申峥嵘是下班后乘地铁来的。

“地铁真挤。”进门后他感叹了一句，脱了外衣，只看了爱佳一眼，脸上就不由自主地泛起潮红。看得出，这个有些腼腆的男人并不傻。房间的气氛和精心装扮过的爱佳，在恰到好处的光线下显得有些迷离。

“我烧了水。”爱佳为他挂好大衣，“要不先去洗个澡？”

申峥嵘乖得像个小孩，谢过之后就走进浴室。

爱佳觉得很满意。因为浴室里，她为他准备了干净的浴巾，还有一套一定合体的睡衣——细心的女人都会目测意中人的身体。

水哗哗地响。爱佳有些热。屋外的寒风呜咽而过，爱佳觉得这个年关，比任何一次过年都要温馨。

他会在出浴之后就扑过来吗？还是要求喝点红酒壮壮胆？爱佳不能确定。她回到卧室打开抽屉，再次检查今天才买回来的毓婷。没错，第一次与他相爱，不宜让他戴套，那样会很扫兴。她又在穿衣镜前转了两圈，觉得灯影里的自己，完全可以迷倒任何一个男人。

她深吸一口气，告诫自己要有信心。

二十分钟后，申峥嵘穿上爱佳为他买的睡衣，用浴巾笨拙地擦着头发，到客厅里找她。爱佳倚在卧室门口，唤他进去。

到了这个程度，别说一个精明的公务员，就是一个只剩半口气的男人，都知道是什么意思，都会表现一个男人应该表现的血性。

但申峥嵘仍然像传说中的柳下惠一样把持得住。

他坐在卧室里的那把小圈椅上，有些手足无措。爱佳心头再着急，也不能饿虎扑食般冲上去。她在这方面并非矜持之人，但也未开放到主动出击的程度。

莫非他真的有毛病？爱佳觉得到了这份上，必须进一步试探。“饿了吧？”她问。

“是……有点饿。”申峥嵘喉结上下滚动了一下，咽了一大口口水。

“那我们弄点吃的。”

爱佳起身去厨房，找了一些火腿肠、烤面包、饼干之类的，让申峥嵘吃。申峥嵘怯怯接过，吃了几口就停了。看来他是肚皮饱眼睛饿。

爱佳心想，一不做二不休，灌他点酒再说。于是，她开了一瓶红酒。二人边喝边闲聊。直到一瓶酒快喝完了，申峥嵘还是十分拘谨。

爱佳心头着急，但也想不出更好的办法。做一个老处男的导师，真的很难！听着窗外刮过的寒风，她灵机一动，给这个胆小的男人讲了一个故事。

故事讲的一是个旅行团，一路从塞外游往北京。由于客人来自各地，相互都不认识。夜晚住店时，导游犯了难：酒店房间有限，只能两人住一间，有的是夫妻，有的是同性自由组合，东拼西凑，大部分人好歹住下了，只剩一间单床房，刚好也剩下了一对陌生男女。但男的老实，女的矜持，在酒店大堂耗到了后半夜。导游劝两人将就一晚，不然都得冻感冒。两人无奈，只能入住同一房间，女的解下围巾，拉直了，往床中间一放，约定不准越界。那男的倒也君子，一夜平安无事。在随后几天的旅程中，房间总是紧张，这对男女居然一直同居了一周而相安无事。

讲到这里，爱佳问：“要是你是那男的，会怎么样？”

“这男的真绅士，令人敬佩。”申峥嵘又喝了一口酒，脸更红了。

爱佳心头骂道：你丫还真能装！

“后来呢？”申峥嵘问，“是不是两人产生了感情，成就了姻缘？”

“后来的故事是这样的。”爱佳瞟了他一眼，继续讲道，“终于到了长城，突然来了一阵风，把那女人的围巾吹飞了。那男的一个箭步，跃过城墙，拼命追那围巾。结果，当然是追回了围巾。可是，当男的双手将围巾捧给女的时，女的非但没有感谢，反而打了男的两耳光，还骂了男的两句。”

“为什么会这样？”申峥嵘觉得不可思议。

“你猜，那女的骂了句什么？”

“不知道。”

“女的骂：‘蠢货！这么高的城墙，你都跳得过去；一条围巾，你就跨不过来吗？’”爱佳说完这句，不敢看申峥嵘的表情。

其实这是一个老故事，申峥嵘听过。但在此时此地听，感觉完全不同。突然，他放下酒杯，扑过来，一把抱起爱佳，将她扔在床上。

这一刻，爱佳觉得自己的身体比鸿毛还轻。申峥嵘臂膀的力量，超出了她的想象……

她觉得房间里的喘息声，已经完全覆盖了屋外呼啸的寒风——原来申峥嵘也是一个男人！

她正为自己的策划感到欣慰。突然，申峥嵘停下了动作。

“怎么了？”她睁开眼，吃惊地看着他。

申峥嵘裸着上身，眼里是炽热的火苗。“爱佳……我并不傻，我一进这屋，就明白你的意思……”他的嘴角淌出了黏黏的口水。

“那你……”爱佳觉得这个男人没意思透了。她真想给他一耳光。

“不是……”申峥嵘做了一次深呼吸，“爱佳，我有一句话，藏在心底很久了……咱们到了这个时刻，我必须问清楚！”

“什么？”爱佳脑袋里嗡的一声。她分明感到了他要问的是什么话，但她还是希望不是那句话。

“你……是不是处女？”申峥嵘几乎是咬紧牙关，从牙缝里蹦出这几个字。

一种比屋外的寒风还要冰冷的凉意，瞬间裹住了爱佳的心。

她真的不敢相信，这个三十四岁的男人，居然会问这个问题!

爱佳突然开始嘲笑自己。本来是要检验他，不料自己竟成了被检验的对象!

她没有回答申峥嵘，而是默默地穿上衣服，将卧室门打开："申处长，请便吧。"

"不是……爱佳，我只是问问。"申峥嵘边说边穿衣服。

"你没有权利问。"爱佳恨不得抽他一巴掌，但还是压住了火，"赶紧走吧，以后我不想再看到你。"

"我有这个权利！"申峥嵘站在客厅里，嘶声道，"我就要娶你了，我有权利知道我妻子的过去！"

"那我告诉你，我不是。"爱佳伤心极了。但说完这句话，她反而平静了。

申峥嵘一下哭出声来。像一个被抢了巧克力的小男孩一样哭得一抖一抖的。

爱佳坐在沙发上，看着他哭。

申峥嵘只流了几滴尚不能湿脸的泪水，就止住了。他去了卫生间，换好自己的衣服，再到客厅，把大衣穿上，点了根烟，默默地吸。

"赶紧走吧。"爱佳觉得这个夜晚真令人绝望。

"你想让我来就来，想让我走就走？"申峥嵘坐在她对面，"爱佳，这不公平！"

"那是过去，谁都没有办法改变过去。"爱佳耐着性子说，"谁都有过去，你怎么那么小心眼？"

"三十四年了，我从未碰过女人，我以为……"申峥嵘猛吸了口烟，"我以为你也跟我一样。"

"我是有过，那是很久以前的事了。"爱佳乱了方寸。打死她她都想不出来，世间居然还有这样的男人。"现在你知道了，我们分手吧。"

“可是我对你的感情，是真的，我该怎么办？”申峥嵘激动起来，“我和我妈都商量好了，过完年就结婚……这事，我该怎么办啊？你为什么不等我?！”

“申处长,你无聊不无聊？”爱佳突然无比厌恶这个男人,“要找处女，去幼儿园吧！我不欠你什么，咱俩好聚好散。”

她站起身，打开门，冷冷地说：“申处长，赶紧走吧，我不想再与你谈这个无聊的话题。”

申峥嵘终于起身走了出去。

关上房门，爱佳感到浑身冰冷。

她的脑子转不过弯来——万没料到，自己会遇到这样一个人!

可是，她坐下来想了想，觉得就算再谈恋爱，还是绕不过这个问题——万一将来再碰到一个申峥嵘，怎么办？这种人虽然稀少，但终究是有的。她无法给自己答案。于是，她又开了一瓶红酒，使劲灌自己。

当一瓶红酒喝完时，她在窗外呼啸的寒风声里，趴在沙发上睡着了。

也不知过了多久，一阵敲门声响起，她觉得自己的头重逾千斤，但还是挣扎着起来，开了门。

申峥嵘带着一身寒气，站在门外。他的身上落满了雪。

“你……怎么啦？”爱佳终于还是让他进了屋。

“我在雪里站了几个小时，想通了。”申峥嵘冻得连话都说不利索了。

“你不在乎了？”爱佳酒劲还没过，随口问道。

“在乎。”申峥嵘说，“是的，那是你过去的事，但我的心头会有阴影，或许直到死，这个阴影都无法消除。”

“我不是说了嘛，咱们分手。”爱佳说，“我又不是非得嫁给你不可。”

“可我……还是想娶你！”申峥嵘的眼泪又流了出来，这次几乎湿透了整张脸，“爱佳，除了这个，我对你其他都是满意的，你明白吗？”

“那你要我怎么办？”爱佳觉得眼前这个男人，脆弱得像一根嫩芽。

“我想了，我还是要跟你结婚，还是会好好爱你，而且，我不会告诉我的母亲！”申峥嵘的眼神是真诚的，而且牙关咬得很紧。

“你不怕有阴影了？”爱佳当然也能感觉到他的真诚。

“不过，我有一个条件。”申峥嵘像下定了决心一样。爱佳听到了他牙根咬动的可怕声响。

“请讲。”爱佳打了个酒嗝。

“我们结婚后，你不准和任何男人好，只能跟我好！”

爱佳突然觉得自己酒醒了。她将身体移向他，轻声问：“还有呢？”

“还有，你要用一生对我好，来弥补你的过失！”申峥嵘一字一顿地说，“而且，你不准管我，就算我想不通时到外面找女人，你也只能忍受！”

爱佳不知哪来的力气，照着这个老处男的脸，扇去带着劲风的一巴掌。

“你他妈的有病！”她无比愤怒地喊道。

然后，她将这个呆了的雪人推出门外，摔上了房门。

第三十一章　别样的新年

大年三十，爱佳收到的手机短信就像京城的鞭炮声一样，没有中断过。

年夜饭已经吃过了。成员是孔志军、李晓梅、爱佳和爱淘。本来，墨留香也要来的，孔志军邀请了他，但现在正是他事业的关口。今晚，他要先陪李故然老师到电视台做节目，再陪老师吃年夜饭——李故然老师寡居，丈夫五年前就去世了。陪老师过节，这是必须的。用孔志军的话说，小墨上道了。

爱美这段时间的生活很平静，与婆婆的关系又进了一层，还定好春节要陪婆婆出去旅游。

孔家三姐妹，现在最难过的是爱佳。相夫相得鸡飞蛋打，还哑巴吃黄连，有苦说不出。

“小申那边，到底是怎么个说法？”孔志军披了条毯子，蜷在沙发上。他看上去极其平静，只是神情间没有了往日的活力。

“爸爸，过了年再说吧。”爱佳勉强笑了一下，“您就别操心了，放心吧，我会按您的意愿去做的。”

“好，关键是早下决心。”孔志军说，“明儿个，让爱美回来吃个饭，商量一下你的婚事。”

“好，”爱佳心头难过，但又无法向病重的父亲说明实情。

“爸，妈，房间留给爱淘了，我还是回那边去住吧。”她想一个人静一静。

“行。”孔志军看了她一眼，“鸟儿长大了，都有自己的窝。爱佳，你记住，自己的人生，靠自己经营。”

爱佳回到新家，独坐房中。

短信还是不停地在响。似乎，只有在过节的时候，朋友才会想起朋友。

她想起老板郝正乾，觉得应该发个短信给他，祝福新年。但她发过去许久，一直没有收到回复。

该死！最该发来短信的人，却没有发。宋时鱼、郝正乾，还有曾经相过亲的准船长、刘老板、李海龟、鲁记者，一个个都没发来新年贺词。

申峥嵘自昨晚离去后，再无半点消息。爱佳知道，由于观念的不同，他们互相都伤了对方。

宋时鱼呢？该死的宋时鱼，你不是会相人吗？提前发一条不疼不痒的短信，就算了事了？还师父呢，浑蛋！

爱佳心乱如麻。百无聊赖之间，她打开了电脑，登陆了许久不用的QQ。

果然有一些留言，有同学的，也有客户的。她找了一下，没有宋时鱼的，以前也没问他有无QQ号。在这个孤独的年夜，她多想与这个半仙聊聊天啊。

她打开查找菜单，信手键入“宋时鱼”三字，查了一下，没有这个人。

没法子，她只得拿起手机，给宋时鱼发了条短信：

祝宋老师春节愉快！方便时请告诉我QQ号，谢谢。

十几秒后，手机传来悦耳的铃声。宋时鱼回过来一串号码。

爱佳马上加了，宋时鱼的QQ头像是一个大胡子，昵称是“石岛渔公”。

爱佳发过去一张笑脸。那头回应一朵鲜花。

孔：怎么是这个昵称？

宋：我本来就是石岛人。渔公呢，一来我们这里是北方最大的渔港，二来我名字中有个“鱼”字，再者，“渔公”与“愚公”同音。

孔：还渔公呢，这次回去是不是找渔婆去了？

宋：报告领导，俺是回来看望老母亲。对了，你与那申处相处得如何了？

孔：可能过了春节就领证了。

对话框里好一会儿没有出现任何信息。又过了一会儿，才弹出三个字：恭喜啊。

孔：谢谢！你妈妈好吗？

宋：谢谢问候，母亲身体不太好，这次我得多陪她几天。

孔：你在海边？

宋：是的。我们家的老房子，就在石岛镇的半山腰，这会儿就能看到海，不过黑沉沉的，只有一些渔火。

孔：能不能照张相片发过来？

宋：你等下哈。

几分钟后，宋时鱼传来了一张照片。照片果然是黑沉沉的，只有左下角有一处亮灯的地方，似乎是建筑物。

孔：亮灯的地方是什么？

宋：是我们这里最好的酒店，赤山大酒店。

孔：有多好？

宋：四星，在这里是最好的了。

接下来他们东南西北瞎聊了一通。爱佳觉得，与宋时鱼交谈，无论何种方式，她总是轻松的。

最后，宋时鱼问爱佳：真的要在春节后结婚？

爱佳想了想，作了回答：父亲初定在元宵节。

宋时鱼好半天没回话。

孔：你有什么建议？

宋：没有。只是，我心头不爽！

我心头不爽！也许正是这句话，促成了爱佳的山东之行。

大年初一，北京飞威海的航班并不挤，折扣还很低，也很准点。七点四十五起飞，九点十分就下机了。再打车到石岛湾畔的赤山大酒店，还不到十点。虽然一夜没怎么睡，但爱佳还是很兴奋。

无论如何，这次来看宋时鱼，至少可以回避父亲再次召开家庭会议敦促她结婚的麻烦。出发前，她给爱淘发了条短信，让她明确转告父亲，自己要在假日期间外出旅游，请父亲放心。

开房住下后，爱佳带了四支长白山老山参和随身小包出门，在酒店翻阅了黄页，大致了解了本地的情况。原来此处离韩国最近，依山傍海，有“小香港”的美称，经济发展并不落后。她又依据宋时鱼昨夜发来的照片，查询了石岛镇的村庄，果然查到了“宋王家村”。从地图上看，宋王家村就在所住酒店后方的山上。

她要了一辆出租车，不一会儿就到了村口。小镇的春节正过得热闹，鞭炮的响声如爆豆一般，此起彼伏。由于山坡陡峭，爱佳只得弃车步行。爬了几十级石阶，她碰到一位拄拐缓行的老奶奶，便上前询问宋时鱼家的住址。老奶奶回头指了指一所几乎是嵌进岩石的红顶房子，说小鱼就住在那里。

“丫头，你找小鱼干啥？”老奶奶问。

“我是他在北京的朋友，来看看他。”爱佳微笑着感谢她，又问：“他妈妈好吗？”

“不好，瘫了好几年了。”老奶奶摇摇头，“小鱼父亲死得早，不容易啊，亏了他姐姐。”说罢，老奶奶颤巍巍地下坡去了。

爱佳站在原地，轻吁了口气。宋时鱼的家就在眼前，她这样贸然而来，会给他惊喜，还是有点唐突？她想象着宋时鱼惊讶的样子。

“宋半仙，这回你总该大吃一惊吧。”她深吸了口气，慢慢向宋家走去。路程并不远，下过雨的小道湿漉漉的，却也不滑鞋。爱佳爬到半山腰，看清宋家的房子是一栋二层的小楼，大概有六七间房，其中一间似乎通向岩石里。

宋家的大门并不大，显得有些斑驳。一位中年妇女推门出来，手上挎了一个篮子，正要出门。她好奇地看着爱佳，想问，但只是动了几下嘴唇，终是没有开口。

“请问，这是宋时鱼的家吗？”还是爱佳先开了口。

“是。你是……”中年女人有些惊疑。

“我是他在北京的朋友，叫孔爱佳。”

“哟，原来你就是爱佳呀，快请进。”中年妇女眼睛一亮，放下篮子，开门请爱佳进屋。

“宋时鱼呢？您是他大姐吧？”爱佳进得屋中，见屋内收拾整洁，一看这大姐就是持家能手。

“是啊，我是他姐姐，他刚刚出去。”中年妇女说，“他说你有可能会来，没想到你来得这么早。”

爱佳皱了下眉头，心想这宋半仙真神了，他怎么知道自己要来？北京到威海的航班，通常是一天三趟，早中晚各一趟。看来，宋时鱼是去接自己了，他以为自己中午会到。

“宋妈妈好吗？”爱佳进屋后，取出人参，“这是我同学从长白山带来的，兴许用得着。”

宋时鱼的姐姐接过，连声道谢。爱佳要看看宋妈妈，宋时鱼的姐姐便领她穿过客厅，到了里屋。

宋妈妈身形瘦削，眼窝深陷，半靠在支起的折叠床上。

“妈，小鱼的朋友来看你了。”宋时鱼的姐姐高兴地将床升了升，以便母亲能看见爱佳。

老人眼里闪过一道光。那是一道比灯光还亮的光。爱佳顿觉脸上被刺了一下。

“伯母……您好。”爱佳走过去，微笑看着老人。

老人脸上已经没有多少肉了。她动了动有些干瘪的嘴，没发出任何声音。

“妈妈半年前就不能说话了。”宋时鱼的姐姐小声说，“但她眼睛能看见。看见你，她高兴啊！”

听闻此言，爱佳心头一阵刺痛。这样一个家庭，到底经历了什么事情？平时乐观通达的宋时鱼，心头又有多少苦痛？

宋时鱼的姐姐叫宋喜妹，嫁在本村。由于父亲去世得早，母亲多病，宋喜妹主动辍学，让弟弟上学。后来为了更好地照顾母亲，她违心嫁给了本村一个渔民王三船。这王三船有先天性心脏病，婚后染上了赌瘾，根本不顾家，把家里的东西都输光了。有一次，他又输了几万元，无法还账，被人逼着自剁了左手。就这样，王三船还赌，并酗酒打老婆。宋时鱼大学毕业后在威海政府机关上班，知道后实在气不过，回家打了姐夫。不料一拳下去，引发了姐夫的心脏病，王三船喘了几口气，一命呜呼。宋时鱼虽是失手，但还是被判了三年。就这样宋时鱼工作丢了，女朋友也去了韩国，再无音信。

出狱后，宋时鱼辗转去了济南，进入一家国企，五年就干到了中层。许是时运不济，他又被卷入一桩贪污案，虽然最后的调查结果证明案件与他无关，但他已无法再呆下去，便只身去了北京。在北京，宋时鱼扛过大包、做过建筑工、为杂志拉过广告、做过人力资源管理，好不容易才创办了自己的公司。

听宋喜妹讲完这些，已近中午。爱佳正要起身回酒店，宋时鱼回来了。

宋时鱼的书房在二楼。房间窗明几净，有两面墙都摆满了书。

宋时鱼拿出茶具，慢慢沏茶。书香伴着茶香，爱佳觉得甚是惬意。

“我以为你是一点多那班飞机，没想到你到得这么早。”他似乎一点都不惊讶。

“你怎么知道我要来？”

“看一下咱们的聊天记录就知道了。”宋时鱼说，“你问得那么详细，必有来意。但这不是最主要的。”

“什么是最主要的？”

“因为你想出来散散心。”宋时鱼道，“不是到这里来，也会到别处去。”

爱佳觉得很没意思。本来，她以为他会惊喜万分。

“申处长并不适合你。”宋时鱼说，“一个三十四岁还没有什么情感经历的人，必定有某些情感缺陷。你说过了春节就结婚，我想不是真的。”

“你以为你什么都知道啊？”爱佳大为不悦。

“我完全可以装作十分惊喜的样子，迎接你的到来。”宋时鱼看着她，“但我交你这个朋友，没必要玩那些虚的。再说，你曾叫过我一声师父，我必须告诉你，你现在的精神状态非常危险！”

“你说什么？”爱佳觉得宋时鱼莫名其妙。

“你了解你自己吗？”宋时鱼将斟上清茶的小茶碗轻放在她面前，示意她品尝。

爱佳没动，“难道你了解？”

“人的眼睛向外看，所以了解自己比了解他人更难。”宋时鱼说，“你聪明，能干，也敏锐，但有一个致命的缺点，就是在情感上举棋不定。”

“能聊点别的吗？”爱佳觉得好扫兴，“我大老远赶来看你，没想到一进门就要挨训。”

“我没这意思，只是看着你目前这种状况，心里难受。”宋时鱼叹了口气。

“你以为你就了解自己？”爱佳端起茶碗将茶喝了，根本没尝出味来，“你在爱淘打架那晚，为什么因为我父亲的一句话就垂头丧气而去？你还像个男人吗？”

宋时鱼低下了头。

“如果我是举棋不定，你就是极度要强和极度自卑。”爱佳提高了声音，“一方面，你把自己弄成无所不知、无所不能的样子；另一方面，因为多年来的遭遇和失败，你爱不敢爱，恨不敢恨，变得畏缩和懦弱。你能看透别人的心，但你却无法面对自己的心！”

宋时鱼添水的手微微一抖，但他还是面不改色，将水缓缓倒入壶中。

“这是你布置的作业，请批改吧。”爱佳从包里取出一个小本本。上面记满了从公司同事到陌生人的表情。

宋时鱼接过，翻了几页，叹道：“爱佳，你有心。那请你给我看看相吧。”

“只说一点。”爱佳就喜欢这种占了上风的感觉，“你喜欢我，但你不敢明说。”

“什么时候开始的？”宋时鱼没有否认。

“大概在圣诞节以前吧。”爱佳冷静地说。

第三十二章　爱情策划

爱佳本来不想这么早就向宋时鱼挑明。但既然这人没什么情趣，她实在忍不住要回击他一下。

这段时间她除了工作，着实没闲着，按宋时鱼的要求，她记录了上百人的表情。随着对这些人的表情的比对研究，她果然有了些心得。

有一天，她突然想起宋时鱼的表情。他的表情有什么特点呢？爱佳描述不出。

自第一次见到宋时鱼起，她只能用“平淡”二字来形容他的表情。这个人喜怒哀乐不形于色，目光中除了偶尔有一丝几乎察觉不到的忧郁，其他时候总是神采奕奕。爱佳承认，与宋时鱼在一起时，她是放松的，但还远未达到非他不嫁的地步。

由于父亲的干预，爱佳努力忽略她对宋时鱼的好感，尽力尝试与申峥嵘相处，结果却出乎想象。现在想来，此事看似与宋时鱼无关，实则息息相关。

爱佳的思维突然像两极被接通的电流一样，畅行无阻。

她为宋时鱼斟了一杯茶，并微笑着目不转睛地看着他，直把宋时鱼看毛了。

“你想明白了？”半晌，宋时鱼问。

“基本明白了。”爱佳道，“没想到，宋老师的本领高啊，居然让我妹妹做了卧底。”

“哦，你是说爱淘？”宋时鱼没有反驳。

“我当时就很奇怪，为什么爱淘会让我到你公司求助？”爱佳道，“现在我明白了，你与爱淘早就认识，你们私下达成了一个协议，爱淘要帮助小墨，需要钱，明知我不会给，就想了一个让我交咨询服务费的办法，当晚你就给了她两万。但我想不明白的是，我只交了九千六，你为何要损失了一万零四百？”

“我和爱淘的确早就认识。”宋时鱼承认，“但借钱的事，你多想了，是我主动借给她的，与任何事都无关。”

“那你敢说以前没见过我吗？”爱佳问。

宋时鱼沉默不语。

“你会相人，在某个地方见过我，然后动了心思。”爱佳笑道，“不过你这个人性情内敛，知道我相亲无数，都相疲了，直接与我交朋友，效果恐怕不会太好，就趁我正好要相五个男人的机会，弄得煞有介事，让我不知不觉间信任你，走近你。”

“我在去年国庆节时见过你。”宋时鱼终于开口，“那天，你和爱淘在后海的一家酒吧。说真的，当你回头一笑时，我当时就傻了。因为，我似乎在哪里见过你，但又想不起来。从面相上来看，你是少见的旺夫相。”

“谢谢宋老师高看。”爱佳接着说，“爱淘这丫头胳膊肘向外拐，就算你没什么私心，但她为了小墨，做了奸细，我不会轻饶她！”

“她本来就想把你介绍给我。”宋时鱼说，“但她知道你对别人介绍的对象已经产生了抗体，况且我自知长相寒酸，没有眼缘，不得已才出此下策……”

“我看是上策吧？”爱佳淡然一笑，“在你帮我连相五人之后，正逢我大姐与萧诗人私奔，你觉得机会来了，就跟我一同去了内蒙，顺便给我灌输一些相人的方法，让我着迷。当时我还纳闷，为什么你收了我的服务费，却不收大姐的？现在我明白了。”

“有时也是因缘际会……看来你认定我别有用心。”宋时鱼叹道。

“这回你错了，我从内心感谢你。”爱佳微微叹息，“实际上，你帮了我们家很多忙，我们三姐妹都受过你的恩惠。”

“爱佳，你多想了，举手之劳而已。”宋时鱼说，“你分析得很靠谱，请继续。”

“我父亲不喜欢你，他固执地要我嫁给申峥嵘。”爱佳的眼神黯淡下去，“自然，爱淘第一时间就告诉了你，你当然也并没有像我父亲想象的那样，在他一句话的打击下就退缩了，而是继续行动。一方面你找了一个你认识的人，叫程米西，让她敦促申峥嵘向我发起进攻；另一方面，你让爱淘激我，试探申峥嵘。因为在你看来，我与申峥嵘是不会在一起的，所以你的策划就是让我与申峥嵘的关系加速死亡。”

“可是这仍然有风险。”宋时鱼说，“万一申峥嵘真的认准了你，我就没办法了。”

“不会。”爱佳摇摇头，“你通过爱淘，了解了我的过去；也通过程米西，了解了申峥嵘这个人，所以这个风险并不大。”

“但还是被你识破了。”宋时鱼双手一摊，“看来，什么都瞒不了你。”

“你昨晚与我聊天，就知道以我的性情，一定会来，而且会急着来。”爱佳道，“但你却故意留出空间，好让我了解你的家庭，你的过去。你可能根本就没去机场，而是在外头转了一圈，在合适的时间回来了。”

“是的。”宋时鱼看着她的眼睛，“爱佳，你什么都知道，为什么不明白我的心？”

“我明白你的心。”爱佳伸过手去，握住他的手，“但我刚刚被人嫌弃了，就跑来找你，你不觉得我这样的人，挺贱？”

“爱佳！”宋时鱼将手反扣过来，握住了她的手，“你想到哪里去了？我喜欢你，想方设法让你了解我，一直默默地关注你，我有什么错？”

“你没有错。”爱佳的手像游鱼一样从他的手心里滑出去，“错的是我。二十八年来，我根本不懂爱情。当然，你更不懂。”

宋时鱼的手僵在那儿，他只能听着。

“真正的爱情，不需策划，无关功利，甚至无所谓相貌，而是两个人在四目相对的一刹那，能唤醒彼此隔世的记忆，融入对方的精神，能为之生，亦能为之死。”爱佳目光灼灼，似乎要穿透宋时鱼的内心，“但是，我也承认这种超然物外的爱情就像钻石一样稀有，像传说一样只能存活在想象中。一个人爱另一个人，是他的权利，但并不是福利。你喜欢我，我从内心感谢你，但我不喜欢你的策划，甚至厌烦！”

“我明白了。”宋时鱼说，“我承认你的分析八成是对的，但有一点，你没有提到。”

“哪一点？”

“懂。”宋时鱼说，“四目相对，似曾相识，是一种懂，但那只是浅层次的懂。真正的懂，是一生的负载，一世的相扶相携。古往今来，无人能够准确定义爱情，是因为它只限于两个人的感觉——唯有相知，才能深爱。爱如同一个人的面相一样，先天之形固然重要，但后天之神的培养更显重要。我三十五岁仍孑然一身，我有我的缺陷；你经历了一系列的情感变数仍孤身一人，你也有自身的不足。但刚才你的分析，不正说明你我的了解正逐步深入吗？”

“没错，宋时鱼，你是一个能做好朋友的人，但我们不合适。”爱佳叹道，“如果你是我，你会在遭受一个男人的羞辱后立马投入另一个男人的怀抱吗？你大概也知道了，我父亲要我嫁给申峥嵘，他才会含笑而去——也许你不能理解我与父亲的感情。如果是原来的我，宁可自己过得不幸福，也会无条件依从他的意愿，只要他开心就好。但就在刚才，我突然想通了。”

“什么？”

“我决定为自己而活，无论是亲人的意愿，还是朋友的建议，我都不再考虑了。”爱佳的眼神变得坚定，“人的一生太短暂了，为什么要为别人考虑那么多？为什么不听从内心的呼唤？”

宋时鱼突然站起来，推窗望海，半晌不语。

“爱佳，祝贺你。”终于，他回身说，“我不得不说，你是我三十五年来，见到过的最敏锐的女人。如果说，以前你心里还有障碍，那么今天，你的心结已经解开。只是，我还有一个问题想问你。”

“什么问题？”爱佳一愣。

“既然你知道我料定你会来，也知道我大姐一定会热情招待客人，现在，为什么不马上下去，享受今天清晨刚从海上捕捞回来的海鲜？”

海鲜真的很好，是宋时鱼起了个大早，专程从海边的市场上候来的。

爱佳第一次吃到这么丰盛的海鲜。特别是那虾，肥大壮硕，足有四五寸长。

宋时鱼先去喂母亲吃饭，让宋喜妹陪她。爱佳喝了一点白酒，感觉不错——既然已与宋时鱼倾心相谈，她的心头再无疙瘩，十分放松。

在向宋喜妹了解到此地有不少好去处之后，她决定趁这两天好好出去游玩一下。如果有宋时鱼相陪，自然更好。不陪，独行也可。

她一边吃海鲜，一边听着隔壁屋里传来的动静。宋时鱼一边喂母亲吃饭，一边小声地说着话。爱佳突然想，如果自己老了，也瘫痪了，会不会有人这样对待自己？

其实在她的内心深处，依然希望宋时鱼能继续“策划”下去。刚才说的那一通，无非是个性使然。女人也要面子，尤其是有点成功的女人。

所以，她没把话说绝。你可以把事做绝，但不能把话说绝。这是她信奉的一条道理。

此时的宋时鱼，正将煮熟后捣碎了的菜和加了油汤泡过的饭，一小口一小口地喂给母亲。小时候，母亲就是这么一小口一小口地喂姐姐和他。母亲已经不能吃海鲜了，这真是一个遗憾。

回顾自己三十五年的人生，大多都是失败。他的许多中学同学毕业后就在本镇的黄海船厂工作，干到中层，年年分红利，日子过得红红火火。但他不愿在家乡发展，主要是两个原因：一是他认为一个男人要想有效避免懒惰，就得离开故乡；二是故乡乃伤心之地，他的初恋随着他的入狱而化为泡影——那个竹马青梅的女友柳冰雪，去了海那边的韩国，听说嫁给了一个富豪。每次他推窗望海，都会有意无意地想起——

“鱼哥，你说海的那一边是什么？”小时候的柳冰雪很黑，很瘦，但眼睛很大。宋时鱼知道，那是因为饿的。柳冰雪父亲死得早，母亲后来改嫁，弃她而去，她跟着瞎了一只眼的奶奶长大，生活充满艰辛。

“是韩国，听说很有钱。”宋时鱼将海货分了，三分之二归她。

“我将来一定到海那边看看。”她小心地将海货收拾起来，连断了的蟹腿都不放过，“鱼哥，你去吗？”

“我不去。”他说，“你也别去了。我怕见不着你了。”

“我只想去看看，我会回来的。”她认真地说，“我不会把你弄丢了。”

我不会把你弄丢了。这句诺言并没有实现。宋时鱼入狱后，柳冰雪就像从人间蒸发了一样。她的奶奶也在宋时鱼入狱的第二年去世了。

那时候，宋时鱼的母亲身体还可以。她不止一次地对一直孑然一身的宋时鱼说：“孩子，你别等冰雪了，人家说不定都有孩子了。你老大不小了，赶紧找个人过日子吧。”

宋时鱼恨柳冰雪不辞而别，但他内心里却一直放不下那份两小无猜的真情。

多年来，他没再真正谈过恋爱，直到碰到爱佳，他封冻的情感才渐渐复苏。

那天下午，他正在北京后海的酒吧闲坐。这时，他看到不远处，小鬼精灵爱淘的身边有一个气质不凡的女人，大概二十七八岁，神情间透着一股大气。爱淘算是熟人，曾陪她的老师一起来咨询过婚姻问题。

自第一次情感失败后，宋时鱼几乎将所有精力都用在了研究人上。为学习相人，他拜过崂山老道、五台山大师，系统学习过古典相学和现代心理学，经过反复实践，逐渐掌握了一些诀窍，这才创办了“试离婚公司”，生意居然不错。爱佳给他的第一印象是：聪明，敏锐，多情，善变，有同情心，患得患失。这种女人像野兔一样不能受到惊扰，往往心口不一，本质却是善良的。宋时鱼本来想与爱淘打个招呼，但瞬间他又改变了主意。如果爱淘身边这位女人未婚，以她的面相和身体语言来判断，她为人非常警惕，为事目的性很强，想追她，还得动动脑子，决不能打草惊蛇。

过了几天，他找到爱淘，同她闲聊，主要是试探。聊着聊着，爱淘眼珠一转说，宋大哥你是不是看上我二姐了？原来爱淘那天也看到了宋时鱼，见他不主动打招呼，也就装糊涂。

爱淘觉得宋时鱼有点名堂，心眼不坏，挺适合二姐的。然而她也清楚，如果贸然将他介绍给二姐，只会弄巧成拙。她觉得两人要建立恋爱关系，必须有铺垫，最好是在不知不觉中加深对彼此的了解。

不料她把这个想法一说，宋时鱼十分赞同。

"给我两万块，我负责做内鬼，绝对保密。"爱淘伸出手掌，放在桌子上。

"你要钱干什么？"宋时鱼笑道，"价格太高，如果一万以内，可以考虑。"

"最近缺钱，又刚看完《水浒》，有杀富济贫的想法。"爱淘认真起来，"二姐有钱，可是不给我；大姐夫是款爷，但与大姐关系出了点问题，不能向他要；老妈的私房钱太少，凑不到这个数。既然宋老板有求于我，咱得合计合计。"

就这样，两人商议了一个办法，待爱佳的相亲时机出现，再付之实践。果然，不久后爱佳一连相五人，爱淘积极配合宋时鱼，演了几出连环戏。

直到现在，宋时鱼仍然认为自己没有错。追求女人，也得因人而异。像爱佳这类女人，情感上受过伤，相亲次数太多，早已挑花了眼，要追求她得用"温水原理"——把青蛙放进水里，逐渐加热，青蛙会不知不觉走向极乐世界。

只是宋时鱼没料到，自己的招数还是被爱佳识破了。

想到这里，宋时鱼不禁笑了。

今天母亲配合得非常好，精神也好——老人家可能认为他终于找着媳妇了。而实际的情况是，道路仍然漫长。

等他喂母亲吃完饭，回到饭桌上，爱佳已经酒足饭饱。

“一会我回酒店了。”爱佳说，“刚听大姐说这地儿不错，我想玩两天，你就不用陪了。”

“当然要陪。”宋时鱼说，“这里离崂山不远，我介绍你去找个老道，好好帮你看看。”

爱佳正要说话，手机突然响了。

“你是孔爱佳吗？”电话那头传来一个冷漠的声音。

在得到确认后，那头说：“大年初一打电话给你，很不好意思。但无论你在哪里，请马上回到公司。”

“您这是哪儿？”爱佳有一种不祥之感。

“公安局。”那头说，“你们的总经理郝正乾昨晚被捕，请你回来，配合我们的调查取证工作。”

爱佳脑袋“嗡”了一声。郝正乾出事了！

第三十三章　灼见

农历腊月二十九，也就是爱佳检验申峥嵘却被反检验的那晚，在北京市海淀区云海小区五号楼四单元503号房，发生了漏水事件。云海小区是个老社区，管道因年久失修，生锈破裂，不仅淹了503号房，还将楼下的403、402号房也淹了。403号房的住户多次上楼敲门均无人应答，只好打电话到物业，物业的工作人员说503号房长期无人居住，403、402号房的居民只得报了警。

警察到来后，物业派人撬开了503号房的门，找到了厕所里破裂的水管，赶紧关了水阀。警察要求物业尽快找到房主，并同403、402号房的居民清理积水。在这个过程中，他们发现卫生间有一个一米多高的纸箱子，下半截泡在水里，不知里面放的是何物。出于好心，一名警察打开了纸箱。这一打开不要紧，直把那名警察吓傻了。

原来，纸箱里整齐地码放着成捆成捆的百元大钞！

物业的工作人员终于在登记名册上找到了房主，叫郝正乾。

警方经过一天的调查，弄清了原委：原来这套房是几年前郝正乾以公司名义买下的二手房，只留了公司电话，连他的家人都不知道。至于那一纸箱现钞，来路不明。

由于郝正乾所在的公司属于半国有性质，问题就复杂了。郝正乾在大年三十晚上被抓了起来，警方立案侦查，郝正乾公司上级主管单位的纪检部门也参与进来，想通过郝正乾案钓出更大的鱼。

宋时鱼本来要陪爱佳赶回北京，但被爱佳拒绝了。

她告诉宋时鱼，自己虽然是郝正乾的“大内总管”，但绝未参与他的犯罪活动。她相信自己能配合警方调查，尽快澄清自己。

宋时鱼在家里陪了几天母亲，心头始终牵挂着爱佳。这几天，电话打不通，短信不见回复，QQ 上也找不到人——爱佳很可能已被隔离调查。但宋时鱼判断，爱佳应该平安无事。

大年初六，宋时鱼实在按捺不住，决定回京。下了飞机，他直接去了孔家。爱淘开了门，压根没提爱佳这茬儿，张口就说：“你来啦？赶紧的，小墨上电视了！”

宋时鱼有些拘谨，但还是换鞋进屋，将精心挑选的家乡土特产码在饭桌上。孔志军端坐在沙发上，看了他一眼，算是打过招呼；李晓梅则全神贯注地盯着电视，示意宋时鱼别出声。

宋时鱼只得轻轻地将半边屁股挂在沙发边缘，跟着看电视。

画面中，蓄短发、打领结的墨留香正在唱歌。虽然他薄衣蔽体，但仍能明显感觉到他的肌肉正伴随着动听的旋律而律动，仿佛他不是在用嘴唱歌，而是身体的每一个细胞都在歌唱。那声音中，似有漫漫黄沙，像是一匹奔腾的骏马，充满了挣脱缰绳的力量，散发着极大的热情。宋时鱼的眼眶突然有些潮湿。他觉得墨留香不是在唱歌，而是在控诉，在为最底层的草根呐喊，在抒发一种无坚不摧的奋发精神。

由于电视画面没配字幕，宋时鱼不能全部听明白墨留香的唱词，但他觉得电视上的小墨已然负载了一种时代的力量。

他的内心被震撼了。

一曲唱完，画面转向观众席中一个头发花白、面色红润的老太太，这自然就是著名歌唱家李故然了。李老师慢慢走上台，站在墨留香身旁，接过主持人的话筒，用专业的评语点评了关门弟子的演唱。她说墨留香是西部长大的一只雏鹰，虽然有了飞翔的功底，但要飞得更高、更远，还需经历更多的风雨。

主持人：李老师，您为什么在多年不收徒弟的情况下，收墨留香做了关门弟子？

李故然：我无法拒绝广袤的大地深处走来的天才。小墨没有经过学院的专业培养，但他的声音有自然的气韵，是高原上的天籁。有生之年，我会将毕生所学尽可能传授给他。

主持人：歌唱是一门技术含量非常高的艺术种类，有的人经过数十年的努力才能有所小成，作为新人，墨留香没有受过正规教育，虽然有很高的天分，但他能否走得更远？

李故然笑了笑说，这个问题我无法回答，需要听众来回答。听众才是歌唱艺术最终的评判者，听众喜欢他，他就能走得更远；听众不喜欢他，他的歌唱之路也就走到了尽头。

台下掌声轰然。

宋时鱼明白，这是李故然在用几十年来积累的声誉为小徒弟下注。这是一种大恩，一种提携，幸运的墨留香从这一刻起，就已正式踏上了歌唱之路。

电视画面还在继续，另一个女歌手上场唱歌。但孔家人已无兴趣再看下去，爱淘关了电视，跑进厨房。

对一个女孩而言，有什么事能比得上情人的成功？

李晓梅也进厨房去了。

对一个母亲来说，有什么事能比得上爱女的幸福？

客厅里只剩下两个男人。

“刚才怠慢了，宋先生。”孔志军欠了欠身，对宋时鱼说，“小墨这件事，你帮了不少忙，我们一家都感谢你。”

“孔伯伯客气了。”宋时鱼低声说，“应该的，而且我并没有起到什么作用。”

“咱们谈谈小墨这首歌吧。”孔志军今天的心态很平和，“你刚才也听了，感觉怎么样？”

“歌声很辽阔，很有张力。”宋时鱼略加思考后说，“小墨的演唱是成功的，唱出了天高云淡、心海无垠的感觉。”

“嗯，你挺有心。”孔志军说，“那你觉得有什么缺陷没有？”

“可能有一点，就是配乐。”宋时鱼说，“感觉这首歌是首次演唱，准备不是很充分，比较仓促。如果李故然老师再细抠一下，这首歌肯定会成为经典的西部歌曲。”

孔志军沉吟片刻，转移了话题：“宋先生，你今天来，有什么事吗？”

“就是来看看孔伯伯、李阿姨。”宋时鱼把头一低。

在洞悉世事的孔志军面前，他总是心怀敬畏。

“我对你的态度，你应该知道。”孔志军说，“一方面我很感谢你，欣赏你的才华；另一方面，我认为你与爱佳不合适。直到现在，我的态度仍然没有改变。”

“我知道。”

“知道就好。”孔志军转头对厨房喊道，“爱淘，你们出来，给宋先生弄点水喝。”

“孔伯伯，还是叫我小宋吧。”宋时鱼小声说。

“你不小了。”孔志军瞥了他一眼，“要不要下盘棋？”

宋时鱼只好点头。

爱淘拿来象棋棋盘，摆在孔志军的面前。宋时鱼搬了把椅子，坐到他的对面。

孔志军先手，提了一个当头炮，宋时鱼跳马以迎。二人边下，边说着闲话。

“爱佳……她没事吧？”宋时鱼小心地问。

“不知道，还在接受公安机关的调查。”孔志军淡淡地说，“她已经是大人了，自己做的事，自己负责。”

宋时鱼的棋术并不差。第一盘下来，他让着孔志军，自己输了。第二盘又接着下，还是输了。连赢三盘之后，孔志军似乎累了，摆摆手说不下了。

“宋先生，你这么聪明，知道我为什么找你下棋吧？”孔志军打起精神，问道。

“不知道，还请孔伯伯指教。”

“你不用跟我客气。”孔志军说，“你的棋术比我高得多，是你让着我。当然，你大概也知道我是在利用下棋测试你的个性。棋局就像人生，你太过谦让，又怎能争取到属于自己的东西？！”

“孔伯伯，我……”

“你看见小墨了吧？”孔志军说，“今天电视直播，多少高手同台竞技，如果是你这种谦让的个性，如何能胜出？时代在变，有些东西稍纵即逝，不能坐等机会降临。本来，我以为你是表面谦逊，内心要强。可是三盘棋下来，你左避右让，瞻前顾后，既要让我赢，又不能让我赢得太容易，真是委曲求全啊。”

“孔伯伯教训的是。”

“你累不累呀！本来，在请你下棋之前，我还抱着一线希望。”孔志军叹道，“如果你有点杀气，三盘都赢了我，我或许会允许爱佳与你来往。现在看来，我会告诉爱佳，如果将自己的一生交给一个没有自我、懦弱无为的人，将是非常危险的赌注。对了，我这样说很直接，你会不会介意？”

“谢谢孔伯伯的教导。”宋时鱼说，“您是长辈，做事雷厉风行，是我们晚辈学习的榜样。但如果我们再下棋，我还会这样下。”

“哦？”孔志军目光一闪，“你还挺犟！那你回答我，你三十五年的人生，就办了一个小破公司，你不认为正是你的性格阻挠了你的才华吗？”

“我的公司虽小，但那是我的心血。”宋时鱼说，“一个人能从事自己喜欢的工作，本身就很有意义，大与小，又有什么关系？”

“那好，”孔志军坐直了身体，“我问你，你为什么只能解决别人的问题，却不能解决自己的问题？”

这句话把宋时鱼问住了。

是的，别人的问题，哪怕非常棘手，他都能迎刃而解；但自己的问题，比如情感问题，他却常感束手无策。甚至，他一眼就能看出孔志军的个性，但面对这个老军头，他觉得自己的气场一上来就已丧失殆尽。

“我来告诉你吧，宋先生，”孔志军提高了声调，“你太过关注外界，而忽视了关注自身。一个人，就像一棵树。一棵树，如果太依附于别的树，就只能成为藤蔓，而不能参天成长。做一个真正的男人，就得顶天立地，而不是成为他人的附属。做男人，就得有钢铁般的意志、烈火般的激情。可惜在你身上，我没有看到。”

“孔伯伯讲得好，但这仅限于一种人生。”宋时鱼平静应对，“您把人生比做树，而我把人生比做水。高大挺立的树固然伟岸，但容易遭受狂风的摧折；润泽万物的水虽然柔弱，但因时因地而变，却可独善其身。”

“那你就独善其身吧。”爱淘不知什么时候已站在父亲身后，“我看，你独身得了。爸爸的意思已经很明显了，你还想争辩？”

“对不起。”宋时鱼暗自叹了口气。

“宋先生，你常常给别人看相，今天我也给你相一个。”孔志军不待他说话，接着说，“不错，你心地善良，热心，聪明，但你与爱佳有共同的地方，就是不能当机立断。因为你害怕失去，就想尽力保全，但生命中的东西太多，倘若不能取舍，反而两手空空；太在意他人的感受，往往会丧失自我；太过拘谨而置身于进取和竞争之外，会白白丧失良机。你眉宇间有忧色，不敢大胆尝试，风暴来临时，常躲在避风处，希望能等来时机；你脚步凝重而思维敏捷，导致很多好点子因为顾虑重重而稍纵即逝。你可以当一个很好的参谋，但当不了冲锋陷阵的将军；你会辛苦地赚到一定数目的钱财，但极难一战而定江山！”

宋时鱼内心一震。孔志军只言片语，的确道破了玄机。看来，爱佳的父亲是一个洞若观火的人，只是由于他刚烈的个性，阻碍了他的前程。

“做一个男儿，要有冲天的豪气，至死不渝的信念。”孔志军继续说，“虽然你与爱佳不可能在一起，但我还是希望你能够克服自身的弱点，取得应有的成功。”

宋时鱼走了。

孔志军有些虚弱地斜靠在沙发上。

“你呀，身体不好，就别说那么多话。”李晓梅心疼地在丈夫的背后塞了一个枕头，“年轻人的事，让他们自己去想。小宋带来那么多礼品，你还说人家，不太礼貌吧？”

“你懂什么？”孔志军瞪了妻子一眼，“不跟他讲明白，他不会开窍的。”

“爸，我觉得你对宋时鱼有些苛刻了。”爱淘走过去为父亲按摩，“他经历了很多事，变得平淡我认为是好事呀。再说，就算您不让二姐跟他谈恋爱，也不用伤他自尊呀。”

“乖女，你又批评老爸了。”做父亲的叹了口气，“你虽然调皮，任性，但骨子里有一种坚定，所以我不担心。小墨呢，单纯，没城府，没条条框框，是个可塑之材，我也不担心。但我担心你二姐啊，她经历了太多的挫折，心乱了，找不到方向了。这个时候，我宁可得罪宋时鱼，也必须这样做。当初，杨文远那小子与你二姐好，我就不同意，结果如何？你就相信你老爸好吧？”

“好好，我相信您。”爱淘的手指轻轻用力，孔志军闭上了眼睛。

“爱佳还没来电话？”过了一会儿，孔志军小声问。

“没有。”爱淘说，“爸，您说会不会有事？”

“没事。”孔志军说，“爱佳公司的上级单位，来参与调查此案的纪检室主任，是我老部下，我早就打过电话了。你二姐，借她十个胆，她都不敢贪污。爱淘啊，如果她敢，早就嫁人了，何必等到现在？”

第三十四章　谋醉

宋时鱼回到公司，天已黑透。他打开空无一人的办公室，独坐在沙发上。

孔志军的一席话，并没有让他受伤。相反，他觉得老爷子说得很到位，对自己而言，这是一次难能可贵的教育，老爷子其实也给自己留了面子。他非常清楚，孔志军还有一层没说破：你这么大年纪，又没有经济实力，凭什么娶爱佳？

的确，三十五年的人生，除了一个小公司，自己几乎一无所有。房子是租的，车也没有。遇到场面上的事，他就用朋友的好车应付一下。买车买房，咬咬牙也行，但他不想弄得捉襟见肘。

每个父亲都会这么想。没有人愿意将女儿嫁给一个穷小子，自由恋爱的时代也不行。

宋时鱼打开保险柜，盘点了一下账目。“九头鸟”股东构成极其简单，宋时鱼占51%的股份，他的同村老乡曾凡华和妻子卓希娟各占29%和20%的股份。曾凡华原是北京某部副团职军官，转业后做古董生意；卓希娟专职炒股，本来对宋时鱼的事业兴趣不大，因她老公与宋时鱼是铁杆兄弟，拗不过，也就同意加入。幸好这两年生意不错，特别是去年大获丰收，一年毛利650万，除去员工工资、房租和各种开销、税收，净利润294万，两位股东挺高兴，宋时鱼也落下将近150万。加上从前的积蓄，宋时鱼手中的活钱能达240万。但这点钱，在北京算不上什么，他不敢铺张浪费，总想积累到一定程度，再做点别的大事。公司只有他和高校外聘的几位专家，实难应付各种稀奇古怪的情感问题，但扩大业务又得量力而行，宋时鱼打算在今年引进四名新员工。失败多次，他变得谨小慎微。

孔老爷子到底是什么意思？如果真不想让他与爱佳来往，又何必多费口舌？可是，这老头向来说一是一，说二是二，不像是假话。宋时鱼琢磨了半天，终于下定决心：无论老爷子对自己看法如何，爱佳的忙还是要帮。就算不能进一步发展，做知心朋友也是好的。

打定了主意，他心头敞亮多了。想起自己常常告诫别人，对待情感要锲而不舍，而自己却裹足不前，不禁哑然失笑。

精神放松后，他打开电脑，查看邮件。一共有九封邮件，除去六封咨询婚姻问题的，两封垃圾邮件，还有一封是程米西发来的。

程米西在他刚创办公司时曾来帮过忙，边读研究生边勤工俭学。毕业后，程米西被一家心理研究所外聘。她颇为感念宋时鱼，对他像对大哥和老师一样敬重。

上次宋时鱼从爱淘处得知，孔老头极力撮合爱佳与申峥嵘交往，心下着急，便找程米西来帮忙。程米西问明缘由，通过其他途径找到了申峥嵘的同事，以心理专家的身份给申峥嵘上了一课，同时也摸清了申峥嵘的底数。宋时鱼便请程米西加紧敦促申峥嵘靠近爱佳，使他们的矛盾早日激化，好让爱佳死心。

这个办法虽然冒险，但宋时鱼认为，就算失手，申孔二人真的结成连理，也不失为一件好事。结果当然不出他所料，宋时鱼也就放了心。

此时，打开程米西的邮件，宋时鱼吓了一跳。

程米西郑重地告诉他，她与申峥嵘谈上了！

“宋大哥，我本来是为了完成你交给的任务而去接近他，但后来我发现，这个世界上几乎再也找不到申峥嵘这样在事业上颇为上进而在感情上几乎是空白的男人了。他在爱佳那里碰了壁，但在我这里发现了新天地。我决定跟他交往，同时也祝你与爱佳有好的结局。”

这是程米西最后的话。宋时鱼读完，点了支烟，细心分析内中因由。

程米西是个精明的女孩，她出身山乡，拼命读书，渴望留在京城。无疑，申峥嵘是一个好的选择，因为他工作稳定、情感单纯，能解决米西面临的实际问题——也许通过申家的关系，她就能拥有心理研究所的正式编制，从此结束漂泊生涯。

不过无论从哪方面来讲，这都是个好消息。他只是有些惊讶，程米西这么快就与申峥嵘确定了关系。

宋时鱼读完邮件，迫切地想要联系爱佳。想着她正在接受调查，手机可能被监控了，便打开QQ，发给她一句话：告诉你一个好消息，米西同学已经闪电般与申处长确定了恋爱关系。

发送后，他准备下线。平时，他不喜欢QQ这玩意，觉得特浪费时间。

不料，爱佳从那头回复了一条消息过来：回来了？找个地方坐坐？

酒吧里的轻音乐，像温柔的手，对疲累的心灵是一种恬然的抚摸。

爱佳进来时，宋时鱼已经候在那里了。

“你终于脱险了？”宋时鱼以开玩笑的口吻说道。

“本来就没什么事嘛。”爱佳把包放下，坐在宋时鱼的对面，“不过是走程序。明天，我就可以上班了。”

“没事就好。”宋时鱼也不便多打听。

“爱淘告诉我，你去过我们家了。”尽管语气轻松，但爱佳的脸色还是有些疲惫，“这几天，按规定我不能与外界联络。知道你担心我，谢谢了。喝点什么？”

“我随你。”宋时鱼眼里是掩饰不住的高兴。

“今晚一醉方休！”爱佳招手让服务生过来，“上一打百威。”

接下来，爱佳简单向宋时鱼讲了整个案子的经过。

郝正乾案并不复杂。经过几天的调查，案情已基本厘清。

郝正乾当了五年的总经理，公司做的都是大工程，又因上级单位系某国家权威机构，来往资金很多。郝正乾与财务部总经理合谋，巧立名目，陆续洗了一千多万出来。怕存在银行露了马脚，赫正乾就买了一套不起眼的二手房，将钱陆续放在卫生间的纸箱里。

扛了几天之后，郝正乾才交代了事情的经过。警方问他为什么要用这样的土办法，郝正乾说，他老家有一表弟在外打工，年年用编织袋装钱回家，随便扔在火车上，倒头呼呼大睡，万无一失，倒是有的女人，把钱放裤裆里却被偷了。警察们听得哈哈大笑。

警察还查出了郝正乾与刘隐龙之间的勾结。郝正乾将项目包揽下来，转手承包给刘隐龙的公司负责基建，刘隐龙私下里也没少给郝正乾塞钱。警方接着抓捕了刘隐龙，顺藤摸瓜，发现了更深的黑洞。当然，那是另一个案子了。

郝正乾贪归贪，但他并没有乱咬他人。他向警方交代，孔爱佳虽然是他的办公室主任，办事也得力，但他从未让孔爱佳参与洗钱的事，公司内部，只有他和财务部总经理知道这个秘密。警方还是不放心，继续盘问，郝正乾无可奈何地说：“你们也真笨啊。要是你们捞钱，是希望知道的人多，还是少？”

于是孔爱佳和其他两个要害部门的负责人都被放了。人事部总经理因为收了郝正乾一座价值十万元的玉雕，为老板安排了四个亲信在子公司的重要岗位上工作，被上级主管部门就地免职，并继续接受审查。

“这回，我们上头的单位都要受牵连。”爱佳苦笑了一下，“我可能要失业了，宋老师能否赏口饭吃？”

“我那小庙，装不下你这大神啊。”宋时鱼说，“依我看，你说不定因祸得福，干吗打退堂鼓？”

“老宋，你是不知道啊。”爱佳喝了点酒，脸蛋有些红，这是她第一次这样称呼他，“像我们这种半国有性质的单位，人事关系复杂，稍不小心就被装进去了。郝总就是被财务部总经理装进去的，账做得天衣无缝，没想到水管一裂，还是被查出来了，真是人算不如天算。幸好，郝总没把我装进去，如果郝总让我参与送钱送礼这些事，我敢不照办？还有啊，那个刘隐龙，你果然看准了，他的确是个拆东墙补西墙的主，这两年全靠送钱拿项目，还不知要供出多少贪官来。”

爱佳说着，抓起一瓶酒与宋时鱼一碰，就咕咚地喝了几大口。

一打酒一会儿就没了。

爱佳又要一打，宋时鱼起身制止，爱佳就火了：“喝点酒都不行？你在笑话我是吧？”

宋时鱼只得陪她继续喝。

两人边聊边喝，不一会儿另一打也只剩空瓶。爱佳还想要，宋时鱼悄声说：“爱佳，要喝，咱换个地方，行不？”

“为什么？”爱佳睁眼看他。

“这酒……太贵了。”

“晕，你倒挺会过日子。”爱佳哈哈大笑。

爱佳在新家的楼下找了个小饭馆，坐下，对宋时鱼说：“老宋，这里的普通燕京啤酒，六元一瓶，不贵吧？放开喝，多了也不怕。”

宋时鱼只好相陪。

一直喝到深夜一点多，小饭馆的服务生都靠在桌上睡着了，爱佳似乎还没醉。

“不喜欢喝醉酒的女人，是吧？”爱佳笑道，“老宋，我也给你看个相，你这个人，哪儿都好，就是放不开。曹操说，对酒当歌，人生几何。说得多好啊。人生值个狗屁，何必装孙子？能爽快，就爽快，两眼一闭，什么都是浮云。”

“那是，那是。”宋时鱼拿她没办法，只得硬撑着陪她喝。

爱佳又喝了几杯。“普京”劲大，宋时鱼觉得脑袋都有点疼了。

“老宋，我点儿背啊。”爱佳自顾自地灌了一杯，突然哈哈大笑起来，把唯一留下的服务生吓醒了。

“小弟弟，你过来，给你值班费。”爱佳拿出两百元，递给那小男孩，“不过你不准偷听我们说话，你得到里头去睡。放心，不会欠你钱，喝好了姐会叫你。”

小男孩迟疑片刻，伸手接过小费，头也不回地进里间去了。

小餐厅里只剩下孔宋二人。

爱佳问宋时鱼：“有烟吗？”

宋时鱼只得掏出烟，爱佳点了一支，吸了两口就呛出了眼泪。奇怪的是，那眼泪一旦流下，就无法停止。宋时鱼知道，她是想借机发泄一下。

爱佳默默流了一会儿眼泪，把烟掐了，强笑了笑，又接着喝酒。

“你刚才为什么不安慰我？”爱佳摸出纸巾擦干了眼泪，睁着红肿的眼睛看着宋时鱼，“怪不得你一不小心就成了老男人，原来你根本就不懂得哄人！”

宋时鱼只能苦笑。

“不过你陪我喝酒，我还是挺感动的。”爱佳说，“你知不知道，我曾经与一个叫杨文远的男人同居过两年？”

“知道一些。”宋时鱼老实回答，“听爱淘讲过。”

“你知不知道，那时我曾经想为他去死？”爱佳咬了一下牙根。

“不知道。”宋时鱼说，“感情分阶段。在某个特定的阶段，产生某种特定的情绪，是正常的。”

“你对你的初恋，是否刻骨铭心？”

“以前是，但现在不是了。”宋时鱼说，“就如同我十八岁时，认为自己可以当国家总理。但现在，我认为当个小老板都那么力不从心。”

“你不承认有天长地久的爱情？”

“可能会有，但我不认为追求天长地久是理智的。”宋时鱼说，“多数人都活得卑微。就如同你父亲说的，客观地认识自己，才是最重要的。”

“你是不是认为我很可笑？”爱佳眼里的醉意已深，“我渴望爱，但总是得不到爱，你认为这是为什么？”

“主要是，你没有遇到真正爱你的人。”宋时鱼说，“此外，也许你害怕再受伤害，就把自己的心门关闭了，不再放人进来。你不想再发现爱，或是太在乎爱。”

爱佳又满上一杯，“说得好！再干。今晚我想醉一回……”

“可是，你已经醉了。”宋时鱼制止她。

爱佳丝毫不听，仍然逼着宋时鱼与她一起喝。此时，她说话已有些颠三倒四。

爱佳真的醉了。她上洗手间后没再回来。等了好久，宋时鱼同服务生终于在男厕所里找到了她。她坐在地上，烂醉如泥。

宋时鱼明知她家就在附近，但他叫不醒她，或是根本不忍心叫醒她。他只得结了账，把她的包挂在自己的脖子上，让服务生帮忙，扶爱佳上了自己的背，往长街走去。醉后的爱佳，很沉。宋时鱼怕寒风冻着她，使出浑身力气，沿长街疾走，好不容易才打着一辆车，下车时再请司机帮忙扶爱佳上他的背。终于，他满头大汗地回到自己的房间。

宋时鱼把爱佳放在床上，为她脱去鞋，轻轻盖上被子。

睡梦中，爱佳喃喃自语。宋时鱼站在床边，看着爱佳红扑扑的脸蛋，在酒精的作用下，她比平时更显妩媚。

他的心咚咚直跳，浑身发烫，也不知是背爱佳进屋费了太多力气，还是生理的冲动——以爱佳的聪明，今晚拼酒，就是故意给他机会！

他赶紧去了卫生间，用冷水冲脸。心头的斗争到了白热化的阶段：是动手还是放手？

他承认自己并不是君子。既然爱佳有这个意思，他又何必装糊涂？

终于，他运了运气，雄赳赳地冲向卧室。但当他看到鼾声匀匀的爱佳就像一个熟睡的婴儿时，他停住了。怔怔地在房间里站了很久，最后，他灭了灯，回到客厅，和衣躺在沙发上。

他也有些醉了。不一会儿，睡意袭来，他沉沉睡去……

第二天，宋时鱼是被明晃晃的阳光弄醒的。他翻身起来，冲进卧室，爱佳早已不知去向。

拉得十分平整的床面上，有一张字迹缭乱的纸条：

宋时鱼，你娃不是个男人！

第三十五章　招聘会

私营企业最怕过节，人心都过散了。

按照计划，九头鸟信息咨询有限公司今年要招聘四个人。宋时鱼在节前就预定了今春将在北京国际展览中心举办的首次全国人才招聘会的展位，时间是元宵节前后三天。

那晚醉酒之后，爱佳没再联系过宋时鱼，可能是真的生气了。现在想来，宋时鱼也有些后悔。真要是生米煮成了熟饭，可能就顺理成章了——他做过研究，女人一旦和男人上过床，就会有心理转变，至少不会像第一次那样顽强反抗。但他转念一想，这样也没什么不好——短暂的疯狂并不能解决问题，或许只会令双方更为尴尬。

还有三天就要布展了。宋时鱼正忙着设计展位，爱佳打来了电话。

“老宋，我遇到难事了。”她有些着急地说。

“我能帮上忙不？”宋时鱼心里一喜。毕竟，她没拿他当外人。

“我想能。”爱佳说，“我们公司这边有些变化。有空吗？我来找你。”

爱佳很快就赶到了宋时鱼的公司。原来，她也要招人。

总公司人事和财务这两大核心部门的总经理都因郝正乾案进去了，上头派来一位总经理，叫李基隆，与唐玄宗名字相仿。在上级单位时，此人因头发蜷曲，像个鸡窝，人称“李鸡笼”。此君性情多变，以前弄倒过两家中小型公司，但上头关系硬，公司倒了，人却步步高升。

李基隆上任的第一件事就是大换血，他裁撤了大量人员，特别是以前与郝正乾关系甚密的要害部门的人员，唯独留下了爱佳，还委以重任：鉴于人事部总经理空缺，暂无合适人选替代，爱佳继续担任办公室主任，并兼人事部总经理的职位，负责整顿公司人事。至于财务部总经理，与李基隆一样是空降，由上头直接委派。

爱佳的感觉是，李基隆已经快五十岁了，再不打翻身仗，就没有机会了。但这样一来，她变得更忙。首当其冲，就是增补大量人员。

“必须在半个月内保证公司能顺利运行。”李基隆对爱佳下了死命令。

宋时鱼在了解情况后问：“要是完不成任务会怎样？”

“就只能到贵公司谋个差使。”爱佳有些急了，“老宋，我真的很着急，你点子多，赶紧想个辙啊。”

“看来，我只能牺牲自己了。”宋时鱼双手一摊。

宋时鱼给展会主办方打了电话，要求改名录。那边说，材料都印好了，没法改。如果你想改自己的展位设计和宣传材料，请自便。

看来只好这样了。宋时鱼马上给设计方打了电话，将展位改成了爱佳的公司。

“老宋，谢谢啊。”待一切处理完毕，爱佳长舒一口气。

“你就别装了，说吧，谁告诉你的？是不是爱淘？”宋时鱼笑道，“病急乱投医，也得知道这医生在哪儿吧？”

“是又怎么样？”爱佳哼了一声，“就只许她给你当奸细？不许她为亲姐做内鬼？”

“那是不能比。”宋时鱼笑道，“现在我都把展位让给你了，行了吧？”

“还不行。”爱佳得寸进尺，“帮人帮到底，送佛送到西，你得亲自出马，帮我招人。当然，你也可以留用几个看上的人。至于费用，由我们公司来支付。这样一来，你不仅没有损失，还多了一次带徒弟实习的机会。”

“……”宋时鱼彻底无语。他真拿爱佳没办法。

当一个男人喜欢一个女人时，就会尽量满足对方提出的任何要求，哪怕它听起来不那么有理。

聪明的女人都会抓住这样的有利时机。

北京国展春季人才招聘会是一年中最热闹的求职盛会。每年这个时节是跳槽的高峰期，很多人都会选择在春节后换工作。不到九点，黑压压的人群就挤满了国际展览中心前面的街道。

宋时鱼领着爱佳，到了二号馆的展位。

待展馆的大门一开，人群像洪水一样涌入。爱佳第一次设展招聘，毫无经验，见人们像逛菜市一样乱窜乱看，鲜有驻足者，心头有些慌。“怎么没人停下来？”她问。

“假如你饿了好几天，突然进入一片西瓜地里，你会怎样？”宋时鱼悠闲地坐着。

“我会摘瓜充饥。”爱佳说。

“你不会。”宋时鱼说，“西瓜太多，你反而会挑选好的西瓜。因为西瓜就在眼前，跑不了，你反倒不会饥不择食。”

“可是这里的‘西瓜’就这么多，明显是人多瓜少啊。”爱佳不解。

“所以总会有人找上门来，你急什么？”宋时鱼喝了口矿泉水，开始看报纸。“就凭咱这展板，还有你们公司的资质、实力、待遇，不愁没人来。等先头部队过去，人多了，就会堵塞，自然有人过来。”

爱佳只得坐下，眼见潮水般的应聘者，个个像饥饿的蚕儿昂头乱窜，她心想，这些人也太着急了吧。

不一会儿，男男女女们就塞满了各大通道，大家逐渐慢下来，开始有目的地寻找看上去比较靠谱的单位和职位。爱佳招聘的人员主要包括：人事部总经理助理、行政助理、财务人员、文员、市场销售经理、审核员、工程技术人员、业务人员等等，种类很多，数量很大。

宋时鱼招的人比较少：两名心理咨询员，一名市场销售人员，一名市场策划。

人一多，投简历的自然就上门了。爱佳微笑接待，准备现场面试。但应聘者均复印了大量简历，所以没几个愿意深聊，闲谈几句，都慌慌地走向别处。

爱佳见宋时鱼只顾看报，心思完全没在招聘上，心想你倒悠闲，人才跑光了怎么办？

不过随着路过的应聘者的增多，她还真忙不过来了。两个多小时过去，爱佳居然收了一大摞简历，所要招聘的几个职位，都有应聘者投了简历，如此结果，让爱佳始料未及。

时近中午，前来应聘的人渐渐稀少。宋时鱼仍然像木偶一样只顾翻来覆去地看报纸，似乎根本不关心来来往往的人群。爱佳心下有气，“你真有闲心啊，也不帮下忙！”

“孔主任不是做得挺好的吗？”宋时鱼站起身活动了一下，“快开饭了，我去领盒饭吧，请孔主任继续坚守阵地。”

他果真领饭去了。爱佳心想，就你这懒样，这展费算是白花了。平时不是总吹自己相人有数吗？现在这么多人像游鱼一样从面前流走，你居然头都不抬。看来，你老宋不过是个赵括！

宋时鱼将盒饭领回，放在玻璃小桌上，打开，招呼爱佳吃饭。爱佳毫无胃口，心头对他不满，但人家让出了展位为自己解围，又不便说什么。

见宋时鱼吃得津津有味，爱佳忍不住说："你怎么一点都不着急，人都走光了！"

"走光？"宋时鱼伸头向外看去，"这么冷的天，还有没穿内衣的？"

"切，你就别贫了。"爱佳白了他一眼，"你到底是来帮忙的？还是来看报纸的？"

"你这急性子呀，真得好好改一改。"宋时鱼为她倒了杯水，边吃边说，"你收了那么多简历，怕什么？再说，这些人像被鲨鱼追赶的鱼群一样，一晃就跑没影了，有什么办法？这个会场的展位，价格相等的区间，面积都一样，如果你是来应聘的，进来后也会犯晕，不可能在一个展位上呆太久。"

"那我们也不能看着人才白白流失呀，"爱佳着急地说，"这可是花了钱的，招不到人，我回去怎么向老板交代？"

"我们不妨换位思考一下。"宋时鱼耐心地说，"找工作，其实与找对象很相似。人人都想找到好工作、好对象，可实际上并不是人人都有这种好运气，多数人往往都高估了自己。你看看，这三个小时过去了，找工作的人行色匆匆，都在往前冲，都以为有更好的工作在前面等着，然而大多数人都在更多的选择面前挑花了眼。可是，有实力的大公司、有前景的好职位，竞争太大，人家不一定看得上你；一般的公司、混事的职位，你又看不上，因此造成了错位。毫不夸张地说，我参加过很多次招聘会，或是自己求职，或是设展招人，都收效甚微，所以说，多数招聘会，不过是为纸厂、印刷厂和主办方作了贡献而已。"

爱佳听完他的长篇大论，没好气地说："那你早知如此，何必要来？

花钱贴时间，你没毛病吧？”

“哟，你是猪八戒吗？倒打我一耙。”宋时鱼笑道，“是你找我的，不是我赖你的，搞错没有？”

“那就算是你设展，明知效果不大还设？钱多了烧的？”爱佳放下筷子。她实在吃不下去了。

“这叫有枣没枣打几竿，死马当成活马医。”宋时鱼耸耸肩，“跟相亲一样，不试，怎么知道能不能碰到合适的？再说，你花周末的时间来招人，你们老板也会认为你在积极努力，没有辜负他的信任，让他觉得，将两大权力部门交给你没看错人。”

“我说不过你。”爱佳无奈地摇摇头，“那既然来了，总得尽最大的努力吧？”

“怎么努力？”宋时鱼皱眉道，“难道你要我看准一个人，就上去把人绑了，直接押回你们公司？”

“我不跟你抬杠。”爱佳说，“我叫过你老师吧？你这师父，当得可不怎么样。开头吧，还扯点理论，现在到了实战场地，就哑巴了，怕露怯是吧？”

“这就对了。”宋时鱼呵呵一笑，“虽然有点激将的意思，但我听了舒服些。你不要着急，好好吃饭，下午情况就会转变的，放心吧。”

“下午？”爱佳不解，“人气最旺的上午都没招到人，下午会有收获？”

“你知道‘小猫钓鱼’的故事吗？”

“知道。”

“那你就应该明白，只有平心静气，才会有鱼上钩。”

“那也不能这样傻等啊。”爱佳还是不放心。

“爱佳，别着急。”宋时鱼将盒饭吃了个干干净净。“一大早就来找工作的人，多数是急于求成的。而参展的用人单位，通常都有‘再看看’的心理，所以下午来的人，心态会平和一些。聪明的求职者，会不慌不忙，充分做好准备，甚至仔细研究参展单位名录，将简历做得更有针对性。你上午收了这么多简历，我观察了一下，一张表格的居多，有自己特色的很少。一个人连简历都不会写，怎么可能在实际工作中有出色的表现？”

“也有道理。”爱佳想了想说，“但要说写简历，我也写不好。”

“你没有到人才市场求过职。”宋时鱼叹道，“你毕竟生在北京，孔伯伯又有一些人脉关系，再说是你是重点大学的研究生，自然没有就业的压力。而我们这些外地人就难多了，就像菜市场里的蔬菜水果一样让人挑来拣去。”

爱佳点点头。

“你分析一下，什么人会来人才市场求职？”宋时鱼问爱佳。

“现在不都人才市场化了吗？”爱佳还真没仔细想过这个问题。

“现今的中国，还达不到完全的市场化。”宋时鱼说，“有关系的，无论是通过亲戚朋友还是自己的社会关系，在出校门时就基本定好了去向；在学校特别优秀的，就业处会向用人单位推荐，或是通过实习找到工作；需要跳槽的高级人才，不是被人挖走，就是被猎头公司盯上，无非是‘转会’。除开这三种类型，剩下的，也就是那些不得志、关系弱或刚入职场的新人，才会来人才市场碰碰运气。”

“可是，我见上午的应聘者中，也有一些看上去不错的呀。”爱佳起身拿了几份简历，“你看，这里头有博士，硕士更多，你能说他们不是人才？”

“我刚才讲的是大概，不是绝对，更没有说他们不是人才。”宋时鱼说，“也有不少人想通过自己的能力在社会上证明自己的价值，所以说人才还是有的。但大多数人，如果有别的途径解决自己的工作问题，就不会到展会上来。所以说，对多数人而言，如果网上招聘没有成功，人才市场就是他们最后的希望了。”

“你说了半天，还是没告诉我有什么办法能招到合适的人。”

“合适二字，真的太难了。”宋时鱼说，“合适不是单方面的，主动权在应聘方。一个真正的人才，除了拥有专业知识，还要有推荐自己的能力。毛遂自荐的故事虽然广为人知，但他的精神却很少有人学到。”

“我就是毛遂。”一个声音从外面传来。

宋时鱼和爱佳一抬头，看见展位前站着一个个头不高、眼睛很亮的女孩。

第三十六章　细微之处

说她是女孩，其实年龄也不算小了，大概二十六七的样子，短头发，娃娃脸，羽绒服，牛仔裤，看上去倒也干净利落。

“请问，你应聘什么职位？”爱佳微笑着迎上去。

“人事部总经理助理。”圆脸女孩说。

“你有这方面的经验？”爱佳接着问。

“我有销售方面的经验。”圆脸女孩语速挺快，“经验可以变通。我以前有不凡的销售业绩，我相信我能做好人事管理工作。”

“请问你的简历……”爱佳问。

圆脸女孩从包内的塑料文件夹里掏出一份三页纸的简历，双手递给爱佳。

爱佳一看，应聘者叫秋刀刀，未婚，二十六岁，中文本科，英语六级，以前是一家企业的销售经理，期望薪金是八千至一万。

看到第二页，爱佳怦然心动。应聘者对销售与人事管理的关系作了阐述。

第三页，是下一步的工作打算，主要是如何鉴定和考评人才，如何激励员工。

爱佳看完，将简历转交给宋时鱼。

“你为什么叫秋刀刀？”爱佳问出口后，又觉得这个问题非常无聊。

“因为我思维快，出口快。”秋刀刀说，“当然这是优点也是缺点。”

“怎么说？”爱佳问。

“思维敏捷的人，能够对瞬息万变的事物迅速作出判断，做事果决，但缺乏深思熟虑，能够处理突发事件，应变力强，但缺乏长远规划。语速较快的人，在与人的交流中能够占据主动，比较容易说服别人；但说话太快，容易造成遗漏，使听者知其大意而无法深究。”秋刀刀果真语速极快。

宋时鱼看完简历，对秋刀刀说：“秋小姐，你没觉得你这份简历前后不怎么协调吗？”

“为什么会这么说？”秋刀刀一愣。

“你看，”宋时鱼将三页纸的订书钉扯掉，平铺在桌上，“第一页是80克A4打印纸，第二页和第三页是70克A4打印纸，虽然都是电脑打印，字号也统一，但肯定不是同一时间打印的；再看内容，第一页是按标准的简历格式写的，信息比较全，但第二页和第三页却是针对性很强的内容，对销售与人事的关系作了注解，对下一步的工作作了考虑。然而，因为时间关系，这两篇‘小论文’写得并不周详，可以说不是你深思熟虑的结果。除此之外，一般应聘者都是带多份简历，而你从包里取出来的简历仅此一份。因此我猜，你是上午就看到我们展位了，但你了解招聘要求后，并没有急于投放预先准备的简历，而是出去找了个打字复印店，甚至还通过网络查到我们公司的信息，有针对性地做了这份简历。由于时间有限，你来不及仔细推敲，就补充了两页纸，直接到这里来了。”

爱佳和秋刀刀同时吃了一惊。这老宋心细如发，观察细节也太到位了！

“秋刀刀，这是我们宋总。”爱佳微笑道，“据我们公司的人说，他能分清蚊子的公母，请不要见怪。”

“叫我刀刀吧。”爱佳这句话把她逗笑了，“如果有幸能跟着宋总工作，我想我不仅能改掉自己急躁的毛病，还能提升自己的观察力。”

“谢谢，”宋时鱼笑道，“不过，我身旁的孔主任才是面试官，我只是打杂的。我很敬重做事有准备的人。至少，你这样做，已经与其他的应聘者有本质的区别。”

“那，咱们公司还有什么要求？”秋刀刀眼中闪烁着兴奋的光芒。

“暂时没有。”宋时鱼说，“正式的面试需要到公司，你也得看看公司的情况再作决定。招聘是双方的事情，如果我们觉得合适，会在第一时间通知你面试。”

“那……宋总、孔主任，我是不是可以离开了？”秋刀刀的大眼睛忽闪忽闪。

“再会。”宋时鱼友好地微笑。

秋刀刀走后，爱佳说：“我觉得这人不错啊，想多聊几句，你怎么让她走了？”

“因为我们掌握的信息已经差不多了。”宋时鱼说，“首先，她一定搜索过你们公司的信息，不然写不出第二页和第三页的内容，这证明她非常想来。其次，她是一个精明但没有坏心眼的女孩，正好可以弥补你的不足。”

“你说我有坏心眼？”爱佳眉毛一扬。

“你没坏心眼，就是犹豫不决。”宋时鱼笑道，“如果秋刀刀做你的助手，把不能决断的事扔给她，她会快刀斩乱麻，处理得干干净净。”

爱佳说：“我本来想招一个能干的男生做助理。你认为这秋刀刀合适？”

“合适。”宋时鱼说，“男的在你手下，有风险。顺从你，有可能是想讨好你，还有可能产生办公室恋情；反对你，有可能干得比你出色，将你取而代之。无论是哪种情况，都不是我希望看到的。”

“看你那小心眼吧，还办公室恋情呢。”爱佳嘴上骂着，心头却很舒坦。“我看这秋刀刀，对你好感大大的，上来就说要跟着你干，决心表得也太快了。”

“你不要多想，咱们已经说好了，这次招聘以完成你的任务为主。”宋时鱼正襟危坐，“趁现在人不多，咱们开始工作吧。你也坐下，咱们声音小些，开始观察人。目标是前面经过的路人。你先说，我讲评。做徒弟，就有个徒弟样儿，OK？”

爱佳只得依从。虽然，她有时也挺调皮，但素来好学，加上兼了人事的差使，更有心学些看人的技巧。

这时，一个背着大包、穿着牛仔裤、留着披肩发的男青年急匆匆走来，抬头四处张望，终于在斜对面一家文化公司的展位前停下来，走了进去。宋时鱼问：“爱佳，你判断一下这个人的情况。”

“这个人，二十五六岁，大概是从事文艺工作的，脚步有些浮，估计是个自由散漫尖屁股，在任何公司都干不长，坐班就更不要想了。”爱佳脱口而出，“如果他来应聘，肯定不考虑。”

“很对。”宋时鱼说，“不过有一点你说错了，他不是来应聘的，而是来找人的。”

“何以见得？”

“他背着摄影器材一路走来，四处搜寻，神情焦急，满怀愤怒。”宋时鱼说，“有这三种表征，证明他根本不是来应聘，而是来找人。”

“找人，怎么找到展会上来了？”爱佳不解。

宋时鱼没有马上回答，而是一直在看。过了一会儿，宋时鱼说：“看来这家伙不但找人，还要找事。不出几分钟，对面就要打架。”

“打架？为什么？”爱佳觉得宋时鱼有点神经过敏了。

“因为对面的展台里头有一个很冲的小伙子，他的手已经握住了椅子腿，而且很用力。”宋时鱼轻声说。

爱佳顺着看过去，果然，一个二十三四的小伙子，坐在小椅子上，仰头与那个牛仔青年争论着什么。突然，那坐着的小伙子噌地站起，抡起椅子就朝牛仔青年头上砸去。椅子碎了，但牛仔青年并没有倒地，而是扑上去卡住了先动手的小伙子的脖子……

人们纷纷涌过去看热闹，把宋孔二人的视线挡住了。

爱佳吓了一跳。但她和宋时鱼都不是爱看热闹的人，就没凑上前去。

一会儿保安来了。接着有人报了警。围观的人越来越多。

不多时，警察来了，将打架的人领走。围观者也就慢慢散了。

“老宋，你是如何看出这小子是来找事的？”爱佳很奇怪，自己怎么没看出来？

“这是人的气场，需要用心观察才能作出判断。”宋时鱼说，“以前，我跟你讲的都只能算是‘形’的范畴,而气场属于‘神’的范畴。有的人，其貌不扬，但他往那儿一坐，别人就怕他，因为他身上有一种凌厉的气质，让人感到害怕。最典型的是咱们的邓小平先生，他在人民大会堂会见撒切尔夫人时的那段电视录像，我看过很多次。表面上看，邓公面容和善，但就算在电视上，还是能感觉到他有一种山岳之势，目光里有铁一样的坚定，透露的信息就是香港回归的主权问题不容商议。当然，这是伟人。我们平常人也有气场。刚才这小伙子大概是个自由职业者，他急吼吼地跑来，我想可能是斜对面这家公司欠了他的钱，今天找到展会上来了，没想到遇到一个愣头青，两人就干上了。”

“你说的这‘气场’，应该与动作、眼神有关吧？”爱佳听得很投入。

“一般是的,但也有例外,静止不动的人也会有气场。”宋时鱼说,“有一个三国时期的故事，说是曹操要接见一位从未谋面的匈奴使者。曹操有心想试探他一下，便让自己的卫士穿上他的服饰，端坐大位，自己则换上卫士装束，挎刀侍立一旁。使者参拜完毕，假曹操敷衍几句，就把他打发回驿馆了。之后，曹操遣人询问使者对丞相印象如何。使者答，曹丞相精力旺盛，但勇猛有余而智慧不足，倒是丞相旁边的那名侍卫，有王者之风。曹操听后大笑。”

爱佳说：“这么看来，还真是需要好好学习。不过，这看人的气场，难度也太高了吧，怎么入手？”

宋时鱼说：“这就需要从细微之处入手。你以前做的功课，记录了一百多人的表情，有什么心得？”

“还真没什么心得。”爱佳想了想说，“我观察的这些人，似乎都没什么气场，有的脸色苍白，有的神色倦怠，有的表情木然，什么情况都有。很可能，我观察的人社会地位并不高，都是平民百姓，没什么特点吧。”

“咱们研究的主要对象就是平民百姓。”宋时鱼说，“平民百姓也分两类人，一类是只能平庸或是甘于平庸的人；一类是现在虽然平庸，但已经具备了发现自我和改造自我的能力，将来会不平庸的人。”

“你常说气场，这气是从哪里来的呢？”爱佳又问。

“来源有三。”宋时鱼答，“一种是自然之气，一种是自身修养造化之气，另一种是侵入人体之气。自然之气，最为根本，是人与自然相处的体现；修养之气，是人在成长过程中纠正自己的偏失而形成的；侵入之气，即是为外界所干扰，自身的能量不能中和、消化其影响。精神饱满的人先天气场足，气场中和的人能够平衡各种干扰，而无精打采的人则随波逐流，无法把控自己。”

“可是我仍然没发现他们所谓的气场在哪里。”

“任何人都有气场，只是强弱的问题。”宋时鱼将目光投向展台尽头一个缓缓走过来的中年人，轻声说，“你看见这个人没有？”

“看见了。”爱佳说，“这个人大概四十多岁，头发稀疏，面露疲态，步子虽然平稳但没有生气，目光没有神采，即使在这样的招聘会上也打不起精神。我看，此人相当不得志。”

“对！”宋时鱼投以赞许的目光，“爱佳，你的观察已经比较精准了。实际上，一个人的习惯养成，自己看不见，别人一眼就能看出来。习惯决定了每个人处事的风格，从而直接影响其生活和工作，而工作和生活中透露的信息，值得特别注意。准确捕捉这些信息，无需对方透露，也能知道对方是个怎样的人。就如刚才这个人，才四十多岁，背就有些驼了，气场非常弱，想必是因为生活的重压，丧失了目标。但从他走路的样子和肢体语言来看，他却是个知识分子，或许精于某项技能。”

这时，那中年人已经逛了三个展位，分别投了简历。他扶了扶眼镜，向爱佳的展台看过来。宋时鱼和爱佳马上停止了谈话。而爱佳的心里，正想印证一下方才宋时鱼说的话。

看了一会儿，中年人才慢慢地掏出一份简历，小心翼翼地放在桌上，就想离开。

“这位先生，请留步。”爱佳微笑着问，“请问您想应聘什么职位？”

“我？”中年人嗓音有些怯，“随便什么都行，请看看简历吧。”

爱佳迅速扫了一眼简历。此人四十六岁，叫陈猛，离异，是中国科技大学的老牌硕士，以前在中科院某所工作，后来下海在中关村的几家公司做过编程和软件开发。求职范围是工程师、软件开发、网络技术等。

“陈先生，您为什么在五年间辞职四次？”爱佳觉得，这个有点蔫的中年男人一点都不“猛”。

“人家不要我。”陈猛见爱佳和善，就站住了，“也许，嫌我事太多吧。唉，别提了，离婚后，要照顾老人、孩子，而中关村的公司，没有不要求加班的，所以就辞了，想找个能准点上下班的单位。”

“陈先生，您没有填薪金要求吗？”爱佳提醒他。

“我都这把年纪了，应聘好几次都没成功，有人要就不错了。”陈猛叹了口气，“只要能准点上下班，有点钱，养家糊口就可以了。”

爱佳转头看宋时鱼。宋时鱼的眼色表示，他没有什么要补充的。

于是爱佳客气地请陈猛先回去，说如果合适，会通知他面试。中年人摇摇头，继续往别的展台走去。

等他走远，爱佳问：“你怎么不问几句？”

“你都不想要人家，我问了干吗？”

“是。”爱佳说，“这人根本与他的名字不搭，提不起精神，谁敢用？”

“我看不尽然。”宋时鱼说，“这个人的弱点，你已经说了，但优点你没看到。”

“愿听宋老师教诲。”爱佳呵呵一乐。

“他是二十年前的中科大研究生，能进中科院，证明含金量很高。”宋时鱼说，“论技术和专业水平，这人没问题，这是优点一；优点二，这人实在，虽然不怎么会处理人际关系，但的确是为生活所累，如果能帮他找个伴儿，他定会知恩图报，好好工作；优点三，不计较，被人辞了几次，首先讲明是自己的原因，没有怨言，求职也不提薪水。我认为，此人求职，发多少简历都没人会要，但你如果愿意在他身上花点心思，必将为你们公司培养一个叫得响的专家型人才。”

爱佳心头一动。看来，这相人，得全面判断，不可盲人摸象。

“照你这么说，还没有不能用的人了。”正巧，她看见对面来了一个白发苍苍的老人，提了个布袋，正朝一家贸易公司走去。“那你说，这位老人，也是人才？也可以用？”

宋时鱼没有说话。因为，他正全神贯注地观察这位老人。

一位白发苍苍的老人出现在人才市场，本身就很显眼。

第三十七章　情态体察

爱佳顺着宋时鱼的目光观察这位老人：他大概六七十岁，中等身材，面色红润，步履矫健，穿着整齐。如果不是那一头白发，很可能他看起来会年轻十岁。

老头一家家地问，但往往三言两语，招聘者就摇头摆手了。然而老人并不气馁，挨个儿接着问。爱佳心想，这样的年纪，先不谈有无专长，就是上下班或有个三病两痛，都不好管理。北京城交通拥堵，年轻人尚可凭体力挤公交上下班，可这老人身体再好，一旦出个差错，不好向其家人交代。

正想着，老人已经到了展台前，看了看应聘职位，微笑着问："二位老总，你们看看有没有我这老头子能干的活？"

爱佳先开口道："老先生，对不起，我们公司主要招聘一些年轻人，恐怕没有合适您的职位。"

"万一有呢，我想试试。"老人并没有离开，接着说，"行政助理这个职位，我想我勉强能做。不知二位老总给不给老头子一个机会？"

"您对月薪有什么要求？"宋时鱼插嘴。

"没有。"老人眼睛一亮，"能有个事干就可以，呆在家里，怕闲出病来，工作了几十年，习惯了按时上下班。"

"请问老先生贵庚？"宋时鱼客气地问。

"六十六。"老人说。

爱佳心想，六十六，还出来找工作，真是有福不知道享。

"年纪不大。"宋时鱼认真地说，"我看，老先生至少还能工作十年。"

"那，二位老总会不会考虑？"老人眼里闪过一丝喜悦。

"能与老先生合作，是我们的荣幸！"宋时鱼伸过手与他一握，"您千万别叫我们什么总，我们只是后生晚辈罢了。如果我没猜错，老先生曾当过领导，而且是师职以上的领导，在部队工作过多年。"

"还真被你说准了。"老人微笑道，"六年前退了，后来在一家报社打杂。最近报纸不好做，正式员工都裁了不少，我也不好意思再给人家添麻烦，就主动辞了，想到人才市场来找份工作，可是人家一看我这把年纪，都不敢要。"

"我们要了。"宋时鱼给爱佳递了个眼色，取出纸笔，双手递给老人，

“请老先生填写一下基本信息和联系方式，以便通知您上班。”

老人接过，一挥而就。那字写得几乎达到了庞中华的水平。

爱佳接过一看，老人名叫孙见清，江苏南通人，南京大学中文系毕业，后应征入伍，从排长干到师副政委，担任过军区报社的副社长，高级编审，大校军衔，正师职待遇。退休后到地方报社担任过编辑，擅长公文处理和行政管理。

宋时鱼与老人客气几句，亲自送他到门口。老人高高兴兴地回家了。

“你真的要用他？”爱佳拿着孙见清的信息资料问道。

“我用他，浪费了。”宋时鱼说，“这孙老师，含金量很高，可遇不可求。我敢断定，他到办公室来帮你，你的工作必然会上一台阶。”

“可是……他的年纪……”爱佳不理解宋时鱼为何这么快就拍板了，“再说，别的人都是收了简历，看是否合适，再通知面试，这是程序，你怎么一下就答应了他？”

“他的年龄是柄双刃剑。”宋时鱼说，“有些事，你可能没有告诉我，但我知道，你们公司虽然没有打出‘集团’招牌，实际上下面有十几家分公司，实行的是集团制管理。你这个大内总管，年轻了点，有人不服，你只能拼命工作，以业绩堵别人的嘴巴。”

爱佳脸上一红。的确，她经常忙得连自己姓啥都不知道了。

宋时鱼接着说：“至于直接告诉他可以上班，是因为他毕竟年纪大了，没有得到准话，还会到别的展位去，万一别的单位把他请去了，可是你们公司的损失。”

见爱佳不说话，宋时鱼接着说：“你把孙老师请来当你助理，主抓行政办公这一摊，至少有三个好处。首先，以他的年龄、资历，年轻人自然不敢造次，就会挡了你很多麻烦；其次，这老人当过师一级的领导，那是管上万人的单位啊，又是老牌南京大学的，货真价实，别说你们一千多人的公司，就是上万人也不在话下；第三，老人是老军头，军人作风会给你们办公室带来良性影响，他这么大年纪都不迟到早退，就是最好的榜样。这是上天赐予你的福分，你难道没有感觉？”

“相信你。”爱佳想了想说，“不过，你是怎么看出他是军人出身，而且职位很高？”

“仍然是气场。”宋时鱼说，“孙老师虽然谦和，但身上有一股浩然正气，这么大年纪，腰背挺直，行走平稳持重，目中富含威仪，着装整洁得体，言辞张弛有度，服从领导管理，纪律性很强。养成这种气质，必然是经过了几十年军旅生涯的历练，绝难伪装出来。”

爱佳用心体会，觉得自己对相人的认识，似乎又进了一层。

她抓住机会，继续问：“请教宋老师，我在完成你安排的作业时，发现我们公司有几种现象，还请指点。”

“客气了不是？”宋时鱼笑道，“咱们还是随便聊聊吧，别搞得一本正经的。”

“好。”爱佳做了个鬼脸，开始描述，“我观察，我们公司有一个新来的男孩，在食堂吃饭时，总是会把饭粒和菜掉到桌子上、地上，你怎么看？”

“这种人难以专注，三心二意，一生会像浮萍一样居无定所。”

“看得准！”爱佳说，“这男孩刚从上海过来，三年内在广州、福州、深圳都混过，总是干不长。前人事总经理说他有技术特长，就把他留下了，但他做事草率，经常出错，我正准备开了他。”

“早开早好。”宋时鱼同意。

“那我再问你一个人，”爱佳闪了闪眼眸，“这个人非常奇怪，别人发怒，总是须眉倒竖，怒气冲天。他不。他发怒的时候，反而能发出笑声，这是怎么回事？”

“这种人有权威，胸中有计谋，会驾驭人，性格坚韧刚强，适合做领导。”宋时鱼说，“不过，这种领导因为胆大而不易自制，容易犯错误，也因为太过自信，容易上别人的当。”

“你真神了！”爱佳感叹，“说实话吧，这人，就是郝正乾。”

“原来你是在考我，”宋时鱼笑道，“那就继续出题吧。”

“请问，一个人总喜欢暗中观察别人，偷看别人的东西，是怎么回事？”

“这种人不足论，十足的小人，心胸狭窄，不可深交，最好不要与其打交道。”

“有一种人，喜欢在无人的地方自言自语，是不是也是小人？”

“不是。但这种人属于随大溜的人，无主见，无远见，无法做成大事。”

“有一种人，面色阴沉，自己单独坐在那里不言不语，像老僧入定一般，是怎么回事？”

“这种人狼子野心，阴险恶毒，远离他！”

“有一种男人，嘴唇像抹了朱砂，面色像桃花一样鲜嫩，应该是好相吧？”

“不好。这种男人风流浪荡成性，是个败家子，一生起伏波折，到头来只是一场空。”

爱佳突然不言语了。她说的唇似朱砂、面若桃花的男人，正是她的前男友杨文远；独坐入定者，是公司前财务部总经理；在无人处自言自语者，是现在的办公室行政助理，赶快趁着这次人事调整把他给换了；喜欢暗中观察并偷看私人物件的人，是经常在郝正乾那里告黑状的前办公室主任，现任闲职副总，还好他已被李基隆确定为“下放”对象。

这些人都曾离她那么近，然而宋时鱼只用只言片语，就已道破各自的性情，果然厉害！

她突然觉得，在今天，她才真正见识了宋时鱼惊人的识人能力。那么，在这个招聘会上，只要宋时鱼看上的人，她将照单全收！

不知何时，展馆的人又开始多了起来，两人开始进入紧张的接待工作状态。

这时来了一个美女，眉眼如丝，娇小可人，说话声音很温柔。她递上简历，说是应聘出纳。爱佳一看，这人叫南若若，大专，北京人，在国企当过出纳。她说自己身体不好，主要是看公司离她家近，想来做些财务工作。

随后，来了一个嗓门很大的青年，胡子拉碴，衬衣领上浸了油汗，先不掏简历，扫了一眼招聘职位，大声嚷道："你们开多少钱？"爱佳问他应聘什么职位，他说要干市场经理，但少了两万不干，声称自己带过销售团队，做过上亿元的销售业绩。后来一放简历，是个三流大学的本科，爱佳顿时有些丧气。

人渐渐多了，围了一圈。其间有一男子，操着北京胡同里的方言，边打哈欠，边挑毛病，说你们这些招聘单位，往往是蒙一些刚毕业的外地学生，试用期不买保险，不给住房补贴，干两三个月就开掉重招，挺损的。爱佳最烦这种多嘴多舌、贫里吧唧的北京人，没答理他。

爱佳接待完十几个人之后，发现一个男人始终袖手站在一旁，冷眼旁观。待人散去后，他才上来，掏出小册子一样的简历。爱佳早就注意到了他，问他为什么现在才递简历。那人说，刚才人多，我想在无人时与你们多谈谈，又夸爱佳长得漂亮，像他的妹妹，言语之间颇有套近乎的意思。

忙乎了好一阵，才消停了。爱佳这才长吁了一口气，坐下喝水。看着桌上的两百多份简历，她渐渐有了信心——照此下去，三天就是五六百份，总会有一些人才的。

宋时鱼下午也帮着接待，但往往三言两语，不做过多交谈。爱佳对这一轮很满意，问他："宋老师，现在没什么人了，是否能对刚才的应聘者作一个点评？"

"可以从情态方面找几个例子。"宋时鱼说，"情态是神的外在表现，大概可以分为四种，柔弱、狂傲、疏懒、周旋。柔弱态的人如小鸟依人，情致婉转，娇柔亲切，让人怜惜，就如同那位应聘出纳的美女；狂傲态的人不修边幅，恃才傲物，目空一切，好大喜功，着急吹嘘自己的功绩，如那位应聘市场经理的青年；疏懒态的人想做什么就做什么，想说什么就说什么，不分场合，不论禁忌，就是常说的‘缺心眼’，如刚才那位北京的‘贫嘴哥’；周旋态的人，把心机深深地掩藏起来，处处察言观色，事事趋吉避凶，与人接触圆滑周到，喜欢套近乎、拍马屁，如刚刚离开的那个男士，等大家都走了后才上来说好听话。”

爱佳用心记忆。待宋时鱼说完后，她小声说道：“刚才这几十个人之中，除了你说的四个人，还有一些人的表现，令人费解。现在我趁印象还没有消失，讲讲感受，还请指点。”

“说说。”宋时鱼也来了兴致。

“有的人，虽然在与我交谈，却把目光和思路转到别的地方去了，怎么回事？”

“这种人毫无诚意，不可合作。”

“有一个人，见我与别人交谈，没顾得上招呼他，就在一旁冷笑，却又不肯离去，什么意思？”

“这个人冷峻寡情，城府深沉，无法与之建立友情。”

“有两个将近三十岁的男人，见那个衣领上有汗渍的人与我交谈，本来就没道理，他们却随声附和，说明什么？”

“这类人没有主见，信口开河，无法承担责任。”

爱佳想了想，又问：“那我问一个我以前遇到的人，这个人遇到根本不值得太动感情的事情，也会伤心落泪，如看韩国电视剧，居然会感动到嚎啕大哭，怎么回事？”

“这种人很不理智，不能承担严密的工作。”

“说得对。”爱佳说，“为什么这次要招新的会计？她就是我们公司以前的会计，经常做错账，一点不让人省心。”

宋时鱼点点头，最后总结：“外貌是恒态，情态是动态。凭外貌看人，虽有一些道理，但欠充分；情态虽然只反映人在某个阶段的情况，但最容易判断其内心的想法。爱佳，观察人，必须结合恒态、动态，长期观察、总结和提炼，才有可能接近真相，作出相对客观的判断。”

爱佳点点头，最后问道："那就做人处世而言，你认为哪种状态最好？"

"我抄一副曾国藩的对联送你吧。"宋时鱼拿起笔，在纸上写道：

做人不慌不忙，先求稳当，次求变化；

办事无声无息，既要精当，又要简捷。

第三十八章　面试

经过三天紧张的现场招聘，爱佳可谓是满载而归，收获了七百余份简历。而宋时鱼，只招了两人，一个市场策划，一个营销人员，当场就定了。

李基隆对爱佳这次突击招聘非常满意。爱佳当然也将原委如实汇报，特别讲了宋时鱼无私的相助。李基隆觉得公司应该表示一下，让爱佳安排，请宋时鱼喝个酒。

酒过数巡，宋时鱼觉得李基隆是个仗义之人，特别会处理人际关系，只是经营管理策略弱一些，但也庆幸爱佳遇到这样的领导——领导如果太强，下头的人就只能成为附属，累得要死，还无法展示自己独有的才能。

李基隆表态，他是信任爱佳的，同时也向爱佳交了底——爱佳父亲的老部下，是上级单位的纪检主任，马上要升任纪委书记，成了上级单位的党委委员；此人刚过四十岁，年龄上占优，将来是党委书记的人选，以后还望爱佳美言几句。看得出，李基隆深谙官场之道，虽然被下派到企业当老总，但党性很强，不犯原则上的错误。

经过一番交谈，李基隆很看好宋时鱼，说，时鱼啊，不如就到我们公司来干吧，自己做多辛苦。如果怕别人说闲话，让爱佳难堪，就到下头当分公司总经理，一年几十万没问题。爱佳说，人家宋总一年几百万呢。李基隆便笑道，那就不提了，我还没那么多，咱们庙小了。不过，这招聘之事，关系公司未来发展，如果不嫌弃，还请宋总兼任敝公司人力资源顾问，帮忙把关——你与我们公司没有直接的利害关系，只是作为爱佳的朋友来选人，更公道。至于报酬，你不用考虑，这是我和爱佳考虑的事。

宋时鱼当即答应了，原因有三：一是既然帮爱佳，就帮到底，为她找些得力人手，有益于她的发展；二是李基隆言谈间将他当成了爱佳的恋人，这是他特别需要的外围力量，与李处好关系，将来也好影响孔老头——爱佳老板出面说话，分量不一样；三是挂名“顾问”，就可名正言顺地找爱佳“谈工作”，实在“顾不上”，可以“不问”嘛。

于是宋时鱼与爱佳花了些时间，详细看了简历，又凭借在展会上的印象以及收简历时打的“记号”，对应公司的人才缺口，挑出了七十二份简历。只有孙见清是早就定了的，而且宋时鱼让爱佳请孙见清直接来当考官，参与面试新人。

爱佳让办公室人员一一联络，结果七十二人中，有的已经被人捷足先登，但仍然剩了四十九人。宋时鱼决定事不宜迟，周六集中面试。

周六这天，前来爱佳的公司面试的人，多数都在九点前到了公司门口。让他们没有想到的是，接待人员直接把他们领进了大楼地下一层的食堂。

这些人多数都参加过招聘，但从未见过在食堂面试的。就算公司的会议室不能容纳几十个人，也可以分批进行啊。

大家费解归费解，还是抱着“既来之，则安之”的想法。多数应聘者，在被通知面试前都上网搜索过，查看过公司的网页以及相关的媒体报道，料想公司的规模、业务、技术和背景如此强大，工作环境肯定也差不到哪里去。

令大家更为费解的是，接待人员分发了要填写的表格和公司的介绍材料后，都不见了。

食堂里，四十余名应聘者开始都在并不怎么干净的餐桌上认真填写表格，后来性子急的，开始嚷嚷，说哪有这样对待应聘者的，公司领导没见着一个，连接待人员都跑了，这不是忽悠人吗？沉得住气的说别着急，大周末的，公司领导可能还在路上，咱们先把表填好再说。还有的人说，一看这家公司就不怎么样，看这食堂装修得还不错，但这地上还有饭菜，餐具都没收拾完，桌子也没擦，怎么管理的？连民工食堂都不如。

大伙一看，果然。大概是周五晚上有过什么聚会，乱七八糟的，食堂的人偷懒，还没来得及收拾。

在人才市场当了"毛遂"的秋刀刀填表极快，填好之后，她起身对几个女性应聘者说，趁着领导没来，咱们也没事，不如帮公司打扫一下卫生，不然领导来了，食堂的人员恐怕要被开掉。她这一说话，一个长着一副猪头相的男士说，你是来应聘餐厅服务员的吧？此言一出，人们都哄笑起来。

这时，一个白发苍苍的老人站起身来，拿了扫把，开始扫地。众人都很惊愕，难道他也是来应聘的？人群中就有人问，老前辈，您这把年纪还出来找工作？老人说，我以前是当兵的，不干活难受，说罢就认真地干起活来。众人又是一阵哄笑，说老人家不在家带孙子，到这里来看大门吗？

秋刀刀没理会大家，过去开始收拾餐具。前几天在展会上应聘出纳的美女南若若看不过去，也找了块抹布，开始抹桌子。众人动嘴的多，动手的少，等老人已经快扫完了，才又有两名男士、一个女孩上去帮忙，余下的人，有互相问以前的工作情况的，有枯坐着不动的，还有的干脆玩手机消磨时间。

这时，宋时鱼进来了。他见老人正在扫地，赶紧过去夺过他的扫把，说您老人家哪能干这种粗活，还是我来吧。在场的有心人，依稀记得展会上的宋时鱼，就站了起来，开始帮忙干活。第一批有五个人干活，宋时鱼来了之后，又有六个人加入了搞卫生的行列。

这时，一个穿着考究、梳大背头的男士二话没说，起身离开，刚好在门口碰到爱佳。

爱佳拦住他，问："这位先生，为什么要走？面试即将开始了。"

"我是来做管理的，不是来搞卫生的。"那男士面有傲色，"贵公司在食堂面试，本身就不尊重人才，我一分钟都不想多呆！"说罢，拂袖而去。

他这一走，有不少人也动摇了。但有的走了几步，又停住了。只有四名男士跟着"考究哥"离去。

爱佳没有再阻止。她发现了陈猛。陈猛目光呆滞地坐在那里，一动不动，既不说话，也不动作。

"陈先生好。"爱佳走上前去，"您没看见大家都在帮忙收拾屋子吗？"

"看见了。"陈猛站起来，"但我是来操作计算机的，不搞卫生。"

"如果我让你搞卫生呢？"爱佳表情严肃。

"那我就搞。"陈猛终于开始动作了。

随后，又有几名青年跟着干活了。

食堂清理完毕，面试正式开始，孔宋二人主持，孙见清在旁记录，面试进行得井然有序。一直持续到下午，爱佳忙得快散架了。

面试结束后，爱佳回到办公室。宋时鱼亲自将孙见清送走，回来后为爱佳泡了杯咖啡。

爱佳看着手上的简历，终于吁了口气。人才还有缺口，不过这次招聘完成了三分之二的任务。

"老宋，你出的这招，真的有效吗？"爱佳对在食堂招聘还是心存疑虑。她在招聘的前一天，按宋时鱼的安排，故意让食堂工作人员留了"现场"。宋时鱼坚持认为，眼高手低、眼里没活的人，水平再高都不能要。

“企业的组织形式，其实跟军队差不多。”宋时鱼说，“还没有企业的时候，军队的运作模式已经很成熟了，所以企业的管理很多是复制军队的管理。军队讲究战斗力，企业讲究生产力，虽目的不同，但原理相通，至少有一点是相同的，那就是看细节。”

“可是，会不会在食堂搞卫生与这个人是不是人才有什么必然联系？”

“当然有了。”宋时鱼说，“土匪与军队的本质区别是什么？”

“难道是他们的伙食不一样？”爱佳忍不住笑了。

“纪律。”宋时鱼说，“只有严格遵守组织纪律才拥有持久的战斗力。那你认为军队叠被子、走队列，有什么用？”

“我看没什么用。”爱佳说，“行军打仗，累得要死，哪有时间叠被子？队列更不用说了，你列好队，集中了目标，敌人更好攻击你。”

“真是拿你没办法了。”宋时鱼摇摇头，“这叫素养，知道不？就是平时的组织纪律养成，潜移默化，到战时才能服从命令、听从指挥。今天咱们面试的人当中，有根本不动手的，有主动动手的，但你试试看，肯定是主动动手的有主观能动性，执行力强，工作积极；而眼高于顶、不屑干杂活的人，可能很聪明，但执行力不会太强，也不好管理。”

“分工不同嘛，”爱佳仍然不以为然，“人家读了近二十年书，学的不是如何打扫卫生，咱们这样做有点强人所难。一个企业，靠的是高精尖人才。如果照你的理论，在部队找些大兵来，不就什么事都解决了？”

“你还真以为读了点书，认得几个洋文就行了？”宋时鱼道，“别说你们这样的企业，就是国家机关、世界五百强企业，里头位高权重的人，也不是时时都有大事要干。一个人放不下身段，连小事都做不好，肯定也做不了大事。你要说部队大兵，还真有不少部队大兵做成大事的。不信你查查那些大名鼎鼎的企业家，多半都有当兵的经历。爱佳啊，知识、技能不足，可以学，但做人处事的态度，不是人人都能学好的。”

爱佳笑了：“宋老师，刚才是故意跟你抬杠的，我当然非常认可你的观点。不过，我有些不明白，为什么你仍然用了不同表现的人呢？”

“今天来面试的人，大概分为四种。”宋时鱼说，“第一种，是以孙见清、秋刀刀、南若若为代表的五个人，属于主动型。这类人无论放在什么工作岗位上，都可以放心，因为他们自律性强，领导在与不在一个样，而且善于发现问题并及时处理，适合做行政部门的工作，因为行政管理十分琐碎，没有耐心是根本干不了的；第二种，是我进食堂后又加入到干活队伍中的那六个人，他们也善于发现问题，但并不主动，有服从领导的意识，但爱计较个人得失，如果花时间发掘并培养他们的潜能，也会将他们塑造成有用人才；第三种，是以陈猛为代表的那几个人，这类人事不关己，高高挂起，只做分内事，但如果领导点到他头上，他也会服从指挥，完成任务；第四种，是那些无动于衷的人，这类人拈轻怕重，好高骛远，动嘴能力强，动手能力差，喜欢讲怪话、磨洋工，总觉得别人傻、自己聪明，逮住机会就钻空子。从今天面试者的表现来看，第四种人占了一半以上。”

“那你为何还是用了第四种人？”

“两个原因。”宋时鱼说，“第一，一家企业是一个整体，就像一所房子一样，不可能全是梁柱，也需要墙壁、门窗。第二，这四种人并非一成不变，倘若公司的文化环境和管理制度不好，第一种人也可能变成第四种人，如果好，第四种人也可改造成第一种人。”

“有道理。”爱佳说，“不过，像陈猛这种人，根本就懒得动一下，如何用？”

“让他看到希望，适当的时机，给他一个课题或委任他担任一定的职务，培养他承担责任的能力，就会大不相同。”

“说得好！”门口响起了鼓掌声。李基隆笑着走了进来。

爱佳起身，请老板坐。李基隆一摆手，说：“爱佳，我想占用宋总一点儿时间，可以吗？”

“当然。”爱佳笑道，“宋总是咱们公司的顾问，不是我个人的顾问。”

李基隆请宋时鱼到了他的办公室，亲自为宋时鱼泡了好茶，一副很恭敬的样子。

“兄弟，老哥虽然认识你的时间并不长，但非常佩服你。”李基隆挨着宋时鱼坐下，坦诚地说，“我刚到任，问题很多，一时不知怎么处理，还请兄弟不吝赐教。”

“李总客气了。”宋时鱼说，“您是做大事的人，还这样不耻下问，令我敬佩。”

“兄弟,客气话就不说了。”李基隆说,“要论处理上下关系,把握分寸，我比前任郝正乾强；若论管理用人，开拓市场，我不如郝正乾。你直说，我上任后，第一件事该做什么？是抓管理，抓技术，还是抓市场？”

“依我浅见,都不是。”宋时鱼环视了一下这间略显陈旧的办公室,“请问李总，这是当时郝总的办公室吧？”

“是的。”李基隆说，“老郝这人，以前也打过交道，就是太自信了点，但这办公室倒也简单朴素，比较符合我的性格。兄弟有什么看法吗？”

“我觉得李总要做的第一件事，就是把办公室重新装修一下。”宋时鱼说,“还有,门上的牌子换成‘总裁室’,爱佳的主任办公室更名为‘总裁事务部’，或许会让人感觉有些新的变化。”

李基隆转了一下眼珠，突然哈哈大笑：“谢谢兄弟，我明白了。旧人已去，万象更新，好！”

“还有，李总这办公桌的位置要调一调。”宋时鱼提醒道。

“怎么调？”

“咱们这座楼是东西向，而你目前的桌子是面北靠南，背后太空，还正对着门，有点不协调。”宋时鱼说，“一般情况，对着门的办公桌应该是秘书的，而老板的位置至少要讲究两个字，靠和藏。靠，要靠得住，就是椅子背后不宜太空，而且最好是面南背北；藏，就是开头门时，路过的人不能在门口一眼就看到老总的一举一动。”

李基隆郑重地感谢他，表示装修后一定按他的意思改。随后，他又问宋时鱼风水的事。宋时鱼说，风水，主要讲究格局的协调，也没必要按照大仙们的说法上纲上线，自然、简洁、大方就好。

随后，李基隆低声请教宋时鱼，公司的第一副总主管两大核心业务，根子很深，虽然表面恭维他，但暗地里并不服气，甚至在例会上就给他出了难题。这副总上头也有关系，动不得，如何是好？

宋时鱼开了一个处方：先不要着急动他，而是在下头的分公司物色一位能力突出的总经理，调到总公司来当副总。

李基隆拍了一下大腿，连声说好。然而他转念一想，说下头公司的总经理虽然与总公司的副总平级，但直接调过来就当副总，委以重任，他人会认为我李某在培植亲信挤压第一副总，恐怕会招来闲话。宋时鱼说，副总的排序还按原来的排，新来的副总大可往后头排，但一定要把第一副总分管的部分工作划给新任副总，首先在权限上隔断第一副总对你的掣肘，那么矛盾就从两个人的分化成了三个人的，而且主要是他们两个的了。这样一来，李总就掌握了调停他们二人矛盾的主动权。进，可以慢慢委任新副总担任第一副总；退，仍然可以保持原状。这样一来，你就成功转移了矛盾，原先的第一副总和新来的副总只有顺从你，才有生存空间。

李基隆紧握宋时鱼的手，叹道："兄弟，你真是有办法！我真想请你来，咱兄弟俩一起把事情干好啊，可惜，你有自己的事业，唉……"

事后，爱佳问宋时鱼："既然李总盛情邀请，你就来嘛。咱们平台大一些，你还愁英雄无用武之地？"

"我不能来。"宋时鱼叹道，"知道'远香近臭"的道理吧？现在我是宾客，李总当然待我客气，甚至连秘密都跟我讲；如果真的来了，我就成了他的下属，成了他的武器。职场无父子啊，我还是自己混吧。"

爱佳若有所思。她在想，男女之间，是否也存在"远香近臭"？

第三十九章　朱大姐征婚

一晃一个月过去了。爱佳在这个月里差不多脱了一层皮，才算把工作基本理顺了。

如宋时鱼所料，在招聘的新人中，孙见清、秋刀刀成了她的得力助手，一个主抓办公，一个协调人事，干得风生水起。还有那个陈猛，爱佳在半个月后请示李基隆，委任他为技术研发部总经理助理，负责科研项目。陈猛再不懂世故人情，也知道是爱佳照顾了他，他专门请爱佳吃了一顿饭，表示一定会好好干。

爱佳将宋时鱼看中他的过程和盘托出，陈猛感动得直称宋时鱼为“恩人”。

整整一个月，爱佳与宋时鱼只见过一面，平时偶尔有空时就在QQ上简单交谈几句。孔志军的病情时好时坏，但情绪稳定，就是死活也不肯再去医院治疗了，谁都拿他没办法。爱佳虽忙，但还是通过老板李基隆的关系，找了京城四大名医的传人，求得几服中药。孔志军感谢女儿这份孝心，然而私下里常常就把药给倒了。此事被李晓梅发现后，十分生气，说你怎么回事？拿老命开玩笑？孔老头就冷笑，说生死有命，多活几天少活几天，有啥区别？你要是嫌烦，我自个儿离开好了。李晓梅大哭，说跟了你就是你的人，你要到哪里去，我都跟着。孔志军表面耍横，心头十分感动，觉得自己这辈子被五个女人爱过，已经是莫大的幸福了。就算马上死，也值了！

宋时鱼的生意还是很不错，但也没有井喷式增长。这一天，他刚处理完一个“小三”的问题，爱淘就来电话了。

“半仙，今天有空没？”爱淘说，“春天的脚步已叩响了京郊大地，你不出去透口气吗？”

“有什么事？”宋时鱼问。听得出，爱淘的声音是欢快的。

“没事，就是想请你老人家吃个饭。”爱淘说，“不是我，是小墨。如果你不反抗，我们就马上来接你。”

“孔三小姐想干什么，反抗是没有用的。”宋时鱼哈哈一笑。

宋时鱼刚下楼，就见墨留香开了一辆路虎，爱淘坐在副驾驶的位置上，招呼他上车。

宋时鱼与他们打过招呼，心头纳闷。这小墨入行才三个月，变化也太快了。看这家伙的气色，已隐隐有大歌星的范儿。光那一身时髦的皮衣，恐怕就得上万块。

墨留香的车开得挺猛。恰好是中午时分，路上不堵，车直接朝首都机场驶去，尔后前往顺义的度假庄园瑞麟湾。

宋时鱼心想，这对小情侣哪来这么多钱？但他也不好意思明着问。到了庄园，小墨去找车位停车，爱淘迅速掏出一个银行专用信封，塞给宋时鱼：“宋大哥，谢谢了，这是上次借你的钱，没给利息，请收下吧。”

宋时鱼接过，“那你二姐的钱呢？这里头有一部分是你二姐的钱啊。”

“那是你们俩的事。”爱淘笑道，“半仙，你行啊，居然把二姐这条滑泥鳅给抓住了。”

宋时鱼收了钱。趁着小墨还未从停车场回来，他问：“爱淘，小墨真的发财了吗？”

“还没发财。”爱淘摇摇头，“你是说这路虎？不是小墨的，是朱自干的，记得吧？上次那个在三里屯打架的猪头。他有钱，还参股晴天娱乐公司，目的就是包装和推出小墨。这猪头对小墨可好了，跟亲哥俩似的，有求必应。”

“爱淘啊，我看，有人捧是好事，有人帮忙也不错，但你得提醒小墨小心些。”宋时鱼说，“这猪头讲义气，但也容易惹是生非，你得让小墨跟他算清账，不宜走得太近。”

“知道。”爱淘点点头，“你说的这些我都明白，但小墨现在需要推力。

他们这圈儿里，没有钱，没推手，根本不成。反正等小墨真正功成名就了，再补偿猪头罢。社会本来就是个大染缸，哪有在里头扑腾而不被沾染颜料的？放心吧，宋大哥，我们会小心的。”

宋时鱼想想也是。有爱淘看着，小墨应该不容易失足。爱淘与爱佳不同，天生对世态这一套有敏锐的洞察力，对各种问题总有随机应变的办法。

这时，墨留香回来了。“你们说什么呢？”他笑着问宋时鱼。

“没啥，就是提醒你跟爱淘，与猪头交往时小心些。”宋时鱼说，“并不是说这人是坏人，而是他处事与常人不一样，容易惹事。”

“知道了，宋大哥。”墨留香不以为然，“光脚的还怕穿鞋的？别看我上台唱歌，人模狗样的，实际上我自己心头清楚，没有爱淘、宋大哥、李老师，还有朱大哥，我小墨就是狗屎。”

“不能这么说。”宋时鱼说，“有道是，自助者，天助之。兄弟，你是有才华的人，所以大家才愿意锦上添花，帮你一把……”

墨留香最怕有人跟他讲道理，赶紧拉了一把宋时鱼：“宋大哥，外头冷，进去再说吧。今天兄弟备了点烧酒，暖暖身子再扯。”

于是三人进了主楼二楼用餐区，却见“水月”厅门口，站着猪头朱自干。

猪头笑呵呵地迎了上来，握住宋时鱼的手说：“宋总，上次见面没机会多聊，今天兄弟专程请大哥来这儿坐坐。”

宋时鱼心头咯噔一声，心想这是怎么搞的？刚说到猪头，此人就出现了。就算今天是猪头请客，爱淘二人也得先知会他一声呀。转念一想，既然都到这儿了，且看猪头想干什么。于是他乐呵呵地说：“朱先生相请，是我的荣幸。”

进得包间，座中只有一位四十出头的妇女，皮肤挺白，盘子脸，鼻梁上架了一副眼镜，一看就是那种特文静的女人。她穿着一身昂贵的新衣，衣服上的棱角都在，可是里头的薄毛衣却是旧的。落座细看才发现，她的头发有少许已经白了。

宋时鱼知道猪头是个痞子出身，料定今天会有三朋四友拼酒，万没想到他只带了一个女人来。看神色，猪头与这妇女亲密，但又不暧昧，断然不是情人之类。

猪头恭敬地请宋时鱼上坐后，才介绍那位妇女：“宋总，这是我姐，叫朱敏，虽然是我大伯家的，但从小最疼我。”

宋时鱼礼貌地说了声“您好”，心想这猪头神秘兮兮的，到底有何目的?

正思忖着，猪头说：“宋总，今天请你来，就是想拜托你一件事，我姐离婚了，想找个伴。听爱淘说你是这方面的专家，就想请你帮忙看看，我姐还有没有缘分？”

宋时鱼暗自舒了口气。原来是这个。

接着，猪头向宋时鱼介绍了大姐的情况。朱敏四十一岁，小学语文老师，二十二岁时嫁给了一个外地来的小商贩，帮助他做生意，几乎倾尽所有。后来这商贩逐步发达，将主要业务转移到南方去了，据说小三好几个。因为朱敏长相平平，又没有孩子，耗了十年，终于离了。猪头亲自带着兄弟追到南方，打断了那商贩两根肋骨，但那人说，你就算杀了我，我都不会回心转意。猪头打电话问大姐怎么办，大姐哭着求弟弟不要伤害姐夫……

“我姐命苦啊。”猪头说，“结婚将近二十年，与他在一起的日子加起来不到两年。宋总，我相信你，你就直说吧，我姐能承受——她到底还有没有缘分？”

“缘分，每一个人都有。”宋时鱼说，“朱先生，可能爱淘对我的介绍有误，我并不是算命先生，只不过对人的性情有一点了解罢了。”

“宋哥，你千万别客气。”猪头说，“我知道因为上次三里屯的事，你对我印象不好，但我已经改了，而且和墨兄弟成了好朋友。你会看相，我从你支持墨兄弟与爱淘的事，就看出来了。”

这时菜陆续上来了，猪头端起酒杯，敬宋时鱼。

“朱先生，你是真性情，为人仗义，不玩虚的。我本事有限，但你大姐就是我大姐，提点建议还是可以的。”宋时鱼说，“大姐离婚后，没再谈过吗？”

“唉，别提了。”猪头的眉心皱成了深沟，“我大姐这人，你也看见了，是个老实人，见了生人就不自在，话都不会说了。你说，我再仗义，也不可能强迫谁娶我大姐吧？婚姻这种事，得两厢情愿才行。宋哥，你帮我分析分析，我姐是个什么样的人？”

“大姐是个简朴的人。”宋时鱼说，“她的身上，继承了中国传统女性内敛、贤惠、顾家等特点。”

“简朴？”爱淘眼珠一转，“你知道大姐身上这件衣服多少钱吗？五千块！”

“这是你给大姐挑的吧？”宋时鱼说，“大姐如果没穿这衣服，可能还会自在点。你看，大姐穿上这么贵重的衣服，动都不敢动，多难受啊。”

一句话把大家都逗笑了。朱敏脸上飞起红云。其实她本不难看，一展笑颜，居然有些妩媚。

“宋哥说得对。”猪头敬了他一杯，“那请宋哥继续分析，我姐是个什么性格？”

“大姐喜欢静，喜欢与世无争的生活。”宋时鱼说，“求静的人，不喜欢变化，不追求富贵，只希望能在这个世间有一处清静之地，过着平平淡淡的生活。按朱先生刚才讲的情况，大姐的前夫是个精明的商人，显然不是谁抛弃谁的问题，而是性格上的差异太大。我们往往责怪有些人发达了，就离婚了，指责人家是陈世美。其实，根源是性格问题。这个世间没有完美的人，我们也没有权利要求别人怎么做，更没有必要刻意改变自己去适应某一个人。生活就像衣服，穿着舒服才是真舒服，好不好看都在其次。”

朱敏一听，眼睛亮了些。她终于开口了：“谢谢宋总。您的话，让我茅塞顿开。”

猪头好奇地看着大姐。这个平时沉默寡言的大姐突然开口说话并对宋时鱼表示感谢，这让他有些惊讶。

“我一直努力地想适应他，可是越适应越令他烦。”朱敏轻叹一声，“当年，他做生意的第一笔钱，都是我给他凑的……唉，不提了，都过去了。”说罢，朱敏泪水盈盈。

“丫挺的！”猪头骂道，“要不是大姐求我，我废了他！”

“朱先生，我说句你不爱听的话。”宋时鱼说，“就算你用武力让他屈服了，也没有用，反而会加深大姐的痛苦。我们必须承认，这个社会上很多婚姻是错位的，离婚并不是坏事，对根本不合适在一起的两个人而言，分开是解脱，也是机会。”

“怪不得你生意很火。”爱淘哈哈大笑，“那请宋大哥看看，我与小墨合适吗？”

“你这不是明知故问吗？”宋时鱼笑道，“咱们的歌星，你难道不想敬我一杯酒？”

墨留香赶紧站起来，端酒过来敬宋时鱼：“真的很感谢宋大哥！我不会说话，先干为敬。”

猪头有些性急，对墨留香说：“墨兄弟，你既有前程又有美女，就别搅和了。现在是我着急大姐的事，宋哥赶紧帮忙拿个主意。”

“主意还得大姐自己拿。”宋时鱼说，“我倒认为，大姐离婚是好事，而且以大姐这条件，要找到属于自己的幸福并不难。”

“不难不难，我觉得难死了！”猪头恨恨地说，“宋哥你不知道，我私下里暗示了多少哥们，就是没人接茬！不瞒你说，征婚启事我都登过好几回，接到的都是些乱七八糟的电话，根本不见效！”

“征婚启事是怎么写的？”宋时鱼有点好奇。

猪头从怀里摸出半张皱巴巴的晚报，估计有些日子了。果然，上头有一小块版面，集中刊登了几十条征婚启事。

猪头用指甲掐了下，示意那是大姐的征婚词。宋时鱼一看，上头有一行小字：

> 某女41，离异无小孩，貌美勤俭有房，觅50以下男，健康顾家户口不限。

“怎么样？说得够清楚吧？我可是花了钱找人写的，按字收钱，老贵了。”猪头有些洋洋自得。

“这样的广告，登了也白登。”宋时鱼说，“文字倒也简洁，事情也说清楚了，但大姐的情况不比二三十岁的人。我直说吧，大姐的问题不在征婚广告上，而是在她自己。”

“请宋总直言。”朱敏对宋时鱼挺有好感。

宋时鱼想了想说：“女人找对象，通常容易犯的错误就是‘我自己怎么好怎么好’，‘我要找什么样的’，‘对方条件必须是什么’。而实际上，相夫相夫，是有讲究的。古人造字，很有意思。你们看这个‘相’字，是‘木’和‘目’相结合。木，就是树，树立的树，首先自己要站得直，立得住——只有自己立得住，才可以用眼睛去观察，去评价，去挑选；夫，古代是指成年人头发上插一根簪子，表示是个大人了，因为古代男人有受冠之礼。那么这两个字都包含了一个重要的信息，就是必须自立。自立，不是有房有车有钱就立得住，这只是物质上的，还有精神上的。大姐在物质上没问题，但从你帮前夫开始，虽然你带着怜悯和爱心，但你在精神上是落于下风的，你总是认为自己的善良、忍让、迁就能挽回婚姻，博得前夫的同情，然而最毒害婚姻的正是同情，它像腐败的叶子一样容易滋生细菌，蚕食我们的情感。”

猪头挠了挠头，他听得稀里糊涂，有些懵。但朱敏却站起身来，端酒走到宋时鱼跟前，敬了他一杯：“宋总，您讲到我心里去了。唉，要是早些年遇到您，我何苦这么多年一直独咽苦水！”

猪头见大姐从未如此激动过，大以为奇。因为，他根本没想过这些道理，却有很多女孩喜欢他；大姐闭门读书，处事低调，却没人喜欢。这中间有何道理，他想不明白。

朱敏回座后，轻声问："宋总，听您这么一说，我才知道自己浪费了光阴，可惜我现在已经四十出头了，恐怕今生已经错过了您说的缘分。不过知道了原因，我心中也释然了。"

宋时鱼说："大姐，有句话叫'朝闻道，夕死可矣'，其实情感也是一样。人的一生变化莫测，祸福相依，就算在去世之前才遇到真正懂你和爱你的人，也不算晚，何况你才四十来岁。"

"您的意思，我还要继续修炼，多做修身养性的功课？"朱敏眉心一紧。

"大姐，你不需要了。"宋时鱼说，"修身养性，是对情绪不容易控制的人而言。一个肥胖的人需要减肥，但对于一个瘦弱的人来说则需要增肥。大姐已经修炼过头了，以后反而要放开一些，率性一些，才能生活得生机勃勃、活力十足，也一定会碰到喜欢你的人！"

朱敏目光一闪。瞬间，她似乎发现了一个全新的世界。她端起酒，敬了弟弟一杯："自干，姐谢谢你！"

猪头一愣。在他的记忆中，这位大姐从来都没有敬过他酒。

难道这个宋半仙真会施妖法？让大姐突然像变了个人似的。

说实在话，他并没觉得宋时鱼的话有什么道理。

在他看来，一个男人，只要有钱，够坏，女人就会喜欢，其他都是扯淡。

但他对宋时鱼的感谢也是真诚的，因为今天这顿饭的效果大大超出了他的预期——大姐的心结似乎被解开了，至少，大姐看到了希望！

于是他笑道："宋哥，那请你给我看看，我长成这操性，身上恨不得淌坏水，有女人喜欢吗？"

"喜欢你的女人太多了。"宋时鱼说，"男人坏一点，反而好找对象。"

猪头哈哈大笑起来。

这顿饭吃得很开心。饭后，猪头送大姐回家，安排宋、孔、墨三人泡温泉。临别时猪头对着宋时鱼的耳朵悄悄嘱咐了一句，拜托他帮大姐物色一个对象。“大姐的脾性你看得忒准了，相信你会为她物色到合适的，兄弟拜托了。宋哥，你是咱家贵人啊，大恩不言谢，兄弟记心上了。”

在去温泉浴池的路上，宋时鱼脑海里不断搜寻着他所认识的中年男人，仔细比对着他们的性格。突然，他想到了陈猛。如果朱敏不在乎他有孩子，这两人倒挺般配。

爱淘和墨留香还在为挑什么泳裤争论不休。宋时鱼却等不及了，先行进入换衣间，迅速换了泳裤，冲了热水澡，披上浴巾，进入温泉区。

推开玻璃门，他感到春天的气息扑面而来。温泉池边，青草已经长出一扎高了，温泉里的人也不多，三三两两，悠闲地聊着天。

突然，他的脑子“嗡”地响了一声。

他看见，许重正坐在一个小池的池沿，双手搂着一个长腿美女的腰，在她耳边低声说着什么。

第四十章　坏男人

猪头三十二岁，一不会写情书，二不会玩浪漫，但身边的漂亮女人却从没间断过。

猪头长得实在不敢恭维，脑袋大但并不圆，剃了光头顿显坑洼，脸上是青春痘蔫了后留下的小坑。有的女人摸着他的脸说，就你这脸上的坑，蚊子落下来还不都得残废。猪头问为啥。女人说，因为蚊子腿被崴折了呀。猪头听罢，就往女人脸上喷口烟，然后动手专往女人怕痒的地方挠，女人经不住逗，就变了声尖叫着。这是女人们常和猪头玩的游戏，大概也是消磨寂寞的方式之一。

当然也不是每个女人都喜欢猪头，得对上眼。猪头也会看人，方法与宋时鱼大异。猪头看人，没有分析，没有理论，全凭最原始的感觉。无论在酒吧、迪厅，还是朋友聚会、郊外飙车，一眼看去，几秒钟内他就能从对方眼睛里读到他想要的信息。如果女人眼里有“鬼火”一闪，或是春水荡漾，猪头就知道有戏了，当晚就能睡到一起。

猪头反感那种哭哭啼啼、死去活来的恋爱，认为这些人通通有病。男女生理结构不同：男人是箭，女人是靶，对得上眼，就直奔主题爱一回，或者几回，专注享受肉体的愉悦，别的都是扯淡。他常跟兄弟们讲，泡妞，得有银子，少说废话，多出钱，多给力，让女人痛快!

猪头上次被墨留香砸了一吉他，非但没有生气，反而与墨留香握手言和，有两个原因：一是小墨的性子他喜欢，小墨也的确是个歌星的苗子，猪头的直觉在酒精失效后迅速苏醒，准确地捕捉到了这一点；二是他虽然没文化，也最烦别人谈文化，但内心深处却想染指文化。虽然他开了一家琴行、两个歌厅，但那是为文化服务，没啥劲。最主要的是有一次，一个中央音乐学院的漂亮女生来买琴，朱自干看了她半天，也不见她眼里有“鬼火”，但不知哪来的劲，他就想泡这妞。结果，妞没泡成，还遭到了鄙视，搞得猪头火气直冒，发狠要泡文化妞。他知道娱乐圈美女如云，就有进入娱乐圈的想法，苦于一直没有跳板。墨留香的出现，让他眼前一亮。经过他周密的运作，果然，他成功注资半死不活的北京晴天娱乐公司，占 21% 的股份，成了第二大股东。

猪头占有欲强，脑瓜也聪明。他做事凭感觉，不按常规出牌，又讲义气，官场、商场、警界的朋友不少，能摆平社会上的事，所以实力渐大。

猪头这人有个优点，就是随便一个人，他都认为有用，都能发现别人的长处。有一次，在歌厅唱歌，他注意到一个个头高大的服务生，总是紧绷着嘴倒酒，感到很奇怪，就问服务生为什么这样。服务生低下头，含混不清地说，我是嘴疼。猪头眼尖，见这小伙长得挺英俊，但嘴里好像看不到牙，就拉他坐下，请他喝酒。一聊，才知道小伙叫马伟，山东人，以前在北京当兵，由于是农村兵，回去不安排工作，在北京又没文凭，只好做了歌厅服务生。前不久，一群酒鬼到歌厅找小姐，玩了后不付小费，还扬言要把歌厅砸了。马伟气不过，与他们理论，被一砖头拍掉了半口牙。马伟当即跑进厨房提了两把菜刀出来，一路追砍，剁掉了其中一个家伙的一条手臂。那帮人吓得魂飞魄散，手臂掉进排水沟里也不敢去捡，更不敢去报案。马伟把那手捡了，喂狗，狗不吃，就挖个坑埋了。后来酒吧老板虽然口头上表扬他见义勇为，却没什么实际表示。猪头听了大为感动，说兄弟，老哥佩服你！但那帮人早晚会来找你算账，在这里不安全。我劝你别干了，赶紧跟哥们整事去。你这口牙，咱到北京口腔医院给你做最好的。后来马伟跟着他，果然把他当亲哥看，办事当然出力，很快就崭露头角，成了猪头的得力助手，并成为猪头名下两家歌厅的经理。

年前三里屯那一架，打出了一个歌星，一个老板，一个看相的，都被猪头放心上了。这三个人，猪头首先把墨留香放第一位，因为现在小墨默默无闻，正是投资的最佳时机。“帮人要趁早。”这是猪头恪守的信条。他没啥文化，却有对对子的爱好。一次，一兄弟总结猪头的泡妞经验，出了一上联：泡拜金女。猪头随口就对：帮落难人。那兄弟加了一点难度：泡拜金女无后患。猪头冷笑：帮落难人有前程！那兄弟拜服，只得给了个横批：以人为本。

第二个人，就是许重。分局的哥们告诉了他事情的经过，说这个许重原先是银行系统的，是爱淘的姐夫，有钱。猪头有心，琢磨许重这样的人不像小墨，得想点奇招方可。

第三个人是宋时鱼，猪头认为他根基不牢，但仍然可以交往，说不定啥时候就能派上用场。马伟毫无根基，现在不也干得挺好的吗？

猪头认为，一个人来到这个世界上，只要不短命，就一定有他活着的价值。果然，大姐朱敏的事，他想来想去，交给宋时鱼处理最好了，但也得找合适的时机。

对付许重，猪头费的心思挺大。他知道上次许重找分局哥们被压住了，一定不爽，没多久他就约了分局那人，再叫那人约上许重。许重到场一看，有些尴尬。猪头特会来事，上来就赔不是，自罚了三杯，说许总您是企业家，大人不记小人过，别跟兄弟一般见识。爱淘那事，是我不对，在这里再赔一次罪。许重被他弄得不好意思，见他主动给了台阶，也就下了。

许重这两年做房屋中介，虽然发了，但竞争太厉害。有几次，下头店铺的伙计与比他公司实力强的邻家店铺为争抢客户，竟大打出手，甚至，还扬言要搞垮他的公司。许重与爱美有本质的不同，他精于俗务，懂得在这个世间，道理是道理，法律是法律，事情是事情。在社会上，三教九流的人都不能小看，衙门里的人更是惹不起。平时没事倒也罢了，遇事找不到能帮忙的人，跟任人宰割没啥两样。这猪头看着浑，实际上有几把刷子，不如交个朋友，反正只要别走得太近，问题也不大。

自那以后，许重请过猪头一次，猪头请过许重两次，唱过一回歌，洗过一回桑拿，但活动都是“素”的，只不过每次猪头都换一漂亮女友相陪。许重久在商场也见怪不怪。

许重是一个洁身自好的人。从小他母亲就教育他，黄赌毒烟酒，不能沾，沾了就完。他呢，烟酒沾一点，但有节制，黄赌毒从来不沾。

猪头深谙男女之事，他从不找女人陪许重，喝酒就喝酒，唱歌就唱歌，扯淡就扯淡，绝口不提女人之事，只是每次都当着许重的面与带来的女人相处甚欢，旁若无人。几次之后，许重心头也就毛毛的，心想就猪头这德性，要文化没文化，要仪表没仪表，整个一堆大粪，却招蜂引蝶，实在让人不平！

有一天，许重在办公室分析房产销售数据，猪头打来电话，说许总请帮个忙。许重虽与猪头交往，但打心底瞧不起他，早已划了道线：凡是乱七八糟的事，一概不理。却不料猪头说：“许总，我有一战友的妹妹，叫容可儿，学营销的，大学毕业后工作过两年，现在到了北京，想找个工作。我首先想到许大哥，想向您推荐一个人才啊。”

许重一听，放了心。他想，这个事情没有隐患，反正公司底下的店铺要人，如果形象好，可以做业务，就说：“没问题。朱总推荐的，那是给我许某面子。”

猪头说：“许总，如果今天您有空，我就将人带来，您瞅瞅，合适就用，不合适也没关系。”

许重说行。

于是他准备让管人事的副总，将这个容可儿安排到店铺试用，找个师傅带带再说。刚好，副总到下头的店铺去了。许重也不着急，心想来了再说。

不一会儿，猪头领着容可儿来了。许重顿觉眼前一亮。这容可儿长腿、细腰、鹅蛋脸，肌肤吹弹得破，双眼汪汪蓄水，只要一动，万种风情扑面，真是个楚楚动人的美人儿。

这时的许重，心头咯噔了一下，心想幸好副总没在，不然这样的美女放到下头卖房子，可惜了。但他表面仍然装得很正经，热情接待了猪头和容可儿，并问了问容可儿的情况。

“容可儿是我战友的妹妹，刚到北京来闯世界。本来吧，我想安排到我公司，亲自照顾一下，但许总知道，兄弟没文化，怕耽误了可儿的前程。想来想去，只有许总这里合适。许总仗义，人好，学识渊博，公司又大，可儿你可得好好学习啊。”猪头显得很诚恳。

那容可儿眼巴巴地看着许重，直把他看得心乱如麻。

许重客气了几句，就给容可儿安排了一个外联的差使，让她到公司的外联部上班。许重做事谨慎，从不用秘书，很多文稿都是自己写。公司的女职员，私下里都佩服许总不近女色，称他是个快要绝种的好男人。

事情就这样安排妥当了。猪头交代几句，转身离开。许重一下午都心不在焉，眼前总晃动着容可儿那双水汪汪的大眼睛。这个人见人爱的姑娘，摧毁了他的定力，令他整个下午如坐针毡。他忍不住出去了好几回，借口与部门经理谈工作，私底下却偷眼看容可儿。容可儿似乎浑然不觉。

那日下班，容可儿一直没走，许重突然想到一个问题：这可儿住哪儿？

许重上前询问，容可儿娇滴滴地说："许总，公司没有宿舍吗？朱大哥说可以住他家，但恐怕不方便……"

许重知道猪头是个色鬼，这容可儿要是住他家，简直就是羊入虎口。但公司又没有宿舍，怎么办？看着天色已晚，许重心生恻隐。他本来就是做房产生意的，手头有不少待售房，离公司不远处有一个朋友托管的两居室，不如借她暂住，以后再行安排。

没想到这一住进去，容可儿就再也没搬出来。

当晚，许重请容可儿吃了顿饭，又开车将她送到那套房子里，交代她如何使用房间里的东西。最后连许重都嫌自己啰唆，心想还是赶紧离开为上。不料在他拉门准备离开时，容可儿灵蛇般的双臂缠上了他的腰。许重练过几年跆拳道，别说容可儿这等娇弱女子，就是猪头想与他单挑，也不是个儿。但那时的许重浑身酸软无力，喉头直冒青烟……坚守了多年的信念城堡，在这个刚见面半天的妩媚女郎的攻击下，全线失守……

那一晚，许重第一次体会到了人生中极致的疯狂。容可儿与爱美不同，她是天生尤物，懂得如何激活男人的每一个细胞、每一微米神经。大汗淋漓之后，许重一边自责，一边又庆幸自己遇到了能让他如此销魂的女人。最后，他只得放大爱美与萧诗人去内蒙那件事情，以求心理平衡。

令许重特别感动的是，容可儿不仅懂他的"身"，还懂他的"心"。第二天上班，容可儿跟什么事情都没发生过一样，甚至看都不看他一眼。许重彻底放心了。加上他历来没有占女员工便宜的习惯，公司上下对于这个新进的女孩，都不足为奇。

但只要不在公司，许重就跟着了魔似的，很快就与容可儿如胶似漆。

除了在那个两居室的"金屋"里疯狂，许重也会抽时间带可儿去郊区换换环境。这次在瑞麟湾泡温泉，完全是临时决定，没想到却被宋时鱼撞了个正着。

第四十一章　这个小三想干吗

许重与宋时鱼目光相接的一刹那，就僵在水池里。长腿美女感觉身边的许重不太对劲，顺着他的目光看过去，就见一个中等身材、稍显瘦削的男人正看着自己。

离得这么近，宋时鱼能感觉到长腿美女身上散发的诱惑。爱美是冷的，此女是热的；爱美贤淑，此女风骚；爱美保守，此女开放；爱美内敛，此女张扬。几秒钟之内，宋时鱼就在心头打了个结：能抵挡得住此女诱惑的只有三种男人——阳痿、同性恋和死人。如果喝高了烧酒，恐怕自己也不行!

宋时鱼进也不是，退也不是，只得同许重打了个招呼。许重脸上的笑容刚展开，又僵住了。宋时鱼知道，身后来人是爱淘和小墨。

爱淘是个通透的人，拉了一把宋时鱼："宋大哥，咱们去大池里扑腾去吧。"她装作没看见许重。小墨走了几步，却忍不住回头望了一眼，被爱淘猛踢一脚。

大池里雾气蒸腾。爱淘下了水，招呼两个男人坐下，低声说："你们傻不傻呀。不该看的不看，不该知道的别知道。"

宋时鱼连声说是。小墨却说："那不是姐夫吗？怎么有个女的在他身边？"

"就你眼尖？"爱淘白了他一眼，"这事，今天就你们俩看见了，谁要敢走漏风声，别怪三小姐我不客气！”

小墨吐了下舌头：“敢不从命？不过，那女的真漂亮，比电视台那些美女强多了。”

爱淘一把揪住他的耳朵：“短毛，你敢多看一眼，小心姑奶奶要你的小命。”

小墨赶紧叫饶，两人闹成一团。

宋时鱼心头却有些发毛。许重有小三这事，到底给不给爱佳讲？不讲，不诚实；讲了，爱佳一定会告诉爱美，后果不堪设想。

小墨突然说：“会不会是朱大哥安排的？怎么会那么巧？”

宋时鱼说：“有这种可能，但也有碰巧的可能。看样子，许重对这女的上心了。”

“怎么看出来的？”小墨说，“万一是个客户，到这里来谈生意呢？”

“有客户这样往男人怀里钻的吗？”爱淘呸了一口，“就像烂泥往墙上抹，黏得让人恶心！”

“那大姐怎么办哪？”小墨皱起眉头，“就算我们不说，可是，世上没有不透风的墙，这……这事早晚都得知道啊。”

“我觉得，许重一会儿会来找我们。”宋时鱼说，“你们赶紧想个辙。”

“我擦，你是情感专家啊，我们有啥辙？”爱淘说，“我看这回悬！大姐弄不好又得去内蒙找萧诗人去。”

宋时鱼没理她这茬，有些严肃地说：“爱淘，小墨，我不得不再啰唆几句，你们最好离猪头远一点！虽然今天许重在这里，不一定是他安排的，但我感觉，这猪头是道上的人，别看他暂时无条件地帮你们，久了肯定会出问题。”

“宋大哥多虑了。”小墨说，“今天朱大哥到这里来请你吃饭，是我的主意，临时决定的……跟许大哥没关系。”

“宋大仙，你别一惊一乍的好吧？”爱淘说，“你今天也不是答应要帮朱大姐吗？他猪头就算混黑道，咱也不是吃素的，怕什么？小墨现在是凭本事吃饭,猪头没有他,入股晴天娱乐都困难。现在是他有求于我们,不是我们有求于他。”

“行，反正今后别怪我没提醒。”宋时鱼说，“你们也别怪我话多，这猪头，面带猪相，心头敞亮，明白的事比你们多，只是装傻充愣罢了。说句你们不相信的话，就是许重，也不见得斗得过他。”

“谢谢宋大哥，我们会注意的。”小墨说，“不过这当下的事，还请宋大哥想想办法。”

“许重不是个随便的人，”宋时鱼想了想说，“我还是坚持我原来的看法，许重很可能暂时为美色所迷，他还是爱爱美的。你们赶紧从左边这道门回去吧，我在这儿等许重。”

“你认为他会来？”爱淘问。

“他来和不来，都很说明问题。”宋时鱼说，“他一个人来，说明他还在乎爱美；两个人一起来，就是铁定要与这女的重组家庭。不来，就是无所谓，根本没把爱美当回事，更没把与那个女人相好当回事。”

爱淘和小墨走了。宋时鱼静静地泡着温泉。

十分钟后，许重果然来了，单独来的。

他将浴巾挂在衣架上，下了池。

“时鱼兄，身材很苗条嘛。”许重脸色恢复正常，开了个玩笑，“他俩走了？”

“我让他俩走了。”宋时鱼说，“许总，我一直在等你。”

“我知道。”许重往肥肚子上浇了一捧水，“其实我差一点就没来。”

“你有权选择自己的生活。”宋时鱼将身子往下蹲，只留脑袋在水面，“况且，我是外人。”

“你已经不是外人了。”许重也将身体往下蹲，保持与宋时鱼相当的高度，“实际上，你已经是半个孔家的女婿了。”

“我怎么没感觉？”宋时鱼很意外，他当真是没看出来。

“我比你了解老丈人。”许重轻叹一声，“他是典型的说一套、做一套的人，心眼挺好，就是爱装严肃，想让别人怕他。说真的，别看他好像喜欢我，还有小墨，实际上他最喜欢你。只不过，他要考验一下你，看你是不是真男人。”

宋时鱼的内心突然涌动着一份感动，鼻子有些酸，眼睛有些疼。他赶紧将头扎进水里，浸了一会儿，再露出头，用手抹了一把脸。

“那许总既然什么都明白，为什么不明白自己的处境？”宋时鱼直视他的眼睛。

“什么处境？”许重说，“时鱼啊，我只是一个普通的男人，我有爱的权利。”

“我不是否决你爱的权利。”宋时鱼说，“但我刚才看了一眼，那女孩，有问题。”

“你还真以为自己是相师？”许重怫然不悦，“哥们儿跟你放句实话，看相那套把戏，蒙女人还可以，我是不会相信的。”

“那你来找我干吗？”宋时鱼也不高兴了，“说真的，关我屁事呀，你爱咋咋地。”

“行。”许重爬上池沿，去架子上拿奶白色的浴巾。

“别动那个，那是我的。”宋时鱼说，“你的在右边。”

“怎么了？”许重哼了一声，“不都一样吗？”

“不一样。”

“为什么不一样？”

“因为你那个有细菌。”宋时鱼说。

“啪！”许重将浴巾重重甩在地上，双眼冒火，“姓宋的，你丫还真把自己当根葱啊？你干净啊？瞧你那德性，要不是看在爱佳面上，我都懒得理你！”

“不理拉倒。”宋时鱼说，“不过那细菌不是你的。”说罢，他闭上眼睛，扎进温泉。

“慢着！”许重重新跳下池来，一把捞起他，“你得把话给我说清楚！”

“你呀，唉。”宋时鱼只得起来，坐在池沿，“这么大个老板，怎么就看不明白呢？”

“看明白啥？”许重说，“你说那小姑娘？告诉你，她是我员工，叫容可儿，干干净净、清清白白的……”

“你了解她的过去？”

“不了解，为什么要了解？”

“来多久了？”

“一个月不到，二十五天吧。”

“记得还很清楚，看来真入迷了。”宋时鱼叹道，“我说许总，你也不想想，你虽然有点魅力，但一个女孩，长得这么漂亮，为什么会一下就爱上你？”

“正常啊。”许重说，“如果爱上你，你就不觉得奇怪了。”

“许总啊，你将别人的事看得那么透，怎么自己的事就看不明白呢？”宋时鱼叹了口气，“你还真相信，爱情会从天而降？”

“那你什么意思？”许重追问，“你以为她是鸡？脏？什么细菌？你用显微镜看过了？”

“许总息怒。”宋时鱼正色道，“到底是个什么情况，我不敢断言，但刚才我目测了一下，这个女孩真的有问题。”

“什么问题？”

“她是不是‘功夫’挺厉害？”宋时鱼盯着许重。

许重脸有些红。他明白宋时鱼的意思，点了点头。

“她多大？”

“二十三岁。”

“二十三岁，在当下这个社会还是个孩子，怎么会很厉害？”宋时鱼冷笑，“如果她上过大学，按二十一二岁毕业来算，才在社会上混过一两年。通常这般年纪的女孩，别说‘厉害’，可能在这方面还没上道呢。”

“这……因人而异吧？”许重虽不认同，但还是听进去了。

“最主要的，她的神色不像二十三，而像三十二。”宋时鱼说，“她的确有魔鬼般的身材，绸缎般的皮肤，也深知男人的喜好，但她的气色与正常上班的女孩大异。”

“有什么不同？”许重皱了皱眉。他当然也朦胧地感觉到是有不同，但哪里不同？他说不出来。

“她的气色，明又不明，暗又不暗，相学中这种现象叫‘气滞’。”宋时鱼解释道，“一个人的气色，透露其健康、气运和心底秘密。气滞是气脉不通所至。气脉不通有两种，一种是上了年纪而缺乏运动；一种是心乱如麻而烦躁忧虑。这个容可儿，眼含春色，面露媚态，但心灵深处紧张又焦虑。一个二十三岁的小姑娘，身体正处于青春鼎盛时期，不运动也没事，只有心血淤塞才会出现‘气滞’现象。如果我猜得不错，她常常会神情恍惚，白天总是贪睡，晚上却兴奋不眠；爱耍小脾气，但过后又赔礼道歉；温柔时小鸟依人，生气时痛不欲生。对吧，许总？”

许重一下听呆了。他失神地望着宋时鱼，半晌才说：“你是不是跟踪我们来着？”

“没有,第一次见。”宋时鱼说,“如果太熟悉了,反而还看不出。看相，其实是最初的气场最真实。相处久了，气场中和，行为和习惯容易障目，就不好分辨了。如同我们看到绝美的风景，第一次会被深深震撼，如果去的次数多了，就会变得浑然不觉。”

许重沉默良久，道出事情的原委。

宋时鱼这才知道一切都是猪头的安排，但猪头安排一个这么“厉害”的女孩到许重身边，有什么企图？

“许总，如果你相信我，我劝你赶紧离开这个女孩。”宋时鱼说，“虽然目前我还猜不出猪头的目的,但至少有一点可以肯定,这女孩是做‘小姐’的，至少曾经做过。”

许重的嘴张得很大。他很难相信这是真的。以前他虽洁身自好，但常与朋友去歌厅唱歌,也不是没见识过“小姐”。这容可儿与那些‘小姐’

的差别甚大，素质也较高，怎么可能？

“时鱼，我看过她的身份证、毕业证，她不可能是‘小姐’。”许重觉得头有些大。

“现在她是不是‘小姐’已经不重要了。”宋时鱼说，“许总，如果刚才我说的她平时的表现属实，那么这里头肯定有问题。”

许重呆了半晌，才道：“谢谢你，时鱼。我这就回去，把这女的开了算了。”

“开了？”宋时鱼摇摇头，“现在不能开。你一开，她必将你们的事抖搂出来，别说你没法向王阿姨和爱美交代，就是在公司也会颜面扫地。这女的，不是好对付的角色，况且她背后还有朱自干。”

“那我怎么办？”许重双手一摊，“不行就把她放到底下的店铺去卖房子，缓一缓，再找个理由开掉。”

“都不是好办法。”宋时鱼摇摇头，“你这样一来，无异于打草惊蛇，她也会向你发难，朱自干到底是何目的就不得而知了。”

“我明白了。”许重深吸一口气，“那就照旧，静观其变吧。”

“但是，如果她发现你对她突然变得冷淡，也会起疑心的。”宋时鱼说，“但如果你继续与她这样下去，对爱美又不公平，你也会内疚，难哪！”

许重想抽烟。但身边没有烟、火，只是习惯性地动作了两下。

他平时经营房地产，可谓足智多谋，但现在要对付一个女人，却只觉束手无策。

“时鱼，刚才我有些冲动，你别介意。”许重抓住他的胳膊，一阵摇晃，“我知道你有办法，你赶紧帮我想个辙吧。以后我绝对不乱来了，好好对爱美。你想啊，咱们马上就是亲戚了。你和爱佳将来有了孩子，得叫我叫大姨父啊。”

宋时鱼一阵感动。无论如何，许重并不坏，只是突然遇到在“勾引领域”出类拔萃的容可儿，一时没把持住，着了人家的道儿，于情于义，自己都得帮他。

可他一时也想不出什么好招。

猪头背后有人不说，而且是个不按常规出牌的人，惹毛了他，事情会变得非常复杂，不但许重婚姻不保，可能连他苦心经营的公司都会受到沉重的打击。

现在的关键问题是得弄清猪头那猪脑袋里到底有啥鬼名堂，施以缓兵之计，想出一个周全的办法，让容可儿既不起疑心，又让许重不再与她有身体接触。

有风吹来。初春的风有些寒，但吹在人身上，令人分外清醒。

宋时鱼看着飘起的浴巾，脑海里突然灵光一闪。

“许总，我想到了一个绝妙的办法！”他有些兴奋。

“什么办法？”许重眼睛一亮。

“出趟差，然后去医院。”宋时鱼说。

许重刚开始还一愣，随即紧紧握住了宋时鱼的手：“兄弟，高啊！佩服，佩服！”

宋时鱼知道他明白了，但临走时还是补充了一句：“许总，别怪我多嘴。做一个男人，难啊，但一定要学会自制。”

“怎么自制？”许重凝神静听。

“上头管着嘴，下头管着腿。”宋时鱼说完，将浴巾披在身上，大步流星地走了出去。

宋时鱼回到公司，已是下午。

公司的员工小谢轻声对他说：“宋总，有位女士一直在等您，说是您的好朋友。都等半天了。”

宋时鱼走进办公室，看见爱美坐在那里，一脸茫然。

第四十二章　糗事

许重和容可儿进了车里，往城里驶去。

“那个人是谁？”容可儿的声音像流动的泉水。许重平时听了，耳根直麻痒。但经过宋时鱼一番分析，这声音让他心头直发毛。

“一个朋友，找我有点私事。”许重一边开车一边说，“对了，我有点急事，必须去外地。”

“去哪？”

“东莞。”

“我也去。”

“你去不方便，至少现在不方便。”

“哼，”容可儿撒起娇来，“不要嘛，我也想出去转转。放心啦，许总，我不会让你老婆知道的……”

“别闹，真的很急，下次带你去好玩的地方。”许重说，“先回公司吧，我晚上就走。”

“重哥，你走了我怎么办？”容可儿有点眼泪汪汪的意思，“要去多久？”

“五天吧，不会太久。”

“五个小时我都等不及啊。”容可儿嗲着嗓子说，“你真坏……让人上瘾了，知道吧？”

“都下午了，送你回家吧，不用去公司了。”许重说。容可儿发嗲的声音让他有些扛不住，身体的某部位悄悄发生了变化。

“我哪有家啊。”容可儿轻声叹息，“好不容易遇到一个心爱的人，但家仍然不会有。”

许重没有答话。他在想，如果容可儿和自己真的是纯洁的爱呢？但随即，他又暗骂了自己一句。这段时间，容可儿与他黏在一起，可能有意无意地知道了一些自己的商业秘密。想到此，他心头一寒。所幸他是个沉得住气的人，表面上不动声色。

将容可儿送到楼下，他掉头去了公司。公司还是上班时间。许重找到容可儿的经理，私下交代：自己要出去几天，这几天要盯紧容可儿的一举一动，等他回来后立即向他汇报。

宋时鱼看了爱美一眼，只见她形容憔悴，仿佛变了个人似的。

爱美见了宋时鱼，站起身来，递给他一页纸。

宋时鱼一看，正是他上次为她出的题——男人出轨十大特征。这次爱美选了九项，只有“看到关于第三者的信息不予评论”一项没选。

“宋先生，这一项没选，是因为我们根本没有时间在一起，也没有机会接触到关于第三者的信息。”爱美的声音压得很低。

宋时鱼的脑子飞快转动着。如果爱美仅仅是客户，那就按规矩来。可她不是。她是爱佳的姐姐。

“爱美，你先喝点水。”宋时鱼坐下，看着她的眼睛，“现在我问你，你是想与许重离婚，还是希望他回头？”

爱美咬着嘴唇，良久不语。

“他是在报复我。”爱美眼眶里畜满了泪水，但她忍着不让它掉下来。

“那我告诉你，他不是。”宋时鱼说，“人都会犯错误，但许重的错误与他人的错误不同。”

“有什么不同？”爱美说，“男人一旦有了钱，见到年轻漂亮的女孩贴上来，没有不动心的。”

宋时鱼没有反驳，只是说：“爱美，其实你作出任何选择都可以。不过，如果你相信我，就不要急。离婚，不过半天的事情。我告诉你吧，许重遇到了麻烦。”

“活该！”爱美骂道，“死了才好呢。”

宋时鱼沉默不语。以他的经验，遇到发现老公有外遇的女人，最好的办法是倾听，因为这种状态下的女人最需要发泄。

爱美骂了一通，毕竟是教师，用词并不歹毒。末了，她见宋时鱼不吭气，转过头来骂他："你也不是好人！年前，你死活要把我从内蒙带回来，让我忍让，说许重会对我好。现在怎么样？我连死的心都有了。"

宋时鱼依旧不语，等她发泄完了，才缓缓说道："爱美，有些事情，我只能提出建议，最终的决定权在你那里。你现在不能冲动，至少，为了你父亲，你也得忍一忍，观察一下再说。"

这一招果然管用。孔老头得了癌症，如果知道许重有了外遇，女儿再次闹离婚，恐怕会病情加重。

"爱美，我是站在你这边的。"宋时鱼见她突然沉默了，接着说，"我还希望你在孔伯伯面前帮我美言几句，我怎么可能不帮你？实话告诉你，今天我出去，就是为了你们这事。"

"原来你早就知道了。"爱美气得扔了纸杯，"那你为什么不提前告诉我？至少，告诉爱佳也行啊！还指望我帮你说好话，可能吗？我看，你和许重是一丘之貉！"

宋时鱼笑了笑："爱美啊，任何事都有原因吧？我与许重要是一条心的话，我图什么？上回你也知道，我差点就同他打起来。"

其实爱美也就是发泄几句。她今天来找宋时鱼，目的是为了问计。胸脯起伏了几下之后，爱美平静些了，"你是专家，你说怎么办吧？钱，我照付。"

"不要钱，但你得答应我三个条件。"宋时鱼道，"第一，你要学会装，装作啥也不知道；第二，你要更加孝敬婆婆，让她感觉愧疚，离不开你；第三，赶紧找爱佳、爱淘，一起沟通交流一下。"

"凭什么？"爱美说，"许重背叛了我，我装作没事一样任他欺骗？还要照顾他老娘？我两个妹妹，没啥好交流的，她们现在都处于情感上升期，没啥共同语言。"

宋时鱼耐心地解释："装作不知表示你大智若愚，以许重的聪明他会感谢你；你在这种状态下仍然对婆婆孝敬有加，只会增加她对许重的压力；三姐妹多作沟通是必不可少的，毕竟是亲姐妹，最懂彼此的心，不然窝在心里容易出毛病。至于将来是离是和，也不急于这一时。”

爱美本是心乱如麻，根本不知如何是好，才来找宋时鱼。冷静下来以后，她也觉得眼下也只能这样了。

“那就再听你一次吧。”爱美的脸色苍白，“反正大不了离，没什么。我能养活自己。”

“这样想就对了。”宋时鱼松了口气，“许重出差了，刚走，可能要过几天才能回来。至于我刚才所讲的情况，比较复杂，目前还不能确定。等有了新的眉目，我会告诉你。”

爱美走了。宋时鱼坐在办公桌前，心情郁郁。情感之事，真是复杂。从事这种工作的时间越长，他越觉得艰难。

五天后，许重回到公司。其实这几天他就在北京，只是没有露面，他把手机关了，暗中找人调查了一下猪头，果然发现这家伙有涉黑嫌疑，前不久他在城南盘下一个四层楼的大型娱乐场所，开业在即。看来，宋时鱼的判断是对的，容可儿是朱自干派来的“卧底”，幸好时间不长，自己还未向这条美女蛇透露太多的商业秘密。

心头有数后，许重回公司转了一圈，把容可儿找出去。容可儿见了他，像阔别多年的恋人一样黏上来。许重虚与委蛇，应付了一下，说好久没回家了，得回去与老婆打个照面。容可儿立刻就生气了，嚷嚷着一定要他晚上陪她。许重只得说，身体不舒服。容可儿说，不舒服去医院啊，我陪你。许重说明天吧。

第二天，容可儿陪许重去了医院。许重将车停好后，犹豫了一下，让容可儿不必出来，在车里等。容可儿等了好半天，见许重面色凝重地回到车里，一言不发，像变了个人似的。

“查出是什么病？”容可儿问。

许重不答。

容可儿感觉气氛不对，一再催问。许重只是不说话。

闷了一路，到了容可儿住的地方，许重把门关上，阴着脸说："你跟我说实话，你有没有病？"

"你说什么？"容可儿大惊失色，但很快表情就恢复正常了，"你才有病呢！"

"那我今天怎么查出来了？是性病。"许重直盯她的眼睛。

容可儿的脸突然变得潮红。她一拳打在许重的肩膀上，呜呜地哭开了，"你这没良心的，还赖上我了！你说，你去东莞，出去玩了没有？"

许重脸色一变，摸烟出来抽。

"到底去玩了没有？"容可儿摇他的肩膀。

"要我说实话？"许重问。

容可儿狠狠点头。

"跟你，跟东莞的小姐，都玩过。"许重说，"我现在不能确定到底是谁传染了我，懂吗？你也别闹了，都这德性了，我有什么办法？"

容可儿终于坐下了。她一把夺过许重的烟，也抽了起来。

二人默默抽烟。容可儿抽完，问："今天那医生说得准吗？万一查错了呢？"

"怎么会错？"许重冷笑，"今天咱们去的地儿，是治疗性病最好的医院。先查出了梅毒，医生说还要进一步查是否带有 HIV 病毒。今天没心情了，改天再去复查。"

其实查 HIV 是瞎编的，要查也就一并查了。但容可儿当时有些晕乎，没注意这个漏洞。

"那……你打算怎么办？"她的神情有些慌乱。

"怎么办？赶紧治疗啊。"许重看了她一眼，"可儿啊，我现在是不敢回家了，老婆要知道了，还不跟我拼命？"

"你什么意思？"

“我就暂时住这里吧，行吗？”许重央求她，“反正，老婆那边早晚得知道咱俩的事。等我把病治好了，咱俩就结婚。可儿啊，我是爱你的。”

说着，他去抱她。

容可儿却像游鱼一样滑开。“不行！”容可儿用一种完全陌生的眼神看着他，“许总啊，你还真以为我非你不嫁？咱俩差这么大，我也就是玩玩罢了。你还是先治病吧。”

说着，她去了房间，三下五除二把东西收拾完了，装进包里，准备离开。“幸好行李不是很多。许总，这是您的钥匙。对了，住了一个月，是不是要给房租？”

“你……就这样走了？”许重站起来，有些愤怒地看着她，“可儿，咱俩在一起的时间不长，可……可我对你是真心的。”

“省省吧，许总，都这德性了还想与我住一起？”容可儿冷笑。

“你……以为我这是茶馆酒店呀，想来就来，想走就走？”许重喘着粗气。

“怎么着，莫非你还想控制我的人身自由不成？有本事你就把我杀了，剁碎，放你宝马的后备箱，拉郊区埋了。如果实在懒得动，扔下水道也行！”

许重心头突然一阵轻松。看来，宋时鱼说得对啊，这容可儿真的是个婊子。良家女孩，谁会这么快翻脸？说得出这种狠话？

既然演到这份上，他就继续演，“你不在公司干了？”

“你那破公司，有什么干头？”容可儿拉开房门，“姑奶奶不侍候了，许总！就你这种到处嫖的暴发户，还想跟我结婚，我呸！想想都恶心！”

她甩门离去。

许重长吁了一口气，重重地坐回沙发上。

许重眯了一会儿，电话就响了。

“许总，容可儿果然去了医院。”电话里一个声音说，“就是上午你去过的那家。”

“知道了。”许重挂了电话，拍了一下大腿。

直到这时，他才真正死心——宋时鱼这小子果然眼毒，容可儿真的是个“鸡”，自己咋就没看出来？

他马上接通了宋时鱼的电话。

“时鱼兄，都按你说的办了。”

“容可儿呢？”宋时鱼问。

“吓跑了。”许重哈哈大笑。他从未像现在这样放松过。接着，他将今天的过程讲了。他想，宋时鱼一定会佩服他的表演。

然而电话里传来宋时鱼顿足的声音：“许总啊，你失算了。”

“怎么？”

“打草惊蛇了！”宋时鱼叹息一声，“你只须让她知道你可能有病就可以了。但你没把握好度，怀疑她传染给你。那么，她今天就会做两件事，第一，先去查她自己有没有病；第二，去找朱自干，将一切告诉他。”

许重猛省。看来，自己真的是表演过头了。不过，一条美女蛇被吓跑了，自己及时刹住了欲望的快车，也还有回头的余地。

“爱美那边，我该怎么办？”

“你既然错了，就按弥补错误的方式来办。”宋时鱼说，“谁都会犯错误，许总。犯错误不可怕，可怕的是为自己的错误找借口。”

然而，这次宋时鱼只猜对了一半。

容可儿担心自己感染了性病，离开许重后就慌忙地往医院跑。时值下午，泌尿科只有一个医生值班，排队的人很多。好不容易轮到她，一检验，啥事也没有。

容可儿虚惊一场，赶紧跑到一个饭店，叫了酒菜为自己压惊。闷酒易醉人，她居然把自己喝醉了，就找了一个以前的姐妹，搭伙住了一晚。

天一亮，容可儿才想起得把这事告诉朱自干。朱自干的手机关了，她只好打了一辆车，直奔朱自干的公司。

但朱自干的得力干将、退伍大兵马伟说，朱哥昨夜在斗殴中被打成脑震荡，现在正在医院抢救，连自己的姐姐朱敏都不认得了。

容可儿从朱自干的公司出来,往马路上啐了一口。然后,她打了辆车,直奔火车站。

北京这鬼地方，她不会再来了。甚至，她在心底暗暗下定决心：就算是撒尿，都决不朝着北方!

值得庆幸的是，她没查出病。让她不爽的是，她没落着多少钱——至少与朱自干当时承诺的数字相差甚远。

然而能够拿着这些已经到手的钱，离开这个是非之地，平安回到南方的故乡，对她而言，已经是最好的结局了。

第四十三章　新星坠落

如果说容可儿得知朱自干受伤后只是怨恨和自认倒霉，那么这个消息对朱敏而言简直就是晴天霹雳。热恋中的爱淘收到短信，也差不多要疯了——已经在歌坛崭露头角的新星墨留香，在参与朱自干抢夺娱乐场所地盘的打斗中，将人殴打致残，目前已被刑拘……

朱自干在城南开了一家大型娱乐场所，面积很大，集歌厅、桑拿、迪厅和酒吧为一体，一共四层。经过精心的筹备，定于四月初开业。朱自干请已经小有名气的墨留香前去捧场，也将自己手下的兄弟和亲朋都叫了过去。

场面很隆重。朱自干混久了三里屯，自然也学了些经营策略。城南老外、白领虽然少一些，但外地人多，鱼龙混杂，是个真正的“江湖”。这正是朱自干喜欢的。他将消费水平往下压了压，认为只要服务到位，不怕没人来。

但朱自干此举惹毛了街对面的地头蛇向龙，人称龙哥。此人以阴狠著称，在城南较有威望。当年浙江人与东北人火并的时候，正是他出面调停的。龙哥出身于大红门外的村子里，从小以打架出名，为此还坐过十几年的牢。他在朱自干对面有几个店面，经营发廊、浴室、歌厅、酒吧之类，但规模都不大，门脸弄得有些土。

一开始，朱自干在他对面租下房子装修时，他还没在意。结果，装修完了的效果让龙哥如坐针毡，特别是朱自干按部队的标准训练保安，大清早就喊着“一二三四”从门前跑步，让他感到了前所未有的挑战。最要命的是，朱自干不知从哪里搜罗来一批小美女，还请来戴墨镜的专家教她们仪容举止和服务技巧，这使龙哥敏锐地意识到：只要对面一开张，自己的生意就歇菜！

龙哥没多少文化，但多年摸爬滚打，心机已磨炼得很深沉了。他没有轻举妄动，而是托人打听朱自干的背景，了解到这家伙在道上也挺硬，就想了个讲和的办法。

龙哥找人给朱自干送了请柬，邀请他喝酒。朱自干实际上早就了解过龙哥的背景，认定他是个村里长大的土鳖，目的就是来抢生意的，喝了酒，就不好说话了，索性没理他。送请柬的人回去说，朱老板说没空，还请咱们把请柬印得好看一点。龙哥气得差点吐血——他最恨别人说他土！

其实朱自干不去喝酒，还有一个原因：他现在太缺钱了，心头焦虑，实在没心情。

入股晴天娱乐是真金白银，一时见不到效益，推小墨虽然初见成效，但离真正红透，尚需时日；正在经营的两个歌厅因为地段不好，只能保本，能倒倒账罢了；一家琴行只是附庸风雅，几乎是赔本的买卖。再加上手下的兄弟多，维护各方社会关系也要钱，开销大，所以不得已才另起炉灶，到城南盘下这个综合性的娱乐场所，希望能有新的发展。然而把这个新店装修完，他已债务缠身，急着想找钱。

容可儿当然不是他战友的妹妹，去许重那里的确是他一手安排的，事先他就付了容可儿十万的“劳务费”。

当然，朱自干没有宋时鱼想象的那么阴险可怕，就是想让容可儿先用身体跟许重交流，然后逐步影响他，一来看他能否拆借资金，二来许重在银行系统有人，自己的几摊子事看起来也还可以，或可帮助通融，贷款经营城南的生意。

朱自干的策略是先以容可儿的身体作为铺垫，再以自身的社会关系作为交换，思虑颇为周全。特别是银行系统，他连门都摸不着，多年来折腾生意靠的都是东拼西凑的自有资金。他深知，要想把事情整大，没有银行的钱，完全是扯淡。许重现在的钱，如果不是因为他从银行出来的，与领导关系处理得不错，贷款容易，他做个鸟啊，恐怕连广本都开不起，更别说宝马了。

朱自干的如意算盘是开业这天把许重请过来，让许重看看他的排场，再提借钱的事。许重要是不借，就好提请他帮忙贷款的事了。可是一打许重的手机，关机。问容可儿，容可儿说许重出差了。朱自干就没多说。在心里，朱自干没把容可儿当回事，因为容可儿不过是他有一次在歌厅打架时“见义勇为”，让兄弟们救下的。

那时容可儿因嫌一半大老头口臭，不愿侍候，惹毛了客人。朱自干当时的确是看不惯欺侮小姐的客人，认为小姐也是劳动人民，有权罢工。但事后睡完容可儿后，他灵机一动，觉得这容可儿技术一流，干脆让她去勾引许重算了，反正自己身边又不缺女人。

于是，朱自干找人为容可儿做了假学历证书，在资金紧张的情况下塞给她十万元，让她务必搞定许重。容可儿在皮肉场所干烦了，当然也愿意尝试新的赚钱方式。不过朱自干告诉她，如果不听他的指挥，就是跑到天涯海角，也得把她的脚筋挑了。容可儿知道朱自干的厉害，当然不敢有丝毫怠慢。直到确定朱自干成了重度脑震荡，连自己的老姐都认不得了，她才觉得自己解放了，收拾细软逃之夭夭。

事后，许重庆幸自己那几天关了机。如果没关机，去参加了朱自干的开业仪式，就算不会落到小墨的下场，恐怕也难保全身而退。

当晚的气氛一开始非常融洽。朱自干邀请的人，自然是与他有交情的，捧起场来也相当卖力。

朱自干决意将开张庆典弄成一个狂欢节，低价试营业，事前就叫人发了小广告，到了这天果然是一派兴隆的景象。酒至半酣，朱自干隆重推出了墨留香,场下的女孩们顿时发出了尖叫声。随即,墨留香登台演唱，把气氛推向高潮。

然而朱自干的姐姐朱敏在震耳欲聋的音响声中呕吐了。她不习惯这种场合。

朱自干最心疼大姐，可是这当口他不能闪，酒还没敬完呢。聪明的爱淘会意，主动要求陪朱敏离开。朱自干大为感动，让自己最得力的兄弟马伟开车护送，并叮嘱马伟必须先送大姐到医院去看看，如无问题再送她回家休息。

也许是阴差阳错吧。如果当晚朱敏、爱淘和马伟在场，或许情形会是另外一个样子。这个世界上，只有朱敏能喝止弟弟，也只有爱淘能叫停墨留香。至于马伟，如果他在，会更好地保护已经喝多了的朱自干。然而任何事情都没有如果，悲剧还是发生了。

龙哥带人进来砸场子的时候，朱自干已经喝高了。墨留香还在唱歌。他也喝了酒，新歌就那两首，一会儿就唱完了，只得唱老歌。毕竟是歌坛新秀，观众百听不厌。数曲唱罢，墨留香再下场喝酒。朱自干此时坐在最前边靠近舞台的主桌上，拉着小墨的手对身边的朋友说，这是我兄弟，有割命的交情！

小墨满上一杯，刚仰脖子要喝，突然感到场面静止下来。十几条汉子不知从哪里钻出来，呼啦一下将朱自干这一桌围在核心，其中一人二话不说，照着朱自干的脑袋就是一闷棍。朱自干从小打架出身，又在部队练过，听到风声，本能地一躲，棍子就砸在桌上，顿时杯盘飞起。所有的人都惊呆了。

紧接着，又一记闷棍拦腰打来，朱自干没来得及躲开，一下倒在地上。墨留香扔了酒杯，将桌子一翻，用身体护着朱自干。

这时，龙哥止住了他的打手，也不管一旁的墨留香，伸脚踩着朱自干的脑袋说，想到城南来撒野，没门！你今天向我保证明天关门大吉，我就放了你！

朱自干生平哪里受过这等侮辱。他就地一滚，挣扎着高声叫道："兄弟们，给我往死里打！"

朱自干的兄弟们这会儿都喝高了，一听老大招呼，二十几个人团团围上来。

一场混战打得整个迪厅血肉横飞。龙哥是有备而来，虽然人数不及朱自干的人，但带来的都是他精心挑选的打手，本钱下得足；而朱自干的人投鼠忌器，怕伤着请来的客人，又喝了酒，战斗力大大减弱，几个回合下来明显处于下风。

龙哥目标很明确，始终锁定朱自干。他根本没把小墨这个穿着奇装异服的歌手放在眼里，一把将他推开，提了根棍子就狠砸过去。这一棍朱自干没有躲开，正中脑袋。朱自干在倒下时惨叫道："兄弟救命……"

墨留香眼见朱自干倒在地上不知死活，怒气攻心，脑子里啥都忘了，只有为朱自干报仇的念头。

此时场面乱哄哄的，朱自干倒了，朱自干的兄弟们无心恋战，且斗且退。墨留香听朱自干讲过无数遍马伟提刀砍人的故事，他趁乱从后门溜进厨房，提了一把菜刀，藏在衣服里，迅速返回现场。

龙哥大获全胜，指着已经昏迷的朱自干叫道："死了吗？死了我赔命，没关系！瞧你那德行，样儿大了你！装得人五人六儿的，今儿废了你……”

话音未落，龙哥突然感到自己的胳膊好凉快！

他一抬手臂，感觉好轻。一看，一条胳膊没了……

墨留香一手提起他的胳膊，一手提着菜刀，直把在场的人都吓傻了。那菜刀是新开刃的，居然没沾血……

清晨，爱佳赶过来找宋时鱼。两人在宋时鱼楼下的小店里吃早餐。

“小墨有病啊，喝得再多也不至于那样吧？”爱佳对宋时鱼说，“朱自干都被打成那德性了，他打给谁看？”

“你不了解小墨这个人。”宋时鱼叹了口气，“他是直肠子，做人做事，从不考虑太多。就算朱自干死了，他也会这么干。”

“我看不出有任何意义，白白葬送了自己的美好前程。一颗冉冉升起的新星，就这样坠落了。”爱佳也叹了口气，“他进去也就算了，可咱家爱淘怎么办哪！”

宋时鱼没有说话。这事，他早就叮嘱过爱淘和小墨，让他们少跟朱自干往来，他们就是不听。

“朱自干在公安系统不是有关系吗？得把小墨捞出来呀。”爱佳说，“我们家爱淘是个死心眼，小墨要是出不来，她会难过得要死。”

“关系？”宋时鱼递了张报纸给她。

爱佳接过一看，是一则新闻，还配了图片。标题是：

城南涉黑组织发生火并 警方表示要严惩肇事者

内容就是城南发生的血案，朱自干失忆，向龙断臂，虽未发生人员死亡，但伤者无数，是本市罕见的涉黑组织争斗。此事惊动了上级部门，相关领导批示要严办。

爱佳见署名是“记者鲁智道”，便对宋时鱼说：“这个鲁记者，这下可抓住一条重磅新闻了。”

“碰巧罢了。”宋时鱼这才注意到记者是鲁智道，他停顿了片刻，接着对爱佳说，“这种轰动性案子，在上头挂了号，关系就没有用了，也无法私了。朱自干失忆了，等于是个废人，起不了作用了。你看看这上头写的，向龙只是针对朱自干发动了袭击，根本没有伤小墨的意思。但小墨跑到迪吧的厨房，持刀出来行凶，性质是故意致人伤残，后果挺严重的。”

“那得判几年？”爱佳担心不已。她对小墨的印象，开始不好，后来，随着父亲对他印象的转变，她也跟着改变了自己的看法。

“看怎么判了。”宋时鱼说，“如果判得重，十年以上；判得轻，也得几年吧。”

“完了完了。”爱佳真有点抓狂了，“你说咱家怎么全是烂事啊，老爸得了绝症、大姐正闹离婚、爱淘男友出事，这日子真没法过了！”

宋时鱼没有接话。他本来想说，你不是挺好的吗？但他深知爱佳的脾气，只得沉默。

“你倒是说话呀！”爱佳生气地喝了一大口水，“都是你不好！既然看出来有事，还不出面阻止小墨？对了，大姐和我谈了，这次没商量了，得离。”

“那就离。”宋时鱼说。

“离？”爱佳怒目圆瞪，“你想让我老爸早点走啊？”

“先瞒着你爸吧。”宋时鱼说，“许重犯了错误，幸好这个错误没有继续下去，那女的目前已经走了，这对许重来说也是幸事。但以爱美的性子，这口气短时间内肯定咽不下去，至少得想个办法，让她心理平衡才行。”

“什么办法？”

“我来拟一个试离婚协议，咱俩约下许重和爱美，让他们签字。”宋时鱼想了想说，“在一年之内，如果许重悔改，爱美可以考虑重归于好；如果许重不悔改，就正式到婚姻登记处办理手续。这样，我们既没骗你爸爸，又让爱美心头好受些，同时还能让许重好好反思一下，该如何经营婚姻。”

爱佳想了想，这个办法不错。

“那爱淘怎么办？”爱佳问。

“没有办法。”宋时鱼说，“你有办法？”

“你会做思想工作，你帮我劝劝爱淘。就算只判几年，小墨出来后，人气肯定没了，李老师肯定也不会再帮他，他的艺术生命就这样毁了。不让他唱歌，他就只能是墨留臭了。”爱佳扬了扬手中那张报纸，“没有人会再关注他，这则消息的寿命只有一周。很快，知道墨留香的人就会把他忘了。”

“可是爱淘忘不了。”宋时鱼说，“你是她二姐，你还不了解她？这丫头表面上对什么事都无所谓，但对情感偏偏很执著，她不会抛弃墨留香的。”

“可是，这败家小墨把咱家爱淘的心血一刀砍了呀！”爱佳有些激动，“小墨还是长毛的时候，跟民工有什么区别？咱家爱淘费了多少心思？还有，你也帮过忙呀。可是他不珍惜，成了罪犯，爱淘有必要耗费自己的青春等他吗？就算等他出来，他啥也不是了呀！”

“爱佳，你可以试着与爱淘商量，看她听你的不？”宋时鱼摊摊手，“人的性格，一旦定型，很难改变。况且，我认为爱淘这性子，其实没什么不好。”

“那你的性子呢？”爱佳生气地看了他一眼，“你什么人都能看明白，就是看不明白自己对吧？”

宋时鱼看着她的眼睛说：“看得明白自己，我就不用总是找你了。找你，就是我需要你的帮助。爱佳，无论什么时候，发生了什么事情，我都会信赖你，依靠你。”

这几句话说得真诚。

爱佳突然有些感动，鼻子酸得难受。

“讨厌……”爱佳眼泪不由自主地流下来，但她很快就控制住了自己的情绪，轻声说，“你为什么总是迁就我、纵容我？”

“女人在相夫，男人也在相妻。”宋时鱼催她继续吃早餐，“这个世界上，一种事物一定跟另一种事物相配，就像这咸菜和米粥一样，虽然不见得是最佳组合，但真的很适合搭配在一起。”

爱佳心里一暖。

她夹了几根咸菜，就着喝了两口粥，觉得生平以来吃过的早餐，就数这顿最香！

第四十四章　不离不弃

爱淘请了两天假，像无头苍蝇一样四处乱转。凡是她想到的单位和认识的人，都找了。

李故然老师的气色很差。她让爱淘坐下，半天没说话。其实不需要说任何话，她伤心透了。关门弟子不争气，辜负了她的一番苦心。本来，她费尽心思，找关系、托路子，在电视台为小墨策划了一个节目，由晴天娱乐赞助，演出时间定在小墨出事后的第三天。但这事突如其来，各方都措手不及。

“爱淘，我也没有办法。”李故然疲惫地说，“你也别费劲了，法律就是法律，任何人触犯了，都没法逃避。今天的报纸，你也看了，我是连老脸都搭进去了。”

“我……我是来说对不起的，李老师。”爱淘低声说，“都怪我，没监督好他。小墨现在非常内疚，觉得对不起您……”

“唉，人各有命吧。”李故然深深地叹了口气，“我不需要道歉，我是同情你……小姑娘啊，你也别难过了，人生一世，什么事都有可能发生。我看，你还是慢慢忘了小墨吧。”

爱淘本来想安慰李故然，不料反被她安慰了。她走出李故然家，打车去了拘留所，正好碰见前来采访的鲁智道。

鲁智道的嗅觉相当灵敏，说正要找墨留香的女友采访呢，想深挖一个流浪歌手是如何迅速成名的。

爱淘十分厌烦，但为了见到小墨，她耐着性子请鲁智道与警察疏通，说是见到小墨后，就接受他的采访。“鲁记者，你不认识我，我可认识你啊。”爱淘勉强笑了笑，三言两语，就将鲁智道与二姐约会那晚的情形讲了。

“哦，原来是孔主任的妹妹，那没问题。”说罢，鲁智道就进去与警察疏通去了。按规定，刑事案件未审理结束前，是不允许探视的。但鲁智道不知动用了什么办法，警方破例允许爱淘见小墨五分钟。

隔着厚厚的玻璃墙，爱淘抓起了话筒。小墨却没动。他的胡子剃掉了，短发剃得更短，露出青色的头皮，穿上囚服的身子更显单薄。但他的眼睛仍然有神，只是在看爱淘时，那仅有的神采却怯怯地回缩。他张了张嘴，终于什么也没有说。

时间一分一秒地过去，转眼五分钟就要到了。爱淘终于在离开前听到小墨低声说了一句：“你帮错了人，忘了我吧。”

爱淘没有哭。她什么也没说，头也不回地离开了。

鲁智道的采访很细，花了近三个小时。除了送李故然的画以外，其他事情爱淘都如实相告。

最后，鲁智道对爱淘说，具体到你，我会用化名。

“用真名。”爱淘说，“真实的事情，为什么要用化名？”

“你还在上学，今年就要毕业了，怕影响不好。”鲁智道说，“以我多年政法记者的经验来判断，墨留香最低不会少于七年的刑期，你还真想等他出来？”

“等。”爱淘说，“除非他死了，否则七十年都等！”

鲁智道收起了采访家当，摇了摇头：“这个豪言壮语我就不写了，免得误导他人。现在这个社会，瞬息万变。人生苦短啊，别说七十年，七个月都难说，唉。”

“怪不得你不敢追我二姐。”爱淘似笑非笑地看着他。

“我知道那晚还有几个人相你二姐，我只是其中一个罢了。”鲁智道平静地说，“后来我联系过你二姐，她的回复不冷不热，我干吗要厚着脸皮？又不是找不着对象。”

鲁智道起身离开了咖啡馆。爱淘追到门口，对他说：“我告诉你一个秘密，那晚相亲的五个人，至少有四个，如果坚持追我二姐，一定会成功。”

“是吗？”鲁智道看着爱淘，见她的表情不像是在开玩笑，“那么现在呢？”

“现在晚了。”爱淘说，“已经有人用欲擒故纵之计，将她的心俘获了。”

“欲擒故纵？”鲁智道一脸茫然。

爱淘赶到宋时鱼的公司时，他正忙得焦头烂额。

两个话痨妇女在他办公室嚷嚷。起初，爱淘以为她们是来找茬的。听了一会儿才明白，她们都是来抱怨老公如何不好的。

爱淘摇摇头。这活儿，换了是她，早收摊了，给多少钱都不干。这个宋时鱼真是能忍。说是解决婚姻问题，实际就是扮演一个受气包的角色。

爱淘在他办公室外面等得心烦气躁。后来灵光一闪，心想这些怨妇要么恨二奶、小三，要么恨丈夫，可是宋时鱼又没错，干吗要承受这无端的恶语？不如弄一间屋子，调好灯光，将客户所恨之人的照片提前扫描到电脑里，再通过3D技术做成仿真人，进而制作成充气娃娃。客户订制后，可模拟场景，或拳打脚踢，或诉说衷肠，然后再将其录制成影像资料……

爱淘还在那里胡思乱想，宋时鱼已经送客出门了。进门后，爱淘将刚才的想法和盘托出。

宋时鱼疲惫地一笑："爱淘啊，你真有想象力。这个办法好倒是好，但成本高啊，谁来掏钱？"

"订制嘛。"爱淘说，"在业务单上注明这条服务，不选的就不做。"

"还是说说你的事吧。"宋时鱼强打起精神，微笑着看她，"我猜，你已经想办法见到了小墨。"

"见了也是白见。"爱淘叹了口气，"悔当初不听宋大哥之言，才闹到今天这个境地。你不知道，我为了小墨，旷课旷得差点被学校开除！还好我关系处得还行，不然这书早就念不成了。你说，我现在应该怎么办？"

"这个……我不好说。"宋时鱼说，"你是个有主意的人，别人的建议恐怕没什么用。"

"可是我就想听你一个人的建议。"爱淘说，"别人的建议，包括我老爸的，我都不会听。因为，我觉得你看问题不偏不倚。"

"既然决定要等，就等吧。"宋时鱼说，"小墨这个人，没有心机，直性子。不能因为他犯了法，就说他一无是处。情是情，法是法，小墨那晚如果不砍向龙，将来没准还会闹出更大的事来。他太冲动，遇事不过脑子，这是非常危险的。上次打朱自干，这次砍向龙，其实都是一个道理。经历了这件事，他会反思。坐牢，对于一个有创造力的人来说，并不见得是坏事。"

爱淘半晌没吱声。过了一会儿，她才问："你怎么知道我会等他？"

"因为你爱他。"宋时鱼说，"你是一个做事不犹豫、不退缩、不后悔的人，平时嘻嘻哈哈，没个正形，但一旦遇到大事，你比谁都冷静，意志坚如磐石，至死都不会改变。小墨能遇到你，真是他前辈子修来的福分。”

“可是小墨让我忘了他。”爱淘的神情变得黯淡，“他见了我，只有这话。”

“我相信这是小墨的真心话。”宋时鱼说，“小墨虽然冲动，但他的心是纯洁的，对你的感情也是纯洁的。他懂得爱不是自私，而是付出。你付出太多，他无法回报，更要命的是他不知道自己要判多少年，反正至少几年是出不来了，所以他不想耽误你。”

“宋大哥，我知道除了你，没有人会支持我的决定。”爱淘说，“但就算他一辈子都出不来了，我也会等。因为，我觉得我这一辈子，再也不会遇到小墨这样的人。我爱他，是全心全意的，没有任何私念。他成名也好，落难也好，我对他的感情都不会变。”

“我知道。”宋时鱼站起来，拍拍她的肩膀。

爱淘再也忍不住，顺势趴在宋时鱼的肩膀上，放声大哭。哭够了，爱淘将眼泪擦干，又像没事一样了。

“对了，朱敏大姐，现在快疯了……她也真可怜，只有一个她喜欢的堂弟，却这么废了。”爱淘叹息了一声，“要是按你上次说的，她能找个伴，就好了。”

宋时鱼看着爱淘。这姑娘自己的事还没摆平，却想着别人的事。

“爱淘，放心吧，我过两天就办这事。”宋时鱼说，“我帮她相了一个人，在你二姐的公司。我觉得挺适合。”

第二天，宋时鱼让爱佳约了陈猛，自己约了朱敏，在东三环的一个茶餐厅见了面。

朱敏并没穿上次那件有些夸张的衣服，收拾得干净利落。陈猛有些紧张，进门后不停地擦汗。

这次的主持人是爱佳。她简单介绍了陈猛的情况，说陈猛有个七岁的女儿、七十五岁的母亲。母亲是乡下人，身体不好，跟了陈猛多年仍然不太习惯北方的生活。

接着爱佳又讲朱敏的情况，虽然大多是从宋时鱼那里得到的信息，但从她的嘴里讲出来，会让陈猛觉得实在。

宋时鱼在一旁听着，觉得爱佳跟自己一样，处理自己的情感不灵，但帮起别人来，头头是道，有条不紊，既讲优点又说不足，特别是将陈猛的家庭负担说得很明白，让人觉得真实、可信。

接下来是双方发言。陈猛先感谢爱佳，不但给了他满意的工作，还为他的个人问题操心。虽然陈猛言辞笨拙，但他发自内心的感激之情，通过扶眼镜的次数便一目了然。

朱敏一直静静地听着。她本就不善言辞，今天又有些紧张。不过，因为宋时鱼曾对她的个人状况作过精准的分析，所以她这次来，主要是看感觉，孩子的事倒好办。她本身就是孩子王，喜欢孩子，遗憾的是自己至今未能生育。

陈猛当场表示愿意同朱敏交往。朱敏红着脸说："我只能说，认识陈老师有些晚了。但我非常愿意当您的学生。"

爱佳哈哈大笑："看来现在流行师生恋。"

说这句话时，她有意无意地瞟了宋时鱼一眼。

宋时鱼端起茶杯，祝福了这对相见恨晚的中年人。

送走两人，爱佳的表情有些严肃，"老宋，我去找过鲁记者了。"

"哦？"宋时鱼略微诧异，"怎么样？"

"你以为我找他干吗？"爱佳有些不高兴。

"我什么也没以为。"宋时鱼说，"是不是问小墨的事了？"

"鲁记者倒也热心，帮我找了些人，但没办法了。"爱佳说，"现在，爱淘的事和爱美的事，我都没办法。她俩倒也罢了，可是我怕爸爸知道，他如何承受得了？"

宋时鱼沉默。的确，对于一个身患绝症的老人，这两个消息无疑是雪上加霜。

“可是，你想瞒多久？又能瞒多久？”宋时鱼问。

爱佳将手指绞在一起。

“你看看，我们刚才在干什么？”爱佳有些烦躁，“自己的事都没法子，还帮别人操心。”

“朱敏和陈猛，本来就挺合适，只是缺少牵线搭桥的人。”宋时鱼说，“成人之美，也能缓解一下压力啊，爱佳。”

“你总是对别人的事很有办法，对自己的事一筹莫展。”爱佳催道，“赶紧想想办法啊，你不是宋大仙吗？”

“真大仙也没办法。”宋时鱼说，“刚才想了想，还是由你向孔伯伯说明情况吧。瞒，终究不是个办法。以我对李阿姨性格的判断，很可能她已向孔伯伯讲明了实情。”

爱佳深吸一口气：“看来，爱淘是铁了心了。老宋啊，为什么有人将情感看得极重，又有人弃之如敝屣？你看朱敏的前夫、许重，再看我爸爸、爱淘，怎么人与人的差距会这么大呢？”

“这跟人的性格有关。”宋时鱼说，“就咱们认识的人来说，你父亲嫉恶如仇、性格刚烈，这种人对感情从一而终；小墨与孔伯伯有类似之处，但也有区别，他特别讲情义，宁可牺牲自己也想成全他人，所以就算他成了著名歌星，也不会拈花惹草，演员中的葛优就属此类；许重这个人比较复杂，他既有传统的观念，又禁不住诱惑，不太懂女人，情感生活中会出现波折，但他犯过错误之后会及时调整，所以是有救之人；朱自干是个外表粗豪、奸心内萌的人，他根本不相信情感这回事，认为只要取得成功，就会有美女贴上来；陈猛是个忍辱负重、情感内敛的知识分子，安静顾家，与世无争，所以特别适合治疗受伤的女人，朱敏与他是绝配。”

“那申峥嵘呢？”爱佳忍不住问。

宋时鱼眼皮闪了一下，说道：“申峥嵘其实是一个事业细胞发达、情感细胞弱小的人。他深谙官场上的规则，人心的险恶，做事的尺度，但无从了解女人的内心。如果只谈情感，他是相对单纯的一个人。实际上，这种人一旦结婚，会非常疼爱自己的妻子，不会有出轨行为。”

“为什么？”

“因为他想通过追求情感的纯度，来平衡官场上的龌龊。”

爱佳心念一动。看来，申峥嵘那晚说的不过是句气话。

她本来想问，那你是一个什么样的人呢？但她终究忍住了。

“人的一生充满变数，难道真的有不离不弃的情感吗？”爱佳最后问道。

“当然有。”宋时鱼说，“事物虽然在变化，但人的个性极难改变。也有人把情感当做信仰，不离不弃就是一种信仰。孔伯伯与李阿姨，就是情感的信徒，也是夫妻的典范。”

第四十五章　节制

北京的五月，春天的气息才真正渗入城里，马路边瘦弱的老树上，爬满了绿叶。

下午，李基隆邀请宋时鱼给总公司中层以上的领导讲课，主讲怎么与客户和同事沟通，还有如何识别职场中一些似是而非的表现。交流很热烈，宋时鱼回答问题时旁征博引，赢得不少掌声。

宋时鱼很奇怪，爱佳为何没在现场？

一位副总问，在职场中，经常会碰到能说会道的人，而且常常引用新潮的词汇，如何识别他是不是有真正的见解？

宋时鱼说，人们在交谈过程中大概有七种偏失：第一种，引用新潮词汇的人常常夸夸其谈，但不能直指事物的本质；第二种，谈话没有主旨，漫无边际，听起来意义深远，实际上不知所云；第三种，没有主见，曲意逢迎别人的意见，好像有所领悟，实际上一无所知；第四种，表面认真倾听，实际上神思游离，达不到交流的效果；第五种，故意回避疑难问题，转移主题，这是心虚的表现；第六种，善于拿别人的观点搪塞，但只学到别人的皮毛，看上去心领神会，实际上没有理解；第七种，喜欢争强好胜，强词夺理，以攻击别人为能事，容易造成冲突。

一位部门总经理接着问，如何才能纠正交流的偏失？宋时鱼给出了自己的意见：

交流，道理是根本，言辞是末节，必须先区分黑白界限，再展开论述。要求同存异，发现对方感兴趣的话题。如果发现对方不感兴趣，就马上切换话题；如果不是很有把握，也不要随意反诘对方。善于交流的人，一句话就能讲清一件事或者几件事；不善于交流的，一百句话也讲不清一件事，啰唆不清，让人厌烦。善于倾听、善抓时机、言辞达意、防守严密，才能有效交流。如果一定要说服对方，也要采取迂回的办法，而不能直接否定。

课后，李基隆请宋时鱼到他的办公室，感谢他，并请教他一个问题：有的人看起来非常正直豪爽，但实际上办事不力，这是怎么回事？

宋时鱼说，这类人也要详细区分不同的情况：豪放洒脱的人，通常没有节制；斥责别人的人，通常表里不一；轻易许诺的人，看上去很讲义气，实际很难守信；做事常换方法的人，看上去很有能力，实际上没有效果；刻意进取的人，总是有新主意，但只会添乱；表现顺从的人，看上去很老实，实际上很固执。

李基隆问，如何辨别一个人属于哪种呢？

宋时鱼说，考察一个人，必须从正反两方面加以鉴别，不能仅听对方说话，也不能只看对方的表情神色，要通过对方的举止追溯他的动机，才能比较准确地判断其内心的想法，从而了解他的真实意图。

李基隆若有所悟，最后问："人最重要的是什么？有什么简单的办法可以作为考评人的依据？"

宋时鱼沉吟片刻，说："节制。一个人如果懂得节制，就是个非常不简单的人。"

正说着话，爱佳敲门进来，面色阴郁。

她先向老板打了个招呼，然后轻声对宋时鱼说："爸爸要你去我们家。就你一人去。"

宋时鱼赶到孔家，发现只有李晓梅陪着孔志军。

"坐吧，时鱼。"孔志军本来就瘦，此时更是瘦得只剩下一把骨头。这才几天呀，宋时鱼心中叹道。

但孔志军的心情似乎不错。至少他的眼神还是明亮的。

李晓梅抹了一把眼泪，出去了。

"孔伯伯……"宋时鱼轻轻坐下。面前这个病重的老头子，宋时鱼打心眼里感到敬畏。

"就咱爷儿俩，今天好好聊聊吧。"孔志军说。

"好。"宋时鱼不知该说什么好。安慰的话，此时已显多余。

"我和你李阿姨，在合适的时候，想出门一趟。"孔志军说，"春天来了，我想我该回故乡看看。或许，我不会再回来了。"

宋时鱼点头表示理解。叶落归根，是一种最好的去处。孔志军生在湘西，他眷恋着那片土地。

"下午，我找爱佳谈过了。"孔志军目光闪动，看着宋时鱼，"她作出了正确的决定，就是选择了你。"

宋时鱼一阵激动。虽然，这个结果在他的预料之中，但他没想到这结果竟然来得这么快。

“谢谢孔伯伯……”宋时鱼不敢看他的眼睛。

“或许，你应该改一下对我的称呼。”孔志军和蔼地看着他。

“爸……”宋时鱼用了好大的气力才低声叫出这一个字。

“哎！”孔志军欢快地应道，“时鱼，你父亲走得早，我也将不久于人世，以后好好待你母亲吧，还有你李阿姨。爱佳交给你，我是放心的。或许你不知道，从一开始，我就看好你，只不过我一定要爱佳自己作决定……”

“这……”宋时鱼微微一惊。他只知道，爱佳会选择他，但从没想到一开始孔志军就认可他。

“小申的事，是我在考验爱佳。”孔志军说，“你大概也知道，我在家里有些霸道，管这管那的。可是，管得越严，越容易出事。爱佳以前与一个叫杨文远的人一起生活过，这你也知道。那时我就不同意他俩在一起，但爱佳不听，为此还跟我翻过脸。后来她受了伤，回来了，我又不忍心说她。做父亲难啊，尤其是做三个女孩的父亲。”

“我理解。”宋时鱼说。

“爱美和爱淘的事，我都知道了。”孔志军叹了口气，“人世间的事，又岂能都按个人的意愿发展？她们要怎么办，都行，但我只希望她们能够听从内心的声音，作出正确的决定。”

宋时鱼点头表示同意。

“我有三个女儿，但我对爱佳最不放心。”孔志军说，“爱佳爱学习，有才能，就是情感上总是犹豫不决。她需要找一个像你一样的人，能够包容她。一个男人最优秀的品质，主要体现在三个方面：节制、包容、忍耐。你做到了，你比我强。我太过刚烈，一生压抑，难以得志。”

“爸，您做得很好了。”宋时鱼说，“虽然我和您接触不多，但您是我的老师。”

孔志军咳嗽了一声，微微闭上眼。

宋时鱼知道他累了，想离开，又怕不合适。

孔志军突然睁开眼，直视他："时鱼啊，你能够控制自己，但你需要努力调整一点，就是认准的事一定要坚持。世界上的事，除了行凶作恶，没有绝对的对错。就拿刚才你的行动来说，你轻轻抬了几下屁股，想离开，顾及我太累了，但又怕我不高兴。大丈夫立身处世，就得拿得起，放得下，不要委曲求全，也不必太在乎别人的看法和感受。当然，这个度的把握，你研究得比我深。我只是提醒你注意这一点。"

"谢谢爸。"宋时鱼坐稳了，"我会不断修正自己。"

"那就好。"孔志军说，"你走吧。我想起哪天要走就走了，你不必来送，我三个女儿也不必送我。亲人送亲人，搞得眼泪汪汪的，很伤心，反而不好。我的三个孩子都长大了，我也放心了，特别是将爱佳交给你，我非常放心。另外两个，我不必说，你也会照顾她们。"

"谢谢爸爸的信任！"宋时鱼说。

"我走后，你们不要来烦我。"孔志军说，"过好自己的生活，做好自己的事，才是正道，更是最好的孝道。我生平最怕麻烦，最烦眼泪，最恨虚礼。所以，我希望这是咱们最后一次见面。"

宋时鱼没有马上接话。他虽然也讨厌虚礼，但人之常情，他还是能理解的。

"我这一去，就不参加你们的婚礼了。"孔志军说，"很多人结婚时恨不得让世界上的人都知道，花了很多钱，排场很大，累得要死，但后来彼此并不珍惜，相互伤害。我的看法是，只要两人感情好，相扶相依，不要在乎那个场面。你们结婚，如果我还活着，打个电话告诉我一声就行了。"

"是。"宋时鱼答道。

"我讲完了，你如果没有什么要说的，可以去忙了。"孔志军真的累了，样子也极疲惫。

"没有了，爸。"宋时鱼说，"您把我当儿子，我把您当父亲。您说的，我都牢记在心。”

五月初的一天，爱美和许重在宋时鱼的主持下，平静地签了分居协议。

这其中，有孔志军要离开北京回乡养老的原因，爱美不想让父亲太过难受；也有宋时鱼力劝的原因，说是如果没找着更合适的，可以先分居，冷静考虑清楚再作决定。

许重啥也没说。三十二年来，他的母亲第一次打了他，要将他轰出家门。

但无论老太太怎么央求爱美，爱美都坚持要搬出去住。就这样，爱美领着珊珊回了娘家。用她的话说，无论父亲什么时候走，哪怕多呆一天，她也好多尽一天的孝道。

其实，爱美是想回归平静。如果说先前她因为怨恨许重对她的不重视，想摆脱父亲和婆婆的压力，在焦虑中无所适从，那么，现在的她已经懂得了如何听从自己内心的声音。

一个周末，细雨绵绵。她一出校门，就看见了萧意离。很久不见，诗人今天打扮得很精心，头发虽然还很长，但经过精心的修理，干净利落多了。

诗人这次没拿鲜花，而是为她带来了他最新出版的诗集。

爱美收下了他的书，但语气平静地对他说：“请你别再来找我了。每个人都有自己的生活。有的人适合做朋友，有的人适合在一起。如果和不适合在一起的人走到一起生活，只能相互伤害，连朋友都没得做。”

诗人站在春风里，努力克制住了自己的情绪。他突然觉得，一向柔弱的爱美变得坚强了。她坚实的步履衬托出内心的平静。

诗人目送爱美远去，直到眼睛有些生疼，才将目光调回近处。他看见脚下，有从水泥裂缝里顽强生长出来的青草。

诗人终于明白，爱美其实并不爱他。只是原来的爱美在重压下产生了强烈的抗争，就如同这青草，生长的动力，无非是想到地面上来透口气，感受一下阳光。尽管感受到阳光之后，还会发现新的生活同样面临着未知的挑战。

第四十六章　相心

时光匆匆而过。

孔志军和李晓梅在一个阳光明媚的日子离开北京，乘火车去了湘西。

——那天，爱美上课去了，早上，她还为父亲做了小米粥，未见父亲准备离开的任何征兆。

——那天，宋时鱼接到程米西的邀请，到一家私人菜馆吃中饭。

几个月未见，程米西显得成熟了许多，但神情间有些忧郁。

“米西，与申处长相处得怎么样？”宋时鱼关心地问。

“你猜呢？宋大哥？”程米西强笑了一下。

“猜不出来。”宋时鱼微笑道，“成了？”

“算是吧。”程米西叹了口气。

“成了是好事呀，叹什么气？”宋时鱼微感诧异，“看样子你似乎并不高兴。”

泪水在眼眶里转了几圈，欲言又止的程米西终于将情况如实向宋时鱼讲了。

申峥嵘与程米西确定恋爱关系后，表现得更为小心翼翼。他是聪明人，那晚因为一时冲动，在爱佳屋里说了那些伤人的话，深感后悔。其实爱佳如果真的嫁给他，他也不会在外头乱搞。但，这会成为他心中永远的结。

程米西是做心理咨询的，她一眼就能看透申峥嵘。当日渐深入的交往让他们不得不谈婚论嫁的时候，申峥嵘终于坦白了他与爱佳的事情。程米西知道，申峥嵘与爱佳根本不算谈过恋爱，只是走了一些程序而已。程米西与爱佳不同，她漂得累了，想寻找一个安稳的栖息之地。再加上她善解人意，对申峥嵘颇为顺从，所以他们的情感发展没有什么波折。

申妈妈认死理。当她从儿子含糊其辞的交代中大概了解了爱佳的情况后，也恨恨地骂了几句爱佳糊涂。但随后她得知儿子与程米西好了，又从情感上无法接受了。

申妈妈是个老于世故的人，程米西能一眼看穿她儿子，她也能一眼看穿程米西。她认定程米西有所图。拿她的话说，就是爱佳的心灵纯洁，程米西的身子干净。在这个问题上，儿子倾向于程米西，她倾向于爱佳。

申峥嵘从来不敢违抗母亲的命令，但这次他选择了冷战。不明里反抗老妈，可是暗地里却以沉默对待。

申峥嵘越是这样，申妈妈越是认为程米西在中间挑拨他们母子的关系。申妈妈认为，如果儿子一旦落入程米西的手中，她的家庭权威地位将受到严峻挑战。

程米西现在备受煎熬。虽然，她是心理学专业的研究生，但平生第一次遇到如此棘手的问题，单凭一已之力无法解决，只好求助宋时鱼。

“关键是，你爱不爱他？”宋时鱼并没有什么好建议。这种事，不同的人有不同的观念。

“说实话，有点，但并没有到非他不嫁的地步。”程米西坦承，“我累了，想有个家。北京的生存成本太高了。说句很俗的话，如果我找你宋大哥，同你结婚，就一定能幸福吗？”

这句话把宋时鱼问住了。是的，没有人比他更明白一个漂泊者的诉求和苦衷。

“我可不想将来，我的孩子无法在北京上学，无法参加北京的高考。”程米西想得很远，“宋大哥，我很俗，我只是一个弱女子。”

“不是俗，是实在，是对现实的无奈。”宋时鱼叹了口气，“既然你已经决定了，为什么还要犹豫呢？”

“我不甘心。”程米西说，“我是很俗，但我也有梦，梦想我的白马王子骑着高头大马来迎娶我……我害怕嫁给申峥嵘之后，只能在她妈妈的淫威下生活……”

这真是一个两难的问题。鱼和熊掌，她都想要。

“米西，你不能把所有的好处都占全了。”宋时鱼认真地说，“上天把好处都给你了，那别人怎么活？”

“这些道理我懂。”程米西低头说，“不过我仍然不甘心。”

宋时鱼想了想说：“你可以暂时不爱申峥嵘，也可以暂时忍受申妈妈的管制，但有一点，你不必担心。”

“哪一点？”程米西眼睛一亮。

“申峥嵘的心。”宋时鱼说，“他的心虽然有些功利，但仍然可以算作一颗有良知的心。他懂得体恤人。嫁一个人，其实就是嫁一颗心——你的心里可以没有他，但如果他的心里一定有你，你还犹豫什么？”

程米西半晌没有说话。最后，她端起茶杯，郑重地敬了她的半个老师。

——那天，爱佳在“新家”收到了一个快件，居然是父亲孔志军叫人送来的。里头是父亲的亲笔信：

爱佳：

我和你晓梅妈妈走了。你告诉爱美和爱淘，生活总是充满变数，但只要我们有一颗坚强的心，又何惧生活的挑战？

对于你最后决定嫁给宋时鱼，我非常赞成。就像他一见到你就喜欢你一样，我其实也挺喜欢他。由于你在情感上总是举棋不定，小宋又有性格上的缺陷，我故意设置了一些坎来考验你们。本来还想多设几道的，一来我没有精力了，二来我也不忍心，所以就放行了。

小宋这个人，尽管有这样那样的不足，但他是一个心细的人，懂得疼人的人。他受过挫折，经历过失败，但他的眼神里保留了善良和仁爱。

他所谓的相人，正是从他自身的经历中总结出来的，而不是教条的古人相学理论。他在相你，我在相他。他相中了你的美丽、善良和聪慧，而我相中了他的节制、忍耐和宽容。当然，最主要的是，他有一颗金子般的心。

人的相貌千差万别，人的财富、地位、健康也千差万别，但有一点是维系人类生存、发展的根本，那就是爱和宽容。财富、地位和健康，都不能长久，但一颗仁爱之心可以长久。有些死去的人，长眠于地下，但每当我们回忆起他们的音容，都会从心底涌起温暖的感觉，那正是因为他有一颗金子般的心。因此我要告诉你，相人最重要的是相心，而不是外表。

沙里藏金，一条河都明媚可爱；石中怀玉，整座山皆熠熠生辉。人也一样。

人有洞悉世态、通晓世故的本事，能够像庖丁的刀一样游走于牛的筋络，那么这种人就是有才能的人；人有奉献精神、仁爱之心，能够牺牲自己成全他人，那么这种人就是有品德的人。同时具备这两种条件的人，就算他生得相貌平平，但其强大的内心力量会支撑起令人尊敬的人格。所以，相心才是相人的最高境界，是通过研究对象的所作所为来判定的——只有经历过一些事，才能更好地评判一个人的心。希望这一点提示，能引起你的注意和重视。

别不多言，善自珍重吧。

老爸　行前留

爱佳读完这封信，不禁泪水涟涟。在她心中，父亲一直是一位英雄般的人物。甚至，她的情感摇摆，很大程度上是因为她心中男人的标准正是自己的父亲，只是直到现在，她才猛然惊觉。

如父亲所言，她当然能感觉到宋时鱼的好。但他真正好在哪里，她又说不清楚。直到读完父亲这封并不长的书信，她才将游丝般的思绪聚拢到一起。

读完信，她没心情去上班，就向李基隆请了假，一个人猫在屋里，静静地思考。

——那天，龙舸第一次以船长的身份回华龙运输集团公司述职。经过两个航次之后，他升了船长。述完职，他有些怯怯地问上司——华龙集团副总裁金民生："上次那个爱佳，成家了吗？"

金民生微笑地看着他，说道："你为什么不去她的公司看一看？"

龙舸打了一辆车，直奔爱佳的公司。当他捧着鲜花走向大堂的前台时，不慎撞着了一个年轻的圆脸女孩，女孩捧在手中的文件夹立时散落在地上。

"你……疯了吗？"圆脸女孩出口便骂，"捧着鲜花去救火呀你？"

"对不起。"龙舸向她鞠了一躬，顺势帮她捡起文件夹，递给她。

圆脸女孩的圆眼扫过他的脸，接过文件夹，转身准备离开。

龙舸转头问前台的服务人员："请问，你们孔主任在吗？"

"你是？"前台女孩好奇地看着这位不速之客。

"我……是她朋友。"龙舸有些讷讷。

圆脸女孩本来已经迈步，此时听见龙舸说"孔主任"，便掉过头来说："她今天没来，你有什么事可以告诉我。"

"我……没事。"龙舸一脸失望。

"没事你抢钱似的冲进来干什么？"女孩没好气地说，"还要送花？

你不知道我们孔主任已经名花有主了吗？”

“我刚从国外回来，并不知道……”龙舸心头一片茫然。

“原来如此。”圆脸女孩看着他的呆相，扑哧一笑，“那你这花，怎么办呢？”

龙舸觉得这个问题比遇上海盗还难对付。他站在大厅里，看着电梯里进进出出的人，傻了一般。

“要不，你先把花给我。”圆脸女孩做了个鬼脸，“等孔主任回来，我转交给她。”

“谢谢，谢谢。”龙舸将花递上，深吸了口气，转身欲走。

“喂，你不想知道你的花交给了谁吗？”圆脸女孩挡在他前面，“还有，我得知道你叫什么名字呀！对了，你的联系方式呢？”

“对不起。”龙舸在她连珠炮似的追问中回过神来，“我叫龙舸，跑远洋的船员。请问您尊姓大名？”

“我叫秋刀刀。”圆脸女孩灿烂地笑了。

恍然间，龙舸感觉她的笑，像清晨跳上海面的太阳。

——那天，外企主管李晓明终于与一名女警察订婚了。他们决定在7月7日这天结婚。在写完所有的请柬后，李晓明的脑海里无端冒出一个名字：孔爱佳。

也许，正是爱佳在那次短暂的见面后，委婉拒绝了他，才让他如此难忘罢。

想了很久，他还是郑重地在请柬上写下了孔爱佳的名字——也许她并不适合做妻子，但做朋友还是挺好的。

——那天，鲁智道以政法记者的身份参加了城南涉黑组织火并一案的庭审。朱自干失忆未能参加，其余的涉案人员都在现场。法庭宣判，向龙无端组织人员袭击朱自干的营业场所，导致朱自干重伤失忆，判处有期徒刑十年，并赔偿朱自干的公司人民币七十万元（含损坏货物赔偿及受伤人员医疗费）；墨留成致向龙重伤，系故意伤害，但鉴于墨留成认罪态度良好，并积极配合警方弄清案件因由，从轻处罚，判处有期徒刑七年。

鲁智道侧脸看旁听席上的爱淘。爱淘面色平静，仿佛此事与她无关。

鲁智道突然想起，经过前段时间的调查，朱自干的公司已经资不抵债。那么，朱自干失忆，是否另有蹊跷？记者的敏锐使他内心一阵激动。他决定再深挖这个事件。

——当然，那天并不是所有的人都发生了故事。爱美在学校平静地教书；许重正忙于应付公司的危机，在国家政策的调控下，房地产市场交易量从盛夏直入严冬，一些小中介公司纷纷倒闭；刘隐龙和郝正乾一案越挖越深，本来已经到了开庭日期，由于新的证据层出不穷，法院决定延期审理。

这个夏天，京城酷热，网络上流传着一首歌《北京热死你》，是由《北京欢迎你》改编而来，重新填了词，但曲调没变。秋刀刀最先下载下来，然后从QQ上传给了爱佳，爱佳再传给宋时鱼。

宋时鱼听后大笑，在QQ上对爱佳说，咱爸回去也有一段时间了，他说不让去看，我看，咱俩还是得去看看。

爱佳说："可是公司这么忙，我找不出理由啊。"

"有一个理由。"

"什么？"

"婚假啊。"

爱佳的QQ静止了一会儿，然后，她发过去一个"害羞"的表情。

第四十七章　婚礼

爱佳和宋时鱼的婚礼，定在8月8日。日子是爱佳挑的。

由于双方父母不能到场，两人约定邀请双方在京的亲朋好友，简单举行一下仪式就行了。

天气酷热。婚礼前一周，两人在怀柔郊区拍了婚纱照。穿上婚纱的爱佳，感觉青草为她而长，鲜花为她而开，碧水为她而荡漾。

忙了一天，宋时鱼竟然没有自己预期的那样兴奋，但他仍然尽心配合爱佳完成了拍摄。

回到公司，前台接待小谢告诉他，股东曾凡华突遇车祸，刚刚在医院去世，曾凡华的老婆卓希娟来过电话。因宋时鱼拍婚纱，把手机关了，没联系上。

宋时鱼心头一慌，赶紧去了医院。卓希娟显然哭过，眼睛肿得像两只烂桃。

“时鱼，知道你快结婚了，本来不该扫你的兴。”卓希娟将他拉到一边，小声说，“但我不得不遗憾地告诉你，老曾这一走，我心灰意冷，孩子准备出国，要花钱，可能要从你那退股了。”

宋时鱼心头一激灵。

老曾的去世太过突然，他老婆的要求也是合情合理。当初创业时差钱，这夫妻俩二话没说就帮忙。再说，卓希娟一直无意于做这种咨询服务。但这么一来，成长中的“九头鸟”将面临资金周转困难——就算拿出自己所有的积蓄，也是独木难支。况且，他还要结婚、买房、照顾多病的母亲……正是花钱的当口。

“卓姐，能不能考虑一下？咱们先把曾哥送走再说吧。”宋时鱼心想，怪不得今天眼皮老跳，提不起精神，原来果真出了事。

“时鱼啊，其实我早就想撤了。”卓希娟冷冷地说，“以前，你曾哥觉得你创业不容易，才找我商量，我也没啥说的。现在情况变了，咱们都得生活，我又不懂你整的那些事，你要是我，也会这么决定，对吧？”

“可是……我们公司正处于上升期啊。”宋时鱼恳切地说，“我正准备在结婚后，扩大业务范围，好好干一把呢。”

“我的心冷了……没了你曾哥，我什么劲也提不上来了，更别说我不感兴趣的事了。”卓希娟起身，拍拍他的肩膀，“这事就这么定吧，对不起了，兄弟。”

见合伙人去意已决，宋时鱼也不好拂逆她的意思。

第二天，在殡仪馆送走曾凡华，宋时鱼心情郁郁。爱佳来电话约他商量婚礼细节。他连饭都顾不上吃，就赶到爱佳那里。爱佳一一罗列出要作定夺的细节，从邀请名单的确定，再到饭菜酒水标准、婚礼程序、摄像摄影等等，甚至考虑到了用什么礼金簿、签字笔。宋时鱼听得头昏脑涨，幸好爱佳成天搞会务，对这个很在行。

宋时鱼是个节俭的人，建议爱佳放弃在五星酒店举办婚礼的决定，改在专门从事餐饮的锦云大饭店举行婚礼，这样既大方，又省钱。爱佳同意了。

忙到半夜，终于把各种细节都敲定了。宋时鱼骨头几欲散架，点了根烟来解乏，却被爱佳一把夺下，狠狠摁灭。

“你这两天是怎么了？魂不守舍的！”爱佳有些生气，“不愿结这婚，现在说还来得及！”

“对不起，爱佳。”宋时鱼赶紧道歉，接着把合伙人的情况讲了。

“就你那公司，停了也没什么，我不还挣着钱嘛！”爱佳不以为然，“李总请你过来，你不来，非得自己扛着。说真的，爱淘跟我的看法一致，你成天当个受气包，让那些怨妇撒气，我既心疼，又难过。我看，你的事先放放吧，咱把婚结了再说。”

“公司再小，毕竟是我的心血啊。”宋时鱼心头不悦，但还是让了一步，心想你是比我能耐，但光靠你能成么？

“时鱼，你别多心啊。”爱佳突然觉得自己刚才的话有些过了，赶紧抱了他一下，“无论你干什么，我都支持你，甚至什么也不干，都行。咱们结了婚，不分彼此，先把这房当婚房，等将来有了孩子，再换个大点的房。你别多想，我是在乎你。物质上的事，过得去就行。对了，明天，咱去把证领了。”

“好。”宋时鱼回抱了她一下。他知道爱佳说的是真心话。然而作为一个男人，他从内心里不想依赖爱佳。

8 月 8 日这天，雨后初晴。

大部分收到请柬的人都来了。唯独主婚人李基隆，前一晚吃海鲜中毒住院了，委托孙见清替他主婚。

爱佳是个精细人，这些年来同学、朋友、同事结婚，她没少凑份子、送礼金，今儿也不免俗，通通都得收回来。安排别人她不放心，钱的事还得找亲姐妹。但爱美正闹分居，恐她心不在焉，爱佳只得委托爱淘接待、收礼。

爱淘最愿干这种事，她平时就有数钱的嗜好。接到任务后，头天晚上她就找二姐，让她回忆这些年送出去的礼金数额。爱佳顺手给她写下一笔账——原来都还记得清清楚楚。爱淘抄了账，心想这些年，钱一年比一年不值钱，现在怎么着也得加点儿利息吧。但到了婚礼当天，随着红包的增多，爱淘暗中数钱对账，不禁大失所望：多半都是原款到账，有的干脆比爱佳当年出的钱还少！

爱淘一边微笑接待，一边在心头打鼓：擦！姑奶奶再也不参加任何人的婚礼了！反正小墨出来还得好几年，到时候旅行结婚得了，犯不着整得跟二姐似的，劳民伤财，干这赔本买卖……

她正暗自嘀咕着，一阵香风袭来。爱淘是学服装的，立刻嗅出这是正宗的香奈尔 5 号。抬头一看，一个珠光宝气的女人站在签到台前，从精致的皮包里取出一个红包，轻放在台上。

爱淘满脸堆笑，说声“欢迎，请签名”。她目测了一下，这红包很瘪，估计连三百元都没有。

那女人拿起笔，大大方方地在礼金薄签上名字：柳冰雪。

接待人员秋刀刀过来，请柳冰雪入座。然而秋刀刀掌握的名单中，没有这个人，她只得请她坐在没有名签的散客桌上。

爱淘好奇，忍不住用裁纸刀将封好的红包划开，里头是一张银联卡，还有一张小纸条：

> 祝宋时鱼先生新婚快乐！
>
> 来得匆忙，未及准备，奉上人民币十万元，不成敬意。密码是888888。
>
> 柳冰雪

爱淘呆了一呆。这个柳冰雪是谁？居然如此大方！

这时又有新的贺客前来。爱淘觉得此事有点古怪，就向秋刀刀使了个眼色。

刀刀会意，绕桌贴近爱淘。爱淘将那红包交给她：“赶紧去楼上，把这个交给新郎官。”

此时的宋时鱼西装革履，正与孙见清低头说事。里间，爱佳正在做最后的化妆。

秋刀刀将红包交给宋时鱼。宋时鱼接过，打开一看，手猛地抖了一下，脸色变得潮红，正好被从里间出来的爱佳看见。

“怎么了？时鱼？”她小声问。

“没事。一个朋友，送了十万元。”宋时鱼迅速恢复了镇定。

“好事啊，你朋友真大方。”爱佳万没想到，这个柳冰雪是他的初恋情人。

“是。”宋时鱼说，“你赶紧忙吧，一会儿得下去了。”

“刀刀，你进来。”今天的爱佳，每个毛孔都充满了喜悦。她拉着秋刀刀的手，走进里间。

“新娘子今天真漂亮。”秋刀刀啧啧感叹，“领导，你猜今天还有谁要来？”

“不知道。”爱佳笑道，“莫非是你男朋友？”

“答对了。”秋刀刀笑靥如花，“他吧，差点就成了你的男朋友。”

“谁？”爱佳一怔。

“龙舸，龙船长。”秋刀刀脸红得像涂了朱砂。

“老实交代,你是怎么把他搞定的？”爱佳大惊。这世界真是太小了！

在简单介绍完他俩相恋的过程后，秋刀刀说：“他本来一下船，就拼命地跑来给你送花，结果你不在，我就把花收了。有时阴差阳错，也是一种美丽。”

爱佳微笑着拧了一下她的脸。

而此时的宋时鱼，正急匆匆地跑到楼下去找柳冰雪。刚才，他不好问秋刀刀。大喜的日子，初恋情人突然到来，这让他措手不及。

前来祝贺的宾客几乎坐满了。这里头，有许重和爱美，不过爱美忙着接待客人，就像没看到许重一样；有陈猛和朱敏，他们还没结婚，但看上去如胶似漆，应该已经住在一起了，朱敏的脸恢复了血色；有李晓明和新婚的警察妻子，正坐在角落喝茶聊天，甚是亲密；还有龙舸，有些焦急地朝楼上张望……

程米西和申峥嵘没有来，甚至连一条祝贺短信也没有。

宋时鱼与认识的人一一打过招呼，目光焦急地扫描着在场的男男女女，但没有看到柳冰雪的身影。最后，他只得去问爱淘：“刚才那个柳冰雪呢？”

“发财了吧？”爱淘做了个鬼脸，“金额太大，我不敢贪污，才让刀刀给你送去。哦，对了，她在那边……”她用手一指。

刚才还坐在那里的柳冰雪，早已不见了踪影。

宋时鱼正要再问爱淘，只见爱淘的脸色突然变得苍白。

他顺着爱淘的目光看去，就见一个面若桃花、梳着大背头、穿黑色衬衣、扎白色领带的男人，站在接待台前。那身打扮，像是来参加葬礼的。

“爱淘，你好啊。”那男人露出白森森的牙齿，极不自然地笑道，“你们不邀请我，我也要来。”

宋时鱼心里咯噔一声。以他敏锐的直觉，这个人，九成是爱佳的前任杨文远。

果然，那人拿起签字笔，龙飞凤舞地写下了“杨文远”仨字。

写完，杨文远取出夹在腋下的一本书，轻放在桌上：“我没钱，带了本书来作贺礼，可以吧？”

宋时鱼一看，那书很厚，封皮上是四个大字：金融密码。

“出书了？祝贺啊。”爱淘讪讪地笑道，“请坐，请坐。”

“虽然是第一本著作，但首印十万册，可以了。”杨文远转过头来，看着宋时鱼，“如果我没猜错，您就是今天的新郎官宋时鱼先生吧？”

“我是。”宋时鱼真想给这个傲慢的家伙一拳，但他还是忍住了，并强迫自己的右手伸出去，与杨文远握手。

但杨文远却假装没看见。他问爱淘：“新娘子呢？”

“在……”爱淘不知说什么好了。

“就在楼上，你去找她吧。”宋时鱼说完，快步走出饭店的大厅。

外头很热。但宋时鱼觉得外头的空气才是流动的。刚才，他快窒息了。

一个熟悉的声音在他耳边响起：“宋大哥，还好吗？”

正是柳冰雪！宋时鱼回过头来。

多年未见，柳冰雪还是那样高挑、迷人。只是，她的眉宇间多了几分沧桑。

“挺好的。”宋时鱼说，“你……回国了？”

“我……在北京都两年多了。”柳冰雪递给他一张名片。宋时鱼一看，上面写着：

芝兰（中国）化妆品有限公司　董事长

“那你……怎么不联系我？”宋时鱼嗫嚅着。

“我没脸见你。”柳冰雪低下头，“当年，我不辞而别，只身到了韩国……这些年，过得还行，钱也赚了些。你的公司，还有你的事情，我也知道一些。”

“你知道？”

“是的。”柳冰雪说，“我很看好你的事业。如果有可能，我想投资。”

“谢谢你。”宋时鱼知道此时此刻不宜谈这些问题，因为他此刻是新郎，“请进去吧，婚礼快要开始了。”

“我就不进去了。”柳冰雪咬了咬嘴唇，“其实我不该来，但终于没忍住……你能跑出来找我，我已经很感动了……赶紧进去吧，新娘子在等你。”

说罢，她转身向停车场走去。

宋时鱼追了两步，问：“冰雪，你……成家了没？”

“你说呢？”柳冰雪驻足，双肩开始发抖。

“我听说……你在韩国嫁人了。”宋时鱼忍不住说。

“我没有。”柳冰雪终于回身，眼里满是泪水，“小时候，我不是跟你讲过吗，我要到海那边去挣钱……但我没说过要嫁给海那边的人！”

柳冰雪开着她的宝马走了。宋时鱼呆立原地，直到热汗从额上流下来，迷了他的眼。

在他头顶上方的二楼化妆间，有一双眼睛看到了这一切。

这时，朱敏出来找他，塞给他一张字条。

宋时鱼木然展开，上面只有一行歪歪扭扭的字：

祝宋时鱼先生和爱佳小姐新婚快乐！

没有署名。

宋时鱼麻木的神经微微扯动了一下。他明白，这是来自朱自干的祝福。

“孙老师让我来找你，说婚礼马上就要开始了。”朱敏递给他擦汗的纸巾，“快进去吧。记住，要在楼梯口迎接你的新娘，然后牵住她的手，一定要笑。”

第四十八章　洞房花烛

房间里的冷气开得很足。

桌上的红烛静静燃烧，照着大红喜字，大红缎被。整个新房一派温馨喜庆。

爱佳遵从父亲的嘱咐，按照老家的习俗，在“洞房”里点了红烛。孔志军在电话里说，红烛能驱邪，庇佑新人早生贵子。

宋时鱼当然知道这是迷信的说法，但他还是按爱佳的意思布置了新房。

夜已深。爱佳整理完礼金簿，看了一眼望着红烛发呆的宋时鱼，说：“新郎官，后悔了？”

“看你说的。”宋时鱼展颜道，“我高兴还来不及呢。”

“恐怕不是吧？”爱佳强笑了一下，“自从那天，你跟我去怀柔拍照，你的表情就透露了你的心事。老宋，别忘了，我是你徒弟，你在看别人，我在看你。”

宋时鱼只得坦言相告：“爱佳，我真心爱你，从始至终，毫无动摇。至于我的心情，无关咱俩的感情，是因为我的公司。”

“你的公司没事。”爱佳似笑非笑地说，“不是有从韩国归来的富婆吗？只要你开口，她就会解囊相助。”

“爱佳，我正要告诉你……”宋时鱼站起身来。

“你不用告诉我。”爱佳说，“其实刀刀把那张卡拿上二楼的休息室，我就知道她是谁了。上次在石岛，大姐提过这事。”

“对不起，爱佳。”宋时鱼知道这种事越描越黑，“她今天来，我也没想到。”

“是啊。”爱佳淡淡地说，“你更没想到，她会开着宝马，流着眼泪，来与你这个青梅竹马的情人相会……哎呀，泪洒长街，凄婉动人啊。你为什么不让摄像师记录下那感人的一幕？”

宋时鱼心头猫抓似的难受。他冲出房间，准确无误地从礼盒堆里翻出那本《金融密码》，回房递到爱佳的面前：“那这本大作呢？又怎么说？！”

爱佳笑着接过，看也不看，打开窗户，将书扔了出去。

“你……”宋时鱼气得呼呼喘了两口气。

“听爱淘说,这书首印了十万册对吧？”爱佳的脸在红烛下越发红润，“我告诉你，就是印一百万册，关我屁事？你知道杨文远为什么后来没再出现吗？”

宋时鱼一愣。回想一下，在后来婚礼进行的过程中，他的确没再见到这个人。

“他上楼来找我，说他现在是洪泰证券的国际部总经理，牛了。”爱佳胸脯起伏了两下，继续说，“但我只说了一句话，他就滚了。”

“什么话？”

“‘你敢恶心我，我就杀了你。’”爱佳一字一句地说道。

宋时鱼看见，爱佳的眼里闪过刀锋般的光芒。他的心寒了一下。他知道爱佳说的这句话，绝不是开玩笑。

“我这样做，你还满意吧？”爱佳认真地问。

“满意。”宋时鱼连连点头。

“可是你那样做，我不满意。”爱佳起身，望着窗外。

良久，她才说：“你今天的表现，是留了余地，就像这支蜡烛一样。”

她转身撅嘴吹气。突突燃烧的红烛瞬间熄灭了。宋时鱼感觉自己的心也在这一瞬间沉入了黑暗。

但黑暗中，爱佳划了一根火柴，又将蜡烛点亮了。

——爱佳的意思很明显，情感有时会像蜡烛一样，只要有石蜡和灯芯在，就可以重燃。

他知道对于爱佳这样聪明的女人，怎么解释都显得多余。但他还是鼓起勇气说：“爱佳，她今天是来祝福我们的。我总不能赶她走吧？况且，她并没有像杨文远那样趾高气扬。”

“时鱼，今晚是我们大喜的日子，我不想再跟你抬杠。”爱佳看着他的眼睛，“我只是要你明白一个道理，另外还补充一点，你现在是有老婆的人，有家的人。今后，无论你的家事，还是公司的事，都不再是你一个人的事。你明白吗？”

“明白。”

“我嫁给你，就是把我的身体，我的心，全都交给你……”爱佳拉着他坐在床沿上，然后突然扑进他的怀里，呜咽着说，“我不许你的心里，还有别的女人……”

“我知道。”宋时鱼紧紧搂住她。

红烛被吹灭了。房间里只剩下粗重的喘息……

夜半，宋时鱼把空调的温度调得高了些。

“怎么还不睡？”爱佳的胳膊蛇一样缠住了他。

“怕你冻着了。”宋时鱼轻声道。

“知道疼人就好。”爱佳哼了一声。

“今天，还有几个细节。”宋时鱼说，“爱美的包掉地上了，许重跑过去给她捡。爱美并没有拒绝。”

“可他俩还是不说话。”爱佳叹道，“这生活呀，充满变数，谁知道呢。”

宋时鱼知道她还在为今天的事耿耿于怀。于是，他赶紧转移了话题：“你说，小墨判七年，如果表现得好，是不是可以提前出来？”

“是。”爱佳亲吻着他的脸，“这事，我们得上上心，别让咱家爱淘等得太久了。”

“还有，朱自干让朱敏送来了一个字条，但没署名。”

爱佳沉默了一会儿，说道：“不好！看来这朱自干是装的。咱们心头有数就行了。无论如何，都不能再让爱淘和小墨沾上这个扫把星了。”

“是。”宋时鱼说，“咱啥时候动身去看爸妈？”

“就明天。”爱佳在他耳边吹了口气，“不过，我也想与你这样，多呆几天……”

热血在宋时鱼全身涌动。他一扭身，又将妻子抱紧。

直到热汗再次变得冰凉，宋时鱼才感觉真的累了。

对一个男人而言，身旁躺着心爱的女人，已经是最大的幸福。然而他无法阻止自己心中的疑问，柳冰雪当年为何不辞而别？她到韩国究竟做了些什么？如果她真的找上门来，要投资自己的公司，是拒是纳？

从今晚爱佳的表现来看，她是一个很有掌控欲的人。未来的生活中，恐怕少不了摩擦：房子是她的，这次结婚的钱她死活要出，她的内心并不希望自己再从事什么女性情感咨询顾问这样的职业……

他突然想到，许多影视剧和文学作品，都将男女结合当做最完美的结局。而实际上，男女结合只是两人磨合的开始，婚姻的殿堂同样充满未知。

爱佳当然也没有睡着。今天，她虽然发狠话撵走了杨文远，但那两年的生活，已经镌刻到她的记忆之中，无法抹掉——正是因为她深知一个人的情感记忆无法擦除，所以她才极度担心宋时鱼会与初恋情人重燃爱火。

然而，无论如何，生活还得继续。

现在，躺在身边的这个男人，是她相中的，是她的选择。无论经历多少风雨，她都愿意与他并肩前行。